FRANCIA
GOLFO DEL LEÓN
PIRINEOS
Andorra
NAVARRA
Seo de Urgel
Olot
Gerona
Ebro
CATALUÑA
Zaragoza
Lérida
Sabadell
Barcelona
ARAGÓN
Reus
Tarragona
Tortosa
Morella
Teruel
ISLAS BALEARES
MENORCA
MALLORCA
IBIZA
R. Turia
R. Cabriel
VALENCIA
Valencia
Mingranilla
Carcagente
R. Júcar
Enguera
Denia
Alcoy
MURCIA
Alicante
Murcia
Cartagena
Almería
MAR MEDITERRÁNEO
ÁFRICA

La Dama de Elche

Escultura ibérica: busto de mujer hallado en Elche.

Heath's Modern Language Series

HISTORIA DE ESPAÑA

POR

M. ROMERA-NAVARRO

DE LA UNIVERSIDAD DE PENSILVANIA
MIEMBRO DE LA REAL ACADEMIA HISPANO-AMERICANA
CORRESPONDIENTE DE LA REAL ACADEMIA TOLEDANA
DE BELLAS ARTES Y CIENCIAS HISTÓRICAS

D. C. HEATH Y COMPAÑÍA, EDITORES

BOSTON NUEVA YORK CHICAGO
ATLANTA SAN FRANCISCO LONDRES

2 L 3

PRINTED IN U.S.A.

DEDICADO FRATERNALMENTE
AL MUY NOBLE CABALLERO E HISPANISTA
D. JAIME P. WICKERSHAM CRAWFORD

ÍNDICE

FOREWORD

The history of the United States during the past quarter of a century has greatly broadened our national horizon with respect to the Hispanic world. Our administration of the Philippines and of Porto Rico, our deep interest in the welfare of Cuba, and our increasingly intimate political and commercial relations with the Spanish-American republics have served to bring the affairs of the Spanish-speaking portion of the Western Hemisphere more closely than ever within our ken. At the same time, we have begun to recognize the significance of the Spanish background in our own national history.

The importance, for Americans, of the story of a country which has not only colonized more than half of the Western World, but at one time or another has held dominion over more than half of the present territory of the United States, needs no reiteration, especially in connection with our educational institutions, where a rapidly increasing amount of attention is being devoted to the study of Spanish, Spain and her former dependencies. No intelligent citizen, in these days of international coöperation, can afford to be ignorant of the debt which the Western Hemisphere owes to Iberian civilization, or of the methods by which that civilization was communicated to the New World.

Professor Romera-Navarro's book, designed as it is for reading in High Schools and Colleges, is an important contribution to an adequate comprehension of this Iberian background. It gives a simple, straightforward account of the development of Spanish civilization from the earliest times until the present. Much has of necessity been omitted, and the emphasis has been chiefly laid on those phases of the story which are specially significant for American students; but the picture, as a whole, is eminently fair. Despite the extreme simplicity of the narrative, the author has succeeded in revealing the Spanish viewpoint and ideal in politics, in religion, and in colonization with perfect clearness, though quite unobtrusively; his readers will see for themselves the *raison d'être* of many an act which, portrayed by some non-Spanish historian, might well seem to be incomprehensible. If this book is as widely read and studied as it deserves to be, it should serve to clear up many previous misconceptions in regard to Spanish civilization and achievement in the Old World and in the New, and also to advance the worthy cause of more sympathetic and cordial relations with our Spanish-American neighbors.

ROGER B. MERRIMAN

HARVARD UNIVERSITY

AL LECTOR

En esta historia que traigo a tus manos, lector, me he propuesto narrar además de los hechos políticos y militares de España en el pasado, el desarrollo del pensamiento español, de su literatura, ciencias y artes, el proceso de la civilización española. Grande y vasto es el asunto para encerrarlo en dos centenares de páginas. Requeríanse prodigios de equilibrio para dar a cada punto, en relación con los demás, su debida proporción. Tú, lector, juzgarás si lo he logrado.

Huelga decir que para componer esta historia he consultado las obras más autorizadas, sin ceñirme a ninguna en particular, y que en cuestiones todavía en discusión he tenido a la vista los trabajos más recientes, sobre todo monografías y revistas. No contiene este pequeño volumen que entre las manos tienes, lector, un solo hecho que no esté basado en las últimas investigaciones y sostenido por la autoridad de algún respetable tratadista de nuestra historia.

En la interpretación y crítica de los hechos no podía menos de ajustarme a los cánones de justicia, imparcialidad y decoro que son prendas de todo hombre de honor. Como español, mi orgullo y aplauso por los grandes hechos de mi raza no son mayores que mi dolor y reprobación por nuestras debilidades y errores en el curso de la historia. Vergonzoso sería para un pintor arreglar a su gusto el panorama, acentuando el magnífico relieve de las cumbres, adornando el paisaje, y omitiendo sus lodazales y negruras reales. Pero no menos injusto sería para el historiador acallar el entusiasmo cuando los hechos lo reclaman.

Dentro de la verdad y realidad históricas existen, sin embargo, puntos de vista, y conviene tenerlos en consideración, meditando de qué parte están la razón y la justicia. Por ejemplo, en el capítulo del descubrimiento de América notarás, lector, que hago especial hincapié en la contribución que España aportó a la memorable empresa. Y ahora he de preguntarte: ¿ me dejé yo llevar por indecoroso patriotismo, o eres tú quien concentrando toda la gloria del descubrimiento en un solo hombre, el inmortal Colón, sueles negar u olvidar un tributo de justicia al pueblo español? Todos los años se celebra en las ciudades de los Estados Unidos la fecha del descubrimiento de América. En las procesiones cívicas, en los discursos conmemorativos, en la palabra hablada y en la escrita, sólo una figura aparece, Colón. España queda olvidada. ¿ Será pasión en mí recordarte con hechos tu injusticia?

Respecto al lenguaje y estilo, no escribí estas páginas con particular empeño en que resultaran de fácil o difícil lectura, sino procurando sólo la claridad y lucidez que en todo escrito deben resplandecer. Cualquier expresión idiomática o giro castellano, de obscura significación para el estudiante de habla inglesa, ha sido cumplidamente aclarado en las notas, y no eliminado en el texto.

Bastantes son ya, a lo que entiendo, los libros de lectura escritos acá con el exclusivo propósito de que sea sencillísimo su manejo. En libros de lectura destinados al primer año, indispensable es el vocabulario limitado y constantemente repetido, la forma simplicísima; para lograr su fácil comprensión ha de sacrificarse en ellos el calor y brío del lenguaje. Mas lo que nos va pareciendo a muchos lamentable es extender tal sistema al segundo año universitario; poner tales libros en manos de escolares, hombres ya, que estudian ciencias de más trabajoso entendimiento y adquisición que cualquier idioma extranjero, tiene cuando menos algo de pueril.

Que la enseñanza ha de ser graduada, todos lo sabemos; mas ello ha de lograrse, no preparando un lenguaje especial para las aulas, sino ascendiendo paulatinamente de la mera descripción a la narración, a la combinación luego de ambas con el diálogo en la novela, hasta culminar en la lectura de puros diálogos en las obras dramáticas. El estilo más o menos lúcido de un autor, su tendencia al uso de largos o breves períodos, hará que su libro encaje en una etapa más o menos avanzada. La mayor o menor copia y detalle de las notas y aclaraciones gramaticales conducirá al mismo fin. En todo esto ha de basarse el criterio para graduar la enseñanza del idioma; y no ciertamente en martirizarlo, violentando su natural y propia expresión, robándole gracia y viveza, dejándolo tan fácil de entender como difícil de amar, tan pobre de espíritu, tan seco, frío y pesado que caiga en el ánimo del escolar como una losa.

Para terminar, lector, deseo confiarte mi deuda de gratitud hacia quien, leyendo el manuscrito y honrando estas páginas con su pluma, me tiene tan obligado: D. Roger B. Merriman, catedrático de historia en la Universidad de Harvard, que justamente figura entre los más eminentes historiadores e hispanistas de los Estados Unidos. Vaya también el testimonio de mi gratitud, no menor, al erudito editor de esta serie, D. Alejandro Green, por haberme sugerido el tema, aconsejado en su preparación y puesto en él todo interés y juiciosa crítica.

M. R.-N.

HISTORIA DE ESPAÑA

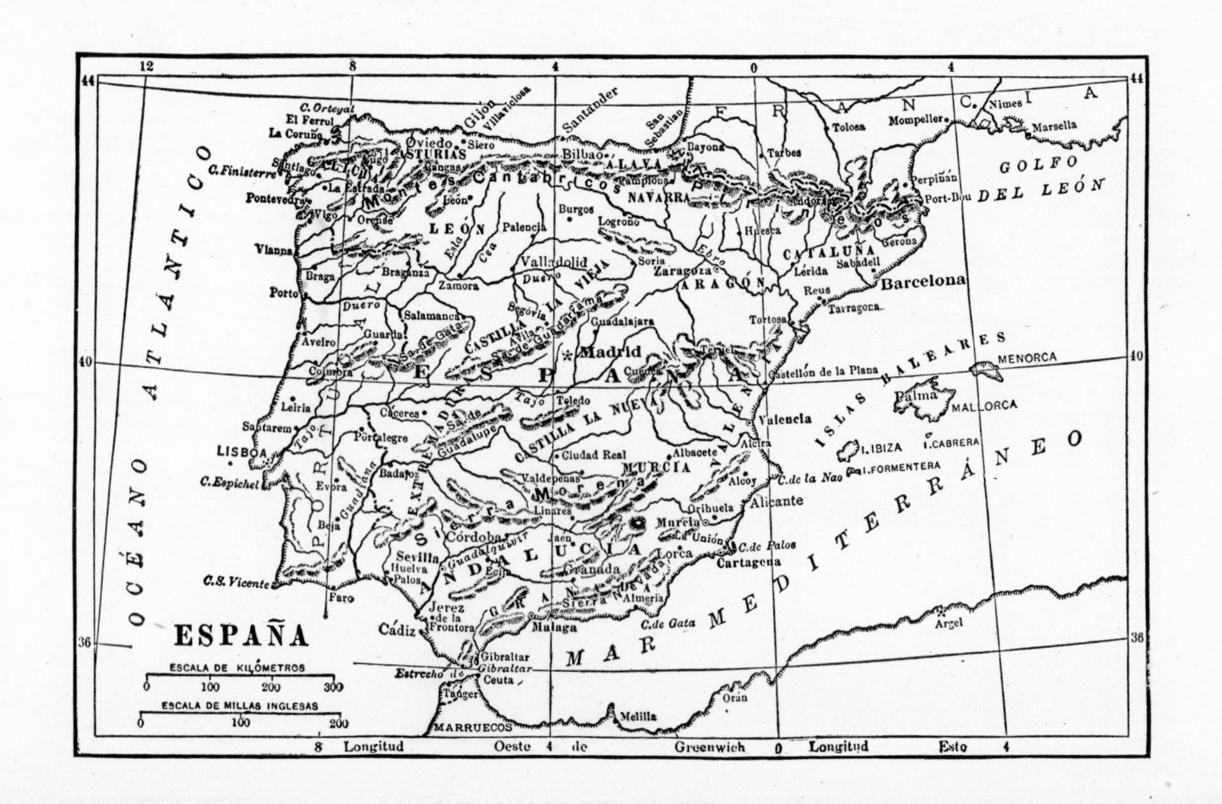
ESPAÑA
ESCALA DE KILÓMETROS
0 100 200 300
ESCALA DE MILLAS INGLESAS
0 100 200
OCÉANO ATLÁNTICO
MAR MEDITERRÁNEO
GOLFO DEL LEÓN
FRANCIA
PORTUGAL
ESPAÑA
MARRUECOS
ISLAS BALEARES
MENORCA
MALLORCA
Palma
I. IBIZA
I. CABRERA
I. FORMENTERA
GALICIA
ASTURIAS
LEÓN
ALAVA
NAVARRA
ARAGÓN
CATALUÑA
CASTILLA LA VIEJA
CASTILLA LA NUEVA
EXTREMADURA
VALENCIA
MURCIA
ANDALUCIA
GRANADA
Montes Cantábricos
Pirineos
Sierra Morena
Sa. de Gata
Sa. de Guadarrama
Sa. de Guadalupe
Sierra Nevada
Duero
Tajo
Guadiana
Guadalquivir
Ebro
Esla
Cea
C. Ortegal
El Ferrol
La Coruña
C. Finisterre
Santiago
Lugo
La Estrada
Pontevedra
Vigo
Orense
Vianna
Braga
Porto
Aveiro
Coimbra
Leiria
Santarem
LISBOA
C. Espichel
Evora
Beja
C.S. Vicente
Faro
Gijón
Villaviciosa
Oviedo
Siero
Cangas
León
Santander
Bilbao
San Sebastián
Bayona
Pamplona
Burgos
Logroño
Palencia
Valladolid
Zamora
Bragança
Salamanca
Guarda
Segovia
Ávila
Soria
Zaragoza
Huesca
Lérida
Guadalajara
Madrid
Cuenca
Teruel
Toledo
Cáceres
Portalegre
Badajoz
Ciudad Real
Valdepeñas
Linares
Albacete
Córdoba
Jaen
Sevilla
Huelva
Palos
Écija
Granada
Jerez de la Frontera
Cádiz
Gibraltar
Estrecho de Gibraltar
Ceuta
Tánger
Málaga
Almería
C. de Gata
Lorca
Murcia
La Unión
Cartagena
C. de Palos
Oribuela
Alicante
Alcoy
Alcira
C. de la Nao
Valencia
Castellón de la Plana
Tortosa
Reus
Tarragona
Barcelona
Sabadell
Gerona
Andorra
Port-Bou
Perpiñán
Tarbes
Tolosa
Mompeller
Nimes
Marsella
Argel
Orán
Melilla
Longitud Oeste de Greenwich
Longitud Esto
12
8
4
0
44
40
36

HISTORIA DE ESPAÑA

CAPÍTULO I

EL TERRITORIO

AL CONTEMPLAR un mapa de Europa vemos allá en el extremo sudoeste un vasto territorio, un inmenso escudo, la península ibérica; la sexta parte de su extensión corresponde a Portugal, y el resto a España.

ESCUDO DE ARMAS ESPAÑOL

Bañada en todos lados por el mar, excepto en el ancho brazo de tierra que la une al continente, la península parecería casi enteramente aislada del mundo si no tuviese en su costa meridional el estrecho de Gibraltar, ese pasadizo marítimo que pone en comunicación a Europa con África, al Asia occidental con América. La altitud media del territorio peninsular es de 700 metros; forma, pues, un colosal promontorio, plantado por la naturaleza en los confines de dos mares.

Montañas. — Su altísima y dilatada meseta central se enlaza y eleva en el norte con la cordillera Pirenaica, desciende gradualmente hacia el Atlántico, y de modo rápido hacia la llanura andaluza, en el sur, y hacia el Mediterráneo; así es que la costa mediterránea de España, vista desde el mar, ofrece el aspecto de una muralla de montañas que surge de las aguas, de una muralla ciclópea, ennegrecida por los siglos, abandonada, imponente.

Tres son las grandes cordilleras peninsulares: la Pirenaica, ya mencionada; la Ibérica, que, enlazada en el norte con aquélla, baja hacia el sudoeste; y la Penibética, que, arrancando del extremo sudoeste de la Ibérica, se dirige al oeste hasta hundirse en el estrecho de Gibraltar. Entre las ramificaciones montañosas que cubren la superficie peninsular hay cinco valles vastísimos, formados por las cuencas de sus mayores ríos: el Ebro y el Duero en el norte, el Tajo en el centro, el Guadiana y el Guadalquivir en el sur.

Paisaje. — Vario y extremado es el paisaje español: junto a abruptas montañas, estériles, calcinadas por el sol, se ven valles feraces y risueños, como en Andalucía; en medio de desiertas llanuras, peladas de árboles y vegetación, hállase un oasis, como en tierras de Castilla. En la región del norte, el campo es severo con sus montañas cubiertas de fino césped, las nieblas de su cielo triste y sus lluvias ligeras e incesantes; en la región central, la desolación de las mesetas castellanas, bajo un cielo claro y frío, cielo de acero, reviste muy agreste y solemne majestad; y en la región meridional, el paisaje es tan variado y policromo como la visión del calidoscopio.

Los bosques cubren la décimotercia parte del territorio español. Del resto, la mayor parte es estéril o de mediana producción, y la décima, de suma fertilidad. De los 492,230 kilómetros cuadrados que constituyen la superficie de España, considérase como productivo, merced en parte al riego artificial, el 76 por 100.

Clima. — Lo montañoso del territorio, la consiguiente veloz corriente de sus ríos, y la escasez de bosques y arboledas, causan extrema sequía en ciertos meses y, en otros, lluvias torrenciales e inundaciones. En el centro, los cambios de temperatura también son extremos; en las costas, la temperatura es casi inalterable, particularmente en la costa mediterránea, donde se goza de perenne primavera. Excepto en el norte, la atmósfera de la península es seca y clara. 5

Productos. — España es uno de los más importantes países productores de cereales, el primero en aceites y el tercero en vinos. Su suelo es también el único europeo donde crece la caña de azúcar. En riqueza minera, si se exceptúa el carbón, está a la cabeza de Europa. La calidad y variedad de sus minerales es el principal factor de su prosperidad: hierro, cobre, cinc, estaño, plomo, mercurio, se encuentran allí en abundancia, siendo muy renombradas en el mercado mundial las minas de hierro de Somorrostro, las de plomo argentífero de Linares, las de cobre de Río Tinto y las de azogue de Almadén. 10 15

Población. — De la naturaleza del suelo tiene que participar la índole de sus habitantes. España, de punta a punta, es una sucesión de cadenas montañosas, amplias mesetas y valles aislados. De este aislamiento de las comarcas españolas proceden las diferencias que, en tipo, índole y costumbres, separan a sus habitantes; así como también procede de dicho aislamiento la extraordinaria variedad y riqueza de las artes populares de España, pues cada comarca tiene sus propios y típicos cantares, música y bailes. 20 25

Carácter. — En tres grupos pudieran clasificarse los españoles: el del norte, grave, enérgico, brusco y de espíritu industrial; el meridional, sentimental e imaginativo; y el central o castellano, cuyo tipo posee la grave dignidad del peninsular del norte, su laboriosidad, y la cortesanía y viva imaginación del meridional. Tomados en conjunto, dos 30 cualidades parecen substantivas de toda la raza: la entereza de carácter y la frugalidad. Común suele ser igualmente su dignidad o total ausencia de servilismo, y su espíritu de adaptación.

5 Fieros individualistas son, y siempre fueron, los españoles; y considérase tal individualismo el origen de su fortaleza como individuo, y de su debilidad colectiva, como entidad nacional. Rara combinación de lo práctico y lo ideal es, finalmente, el carácter español: idealistas, que caminaban 10 por el mundo con una cruz y una espada, son los españoles en la historia política; realistas, en la historia de las letras y las artes.

SUMARIO

1. La península ibérica, formada por España y Portugal, está en el extremo sudoeste de Europa.
2. Forma un colosal promontorio, pues su altitud media es de setecientos metros.
3. Sus tres grandes cordilleras son: la Pirenaica, en el norte, la Ibérica, de norte a sur, y la Penibética, en el sur.
4. Los mayores ríos: el Ebro y el Duero, en el norte, el Tajo, en el centro, y el Guadiana y el Guadalquivir, en el sur.
5. El paisaje español es muy vario y extremado, con sus abruptas montañas, sus valles feraces y la desolación de sus mesetas centrales.
6. El principal factor de la prosperidad de España está en la gran variedad y abundancia de sus minerales.
7. Las minas más importantes de España son las de hierro de Somorrostro, las de plomo argentífero de Linares, las de cobre de Río Tinto y las de azogue de Almadén.
8. Los españoles pueden clasificarse en tres grupos: el del norte, el central o castellano, y el meridional.
9. Las cualidades substantivas de la raza española parecen ser la entereza de carácter y la frugalidad.

CUESTIONARIO

1. ¿Dónde está la península ibérica, y cuál es su forma?

2. ¿Qué partes del mundo pone en comunicación el estrecho de Gibraltar?

3. Descríbase la meseta central de la península.

4. ¿Qué aspecto ofrece la costa mediterránea de España?

5. ¿Cuál es la extensión superficial de ésta?

6. Menciónense las causas de la extrema sequía en ciertos meses, y de las lluvias torrenciales, en otros.

7. ¿Cuáles son los principales productos agrícolas de España?

8. ¿Qué minerales se encuentran allí en abundancia?

9. Señálense las características de la raza española.

CAPÍTULO II

ESPAÑA PRIMITIVA

LAS PRIMERAS noticias sobre España, dignas de crédito, no se remontan más allá del siglo VI antes de Jesucristo. En aquel tiempo toda la península, es decir, España y Portugal, era designada comúnmente por los au-

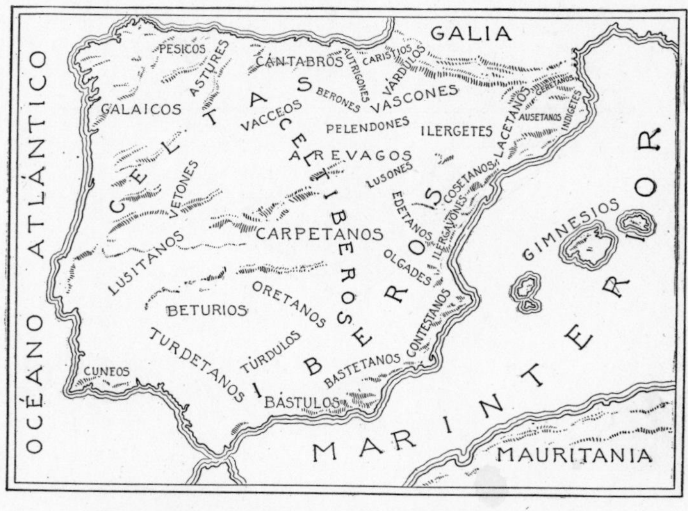

PRINCIPALES TRIBUS DE LA ESPAÑA PRIMITIVA

tores griegos y latinos con el nombre de Iberia. Sus pobladores, los iberos, eran de baja estatura, de cutis moreno, de cabello rizado y negro. Frugales, obstinados y vengativos eran estos hombres. Su individualismo o falta de espíritu de asociación y su indisciplina han persistido como características de la raza hispánica a pesar de su fusión con otros pueblos invasores.

Hacia fines del siglo VI antes de la era cristiana, los celtas invadieron la península. Los iberos habían penetrado en ésta por el sur; los celtas bajaron del norte, por los Pirineos. Los nuevos invasores no eran pequeños y morenos como los iberos, sino de elevada estatura y claro cutis.

Ambos pueblos llegaron a fundirse en las mesetas cen-

NECRÓPOLIS DE LA ÉPOCA PRIMITIVA EN CÁDIZ

trales de la península, dando origen a la raza celtíbera; mas en el norte y el oeste quedaron predominando los celtas, y en el este y el sur los iberos.

Organización política. — No formaban estas razas una unidad política, ni estaban sujetas por consiguiente a un poder único. La necesidad económica y militar obligó a las tribus vecinas a constituír federaciones, que eran como pequeños reinos. Cada tribu estaba generalmente gobernada por un jefe, pero algunas tenían dos, uno encargado probablemente del régimen político, y el otro del régimen militar. Además tenían una o dos asambleas deliberantes;

en las tribus en que había dos asambleas, una estaba formada por el elemento aristocrático, y la otra por el elemento popular. Es curioso notar, pues, que tenían como nosotros hoy su Senado y su Congreso.

Régimen social. — Había tres clases sociales: aristócratas, plebeyos y siervos. Estos últimos se hallaban privados de derechos humanos, y pertenecían en propiedad a los hombres libres, es decir, a los aristócratas y a los plebeyos. Aunque en la mayoría de las tribus el varón contraía matrimonio con una sola mujer, había algunas tribus donde la poligamia estaba sancionada. Las mujeres compartían con los hombres el cultivo de la agricultura, y aun a veces combatían junto a ellos en el campo de batalla. La justicia era administrada por el jefe de la familia o por el jefe de la tribu o por las asambleas, según la naturaleza del crimen. En ciertos casos se recurría al combate personal, quedando la razón de parte del vencedor.

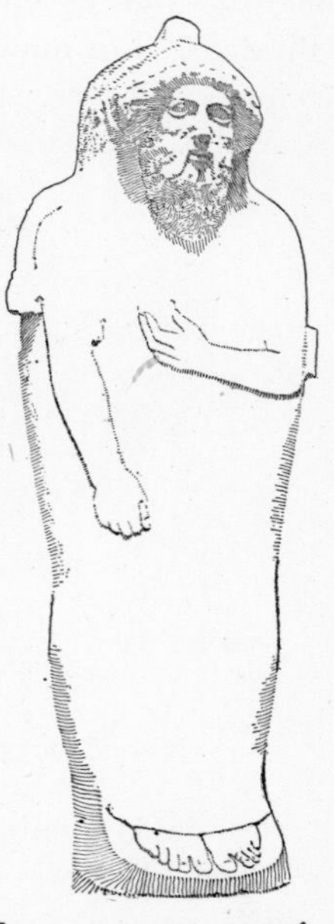

TAPA DE UN SARCÓFAGO DE LA NECRÓPOLIS GADITANA

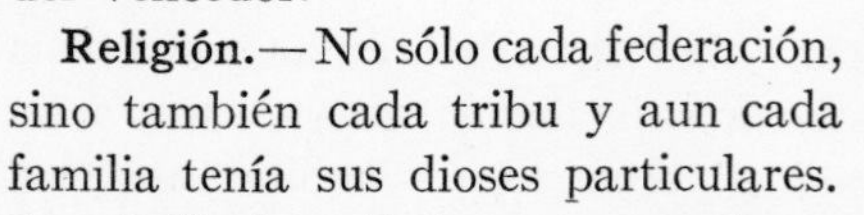

Religión. — No sólo cada federación, sino también cada tribu y aun cada familia tenía sus dioses particulares. Les dedicaban fiestas, y en su honor inmolaban animales; en algunas tribus, como las lusitanas, se inmolaban también víctimas humanas, los prisioneros de guerra.

Espíritu belicoso. — Los autores clásicos nos hablan del desprecio que aquellos primitivos pobladores peninsulares sentían por el sufrimiento corporal; maravillábanse los romanos de ver cómo cantaban y se burlaban los prisioneros celtíberos al ser clavados en la cruz, pues tal era el castigo que los romanos imponían a sus enemigos. Fueron los soldados de mayor resistencia física y más heroica naturaleza que los romanos encontraron al conquistar el mundo. Éstos, sus propios adversarios, los celebraban por su valor y caballerosidad en el campo de batalla. Celebraban igualmente su hábil estrategia, su arte militar, como el más perfeccionado que habían visto entre gentes bárbaras. Una costumbre curiosa observaban los soldados romanos al aparecer frente a ellos los guerreros celtíberos: mientras los demás pueblos, incluso el romano, llevaban la espada al lado derecho, los celtíberos la llevaban pendiente, como los soldados de hoy, del lado izquierdo.

PINTURA DE UN BISONTE
Hallada en las cavernas prehistóricas de Altamira.

Civilización. — Las tribus del norte de la península eran de costumbres semisalvajes, y más civilizadas a medida que se descendía hacia el sur. Así es que las tribus meridionales, las de Andalucía, gozaban de una civilización bastante avanzada. Merecían éstas últimas, según Estrabón, título de civilizadas y aun de doctas «por hacer uso de la gramática y tener escritos monumentos literarios de antigüedad . . .» De su literatura no queda un solo fragmento. De su lenguaje nada sabemos; las inscripciones que se conservan no han podido ser descifradas.

Artes. — Los vestigios de su arte muestran que los primitivos pobladores peninsulares habían alcanzado un considerable desarrollo en arquitectura, escultura, orfebrería y cerámica. El mejor ejemplo de la escultura ibérica 5 que se conserva es una cabeza de mujer, excelentemente esculpida, *La Dama de Elche*, hallada el 1897 en los alrededores del pueblo de este nombre: su semblante estoico, grave y enigmático puede ser símbolo de España.

SUMARIO

1. Los primitivos pobladores de España de que se tienen noticias eran los iberos, los cuales, tras extenderse por el litoral mediterráneo de África, habían penetrado por el sur en España.
2. Luego los celtas invadieron a España, entrando por el norte.
3. Ambas razas eran de distinto tipo: los iberos eran bajos y morenos; los celtas, altos y rubios.
4. Estos pueblos componían muchas tribus, cada una de ellas con uno o dos jefes y una o dos asambleas deliberantes.
5. La población estaba dividida en hombres libres, que eran los aristócratas y los plebeyos, y en siervos, que eran los que pertenecían a aquéllos en propiedad.
6. No tenían sólo un dios, sino muchos.
7. Las tribus del norte de la península eran casi salvajes, pero las del sur gozaban de una civilización bastante avanzada.
8. Según los autores antiguos, los celtíberos eran los soldados de mayor resistencia física y los más heroicos que los romanos encontraron al conquistar el mundo.

CUESTIONARIO

1. ¿Cuáles son las dos características de los iberos que han persistido en la raza hispánica?

2. ¿Dónde se fundieron los iberos y los celtas?

3. ¿Por quién estaban gobernadas estas tribus?

4. ¿En cuántas clases sociales estaba dividida la población?

5. ¿Quién administraba la justicia?

6. ¿Por qué celebraban los romanos a los celtíberos?

7. ¿Qué hacían éstos al ser clavados en la cruz?

8. ¿Cuáles eran las tribus más civilizadas de la península?

9. ¿En cuáles artes habían alcanzado un considerable desarrollo?

10. Menciónese el mejor ejemplo que se conserva de la escultura ibérica.

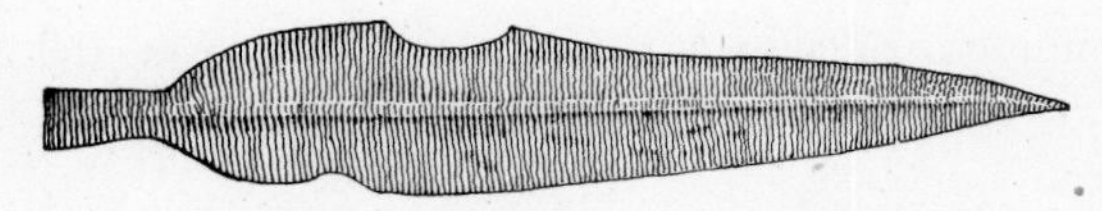

Arma de hierro de la época

CAPÍTULO III

COLONIZACIONES FENICIA Y GRIEGA

DESDE tiempos remotos, los fenicios habían fundado colonias en todas las costas de la península ibérica, excepto en la del norte. Era el pueblo fenicio de origen semítico, y su metrópoli estaba situada en el litoral medi-
5 terráneo de Asia.

Sus numerosas colonias o factorías en las costas del Medi-

LLEGADA DE LOS FENICIOS Y FUNDACIÓN DE CÁDIZ
De una pintura por M. C. Espí.

terráneo tenían por objeto la explotación de la riqueza de los países extranjeros, y el tráfico con ellos. Por varios siglos se mantuvieron los fenicios en sus colonias sin aspi-
10 rar al dominio político y militar de las comarcas donde se

establecían. Era un pueblo de comerciantes, y no de soldados.

Luego, los fenicios penetraron un poco en el interior de España, sobre todo en las comarcas del sur y de levante. Sin embargo, jamás llegaron a fundirse con la población nativa.

Cultura e industrias. — Aunque eran mercaderes que iban a hacer su negocio, y nada más, su cultura superior había de influír sobre la de los peninsulares. Los fenicios introdujeron en España su escritura y el uso de la moneda, enseñaron a los naturales el arte de trabajar los metales y la fabricación de tejidos. Los tesoros de metales preciosos de la península, que habían atraído a los fenicios, los hicieron el pueblo más opulento de la antigüedad. Las pesquerías e industrias textiles establecidas allí por ellos contribuyeron también considerablemente; y es de saber que la lana de los ganados que pastaban en los valles del Guadalquivir era la más fina que entonces se conocía. Los escritores de la antigüedad como Estrabón y Diodoro, hablan de las maravillosas riquezas mineras de España. Tal era la abundancia de oro, según ellos, que los fenicios fabricaban las anclas de sus barcos con este precioso metal; y de oro también eran las vasijas que se usaban en el hogar.

PENDIENTE FENICIO DE ORO

Los griegos. — Otro pueblo emprendedor y mercantil había establecido igualmente sus colonias en la península: el pueblo griego.

La grandeza del imperio colonial de los fenicios contuvo por bastante tiempo la expansión política y comercial de Grecia. Mas después, con la decadencia de Fenicia, aumentó el poderío colonial de aquélla.

LLEGADA DE LOS GRIEGOS A ESPAÑA
Del cuadro de N. Méndez Bringa.

Empezaron los griegos a fundar sus colonias en el nordeste de la península hacia el siglo VII antes de Jesucristo. Avanzaron más tarde hacia el sur, hasta poseer colonias en todo el litoral mediterráneo de España.

La organización de las colonias fenicias y griegas no era 5 la misma. Las fenicias eran de dos clases: unas de fundación oficial, gobernadas por la metrópoli, y otras de carácter privado, manejadas por empresas particulares. Las colonias griegas fueron por mucho tiempo fundación de pode-

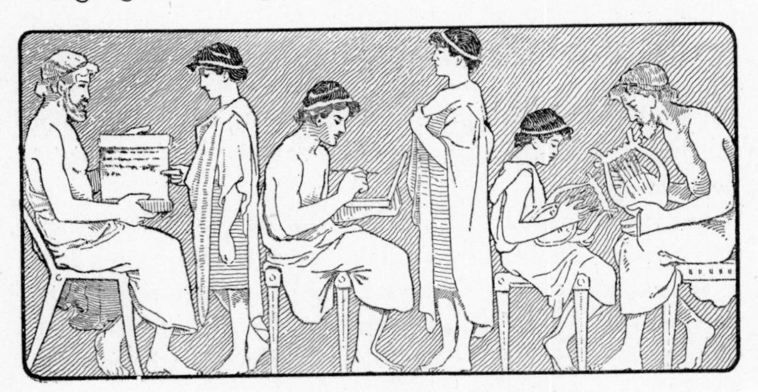

ESCENA DE UNA ESCUELA GRIEGA

rosas casas comerciales, y no mantenían ningún vínculo 10 político con la metrópoli.

Influjo cultural. — El influjo de la civilización griega fué mucho mayor que el de la fenicia. Los fenicios se limitaban a mantener relaciones comerciales con los naturales; los griegos se identificaban con ellos, viviendo en más es- 15 trecha comunicación espiritual, y por su índole y procedimientos disfrutaban de la amistad y la simpatía de los peninsulares. Aprendieron mucho de los griegos en el orden político, y sus ideas religiosas fueron considerablemente influídas por la forma mitológica del paganismo griego. 20

Contribuyen los griegos a difundir el conocimiento de la agricultura en la península, y a la creación de escuelas o academias. Y tanto en arquitectura y escultura como en artes industriales, particularmente en cerámica, ejercen 5 su bienhechor influjo.

Guerra fenicia. — Unos cinco siglos antes de Jesucristo, los fenicios de Cádiz intentaron penetrar en el interior del país. Movíales sin duda la ambición de riquezas, y no la gloria militar. Iban probablemente en busca de nuevas 10 minas que explotar. Las tribus celtíberas, federadas, les cerraron el paso. Entablada la lucha, combatieron éstas con tanto ardor que los fenicios fueron derrotados, perseguidos hasta sus mismas factorías de la costa, destruídas muchas, y aun amenazada gravemente la más importante 15 de todas, Cádiz.

Los cartagineses. — En tal estado de cosas, los fenicios necesitaban ayuda militar. Pero la metrópoli estaba lejos, y muy quebrantado su poderío para aquella fecha. Recurrieron, pues, a Cartago, otra colonia fenicia situada en 20 el norte de África, que comenzaba a suceder en importancia política y comercial a su propia metrópoli. Los mercaderes de Cádiz enviaron mensajeros a Cartago solicitando ayuda. Cartago la prometió, e inmediatamente envió un ejército, venció a los celtíberos, salvando por el momento de segura 25 destrucción a las restantes colonias fenicias de la península. Los cartagineses habían entrado en la península como auxiliares de los fenicios. Pronto, tornando las armas contra éstos, se quedaron allí como señores.

SUMARIO

1. Los fenicios tuvieron colonias en las costas de España y aun penetraron un poco en su interior, pero sin fundirse nunca con la población nativa.

2. Ellos introdujeron en España la escritura y el uso de la moneda.
3. La riqueza de la península en preciosos metales, especialmente oro, era muy grande, y aun hoy lo continúa siendo.
4. Los griegos, atraídos por los tesoros de España, habían establecido colonias también en su costa mediterránea.
5. Las colonias fenicias estaban más ligadas a la metrópoli que las griegas.
6. Vivieron los griegos en más estrecha comunicación espiritual con los peninsulares que los fenicios, y gozaban de mayor simpatía.
7. El influjo de la cultura griega fué muy considerable en la península ibérica.
8. Cuando los fenicios intentaron penetrar en el interior, fueron combatidos y derrotados por los celtíberos.
9. Entonces pidieron aquéllos auxilio a los cartagineses, quienes vinieron a España, vencieron a los celtíberos y, más tarde, se apoderaron también de las colonias fenicias.

CUESTIONARIO

1. ¿ Cuál era el origen del pueblo fenicio?

2. ¿ Dónde estaba situada su metrópoli?

3. ¿ Cuál fué el objeto de sus colonias?

4. ¿ Cómo influyeron en la cultura de los peninsulares?

5. ¿ De dónde procedía la lana más fina que se conocía entonces?

6. ¿ En qué parte de España se establecieron los griegos?

7. ¿ Cuál era la diferencia entre las relaciones que mantenían los griegos con los peninsulares, y las que mantenían con éstos los fenicios?

8. Señálese la contribución de los griegos a la cultura peninsular.

9. Motivo de que vinieran a España los cartagineses.

CAPÍTULO IV

DOMINACIÓN CARTAGINESA

LAS COLONIAS fenicias pasaron a ser colonias de Cartago. Era éste un pueblo igualmente comercial, pero más guerrero y ambicioso del dominio político que Fenicia, su antigua metrópoli. Su dominación en el litoral de 5 la península fué más completa. Los cartagineses estacionaron guarniciones en las colonias de mayor importancia, subyugaron a varias tribus celtíberas, obligándolas a pagar una contribución, y prosiguieron la explotación de minas en beneficio de empresas particulares o del erario público 10 de Cartago.

Los cartagineses habían entablado la lucha con las colonias griegas de la península y las vencieron, pero sin lograr desalojarlas enteramente.

Cartago tuvo un nuevo rival: Roma. Desde el siglo 15 IV antes de Jesucristo el poder político y militar de la última se había fortalecido y extendido por casi toda Italia. Por mucho tiempo, romanos y cartagineses celebraron tratados y mantuvieron relaciones pacíficas.

Guerras púnicas. — Estalló después la primera guerra, 20 llamada púnica (264 a. de J.), entre ambos pueblos. Roma, vencedora, arrojó de Sicilia a los cartagineses y llevó la guerra a la misma África, donde estaba situada Cartago.

En dicha guerra y en las siguientes que tuvieron lugar entre ambas razas, Cartago contó con la ayuda de los 25 celtíberos, quienes se alistaron en sus ejércitos en gran número, figurando unos veinte mil mercenarios celtíberos en la primera guerra púnica. Los autores antiguos alaban el fino temple de las espadas celtíberas, así como el de sus lanzas, que ni el casco ni el peto de los romanos podían resistir; elogian también el valor y acierto con que las manejaban, y la excelencia de su caballería: los celtíberos eran en el mundo antiguo famosísimos jinetes.

TOMA DE CÁDIZ POR LOS CARTAGINESES
Del cuadro de J. Segrelles.

Después del fin desastroso que la primera guerra púnica tuvo para Cartago, la península fué el campo de sus siguientes operaciones militares contra Roma.

Amílcar. — En el año 236 antes de la era cristiana, un ejército cartaginés desembarcó en España. Amílcar Barca, el más renombrado general de Cartago, lo mandaba. Aunque fué acogido amistosamente por las tribus del sur, con las cuales celebró alianzas dicho general, encontró fuerte resistencia en las tribus del interior; pero, venciéndolas al cabo, el dominio cartaginés quedó firmemente asentado en la península.

Sus alianzas con las tribus peninsulares y los matrimonios entre los soldados cartagineses y las mujeres celtíberas 5 trajo consigo un período de paz.

Aníbal. — Más tarde, un valiente mozo de veintiséis años fué elegido jefe supremo del ejército y del gobierno

AMÍLCAR BARCA CONSAGRANDO A SU HIJO

De una pintura de E. Estevan.

cartaginés en la península. Este mozo era Aníbal, uno de los más grandes genios militares que la historia registra. 10 Por su bravura y su talento estratégico, era el ídolo de los soldados. Su matrimonio con una princesa celtíbera había contribuído, además, a su popularidad entre los naturales del país.

Enemigo declarado de Roma, y ambicioso por conquistar 15 para Cartago el señorío del mundo, buscó una ocasión propicia para entrar en guerra con los romanos. Aníbal empezó por atacar, y vencer, a las colonias griegas de la península que se habían aliado con Roma.

Sagunto. — Entre las ciudades aliadas de ésta se contaba Sagunto, ciudad de población celtíbera, aunque colonizada acaso por los griegos. Resistió tan heroicamente a los ejércitos de Aníbal que su nombre, su abnegación y valor han quedado inmortalizados en las páginas de la historia y en la memoria de las gentes.

ANÍBAL

Por nueve meses rechazó Sagunto los ataques del ejército cartaginés, de unos ciento cincuenta mil hombres. El propio Aníbal, al acercarse un día a la muralla, fué herido por los saguntinos. Al cabo fué vencida la ciudad (218 a. de J.), no por las huestes cartaginesas, sino por el hambre. Aníbal no quiso conceder a los habitantes de Sagunto una rendición honrosa. Y los saguntinos, antes que humillarse ante el altivo conquistador, prefirieron morir combatiendo o arrojarse con sus mujeres, sus hijos y sus riquezas a la hoguera.

Al penetrar Aníbal, la ciudad estaba en silencio, y sólo halló por todas partes muerte, desolación y la ceniza de aquellos hombres heroicos.

Aníbal en Italia. — Tras vencer a los aliados de Roma, el general cartaginés quiso llevar la guerra a Italia. Con un ejército de más de 100,000 hombres atravesó los Pirineos y los Alpes, empresa singular celebradísima por todos los historiadores; derrotó a las legiones enemigas, y llegó casi hasta las mismas puertas de la imperial ciudad de Roma. Mas Cartago fué al fin vencida.

5 En el año 206, debido a las victorias de Roma, concluyó la dominación cartaginesa en la península; y en el año 146 los ejércitos romanos consumaron la destrucción de Cartago.

Monedas de Gades y Cástulo

Del siglo I a. de J.

SUMARIO

1. Los cartagineses no se limitaron a explotar las riquezas de la península, sino que ejercieron sobre partes de ella una dominación política y militar.
2. En las guerras entre Cartago y Roma los celtíberos se alistaron en los ejércitos cartagineses.
3. Los autores antiguos alaban el valor de los celtíberos, el fino temple de sus espadas y su destreza como jinetes.
4. Los soldados cartagineses contrajeron matrimonio con las mujeres celtíberas, y el mismo Aníbal se casó con una princesa del país.
5. Aníbal era el ídolo de sus soldados, y gozaba también de popularidad entre los celtíberos.

6. Era Sagunto una ciudad aliada de Roma y opuso tan heroica resistencia a los ejércitos cartagineses, que su nombre es inmortal para los españoles. Sólo el hambre pudo vencer el valor de los saguntinos, que murieron combatiendo o en la hoguera.
7. Aníbal obtuvo grandes victorias sobre los romanos, pero al fin fué vencido.
8. Los triunfos de Roma acabaron con la dominación cartaginesa en España.

CUESTIONARIO

1. ¿En qué se diferenciaban los cartagineses de los fenicios?
2. ¿En beneficio de quién explotaron aquéllos las minas de España?
3. Resultado de las luchas de los cartagineses con las colonias griegas.
4. ¿En cuáles ejércitos se alistaron los mercenarios celtíberos?
5. ¿Cuántos de éstos tomaron parte en la primera guerra púnica?
6. ¿Qué alababan los autores antiguos respecto de los celtíberos?
7. ¿Cómo fué recibido Amílcar, general cartaginés, en la península?
8. ¿Quién era Aníbal?
9. ¿Por qué era el ídolo de sus soldados?
10. Motivo que contribuyó a su popularidad entre los naturales del país.
11. Relátese la guerra de Sagunto.

MONEDA CARTAGINESA ACUÑADA EN ESPAÑA

CAPÍTULO V

NUMANCIA HEROICA

LA PENÍNSULA ibérica fué el primer territorio europeo invadido por las legiones romanas, mas el último que se sometió al yugo de la imperial ciudad. Por más de dos siglos, a contar desde el día de su entrada en España, tuvieron que combatir para dominar a los celtíberos. Los generales romanos lograban vencer a unas tribus, pero otras se alzaban inmediatamente contra ellos. Y las tribus conquistadas volvían a la lucha en la primera ocasión propicia.

LEGIONARIO ROMANO DE LA ÉPOCA

Los peninsulares luchaban en guerrillas; y las legiones romanas, con sus grandes masas de soldados, con su mucha impedimenta, con sus movimientos lentos y su poco conocimiento del terreno, se veían constantemente ostigadas, atacadas repentinamente en los desfiladeros por las guerrillas celtíberas, ligeras, siempre en acecho, que sorprendían al enemigo y que se desbandaban y desaparecían antes de que éste pudiera contestar al ataque.

Guerra a muerte. — La guerra era implacable, guerra a muerte. El valor de las tribus peninsulares y la eficacia y mortandad de sus ataques llegaron a inspirar tal terror a los soldados romanos, que éstos se resistían a alistarse en los ejércitos destinados a España.

El dios Marte
De un cuadro de Velázquez.

La ambición de poseer las riquezas de la península, además del natural sentimiento de patriotismo, movió al Senado romano a mantener la guerra con extrema energía. Los cónsules y generales romanos adoptaron los procedimientos más duros y crueles. Incendiaban los campos, arrasaban las ciudades y pasaban a cuchillo a los habitantes o los vendían como esclavos. Más de cuatrocientas ciudades fueron destruídas durante el mando de Catón, primer cónsul que fué a España (s. II a. de J.); así podía jactarse él de haber acabado con más ciudades que días había permanecido allá.

Viriato. — En tales guerras surgió un hombre de genio singular. Su nombre era Viriato; su ocupación, la de pastor. Tan grandes dotes militares poseía que durante ocho o nueve años acaudilló victoriosamente a las tribus 5 lusitanas en su guerra con los romanos.

El Senado de Roma mandaba contra Viriato sus mejores generales, y aquel hombre que por la fuerza de su genio se había elevado de pastor a guerrillero, y de guerrillero a consumado estratega y general de todos los ejércitos 10 lusitanos, humillaba a las águilas imperiales. Obtuvo al cabo la independencia de Lusitania, hoy Portugal.

Viriato fué asesinado a traición, mientras dormía, por orden de un general romano. Viriato, el gran caudillo había caído; mas otras almas heroicas se levantaron contra Roma.

15 **Numancia.** — En el mismo corazón de Castilla la Vieja, cerca de la actual Soria, había una ciudad llamada Numancia, capital de una confederación de tribus. Varios generales romanos fueron derrotados por los numantinos y, para salvar sus ejércitos, celebraban tratados de paz en que 20 quedaba reconocida la independencia de las tribus numantinas. Pero el Senado romano rechazaba los tratados firmados por sus generales. La guerra continuaba: Numancia siempre victoriosa, Roma siempre vencida.

Escipión Emiliano, el más famoso general romano, fué 25 enviado a España con un poderoso ejército (s. II a. de J.). Numancia, como Cartago, había desafiado a Roma, y Numancia debía ser destruída como lo había sido Cartago. El general romano, tras adiestrar a sus soldados con continuas maniobras, puso sitio a Numancia. Levantó murallas y 30 abrió fosos alrededor de la ciudad para impedir que sus habitantes recibieran auxilios; interceptó el río Duero, que pasaba junto a aquélla, para que los numantinos no pudieran entrar y salir por él nadando.

En vano atacaban los romanos a la ciudad, mas en vano también hacían salidas sus defensores arrojándose contra las legiones de Escipión. Mientras en Numancia hubo víveres, nadie pensó en rendirse. Pero con el anillo de murallas y fosos que la rodeaba, los víveres no podían ser 5 repuestos. El hambre comenzó a hacer estragos en la ciudad. Los numantinos morían de inanición, y todavía se negaban a pactar 10 con el enemigo.

Roma, emperatriz del mundo

Al cabo, presa del hambre, diezmada su población, sin esperanza de auxilio alguno, viendo cuán inútiles eran los 15 esfuerzos de sus cuatro o seis mil defensores contra los cuarenta o sesenta mil sitiadores, Numancia solicitó de Escipión términos 20 honrosos de capitulación. Escipión se negó a concederlos. El hambre, pensaba él, le entregaría la ciudad incondicionalmente.

Destrucción de Numancia. — Numancia estaba conde- 25 nada a muerte; y, tras diez y seis meses de sitio, pereció. Rendirse, no. Los ciudadanos que no encontraron su fin en las últimas salidas que, en su desesperación, hicieron, se dieron la muerte: luchaban unos numantinos con otros, y los que sobrevivían en estos encuentros personales se arro- 30 jaban a la hoguera; dábase muerte a las mujeres, las cuales preferían perder la vida a manos de sus padres o de sus hermanos más bien que caer en poder del ejército enemigo;

arrojábanse a la hoguera las alhajas y las riquezas; prendióse fuego a la ciudad, y Numancia fué destruída, pero no conquistada. El caso de Sagunto tornó a repetirse. Ni un solo habitante cayó en manos del enemigo, ni uno solo 5 sobrevivió.

Cuando el mundo sea viejo, cuando el tiempo y el olvido hayan echado su manto sobre muchas hazañas insignes

El sitio de Numancia

Nótense las máquinas de guerra de los romanos.

del pasado, aun volverán los españoles la mirada con asombro al ejemplo heroico de Numancia y de Sagunto.

SUMARIO

1. El primer territorio que invadieron las legiones romanas, así como el último que conquistaron, fué la península ibérica.
2. Por más de dos siglos tuvieron aquéllas que combatir para someter a los peninsulares.

3. Tal terror inspiraba a los soldados romanos la guerra de España que se resistían a alistarse en los ejércitos a ésta destinados.
4. La guerra fué implacable: Catón se jactaba de haber destruído más ciudades que días había gobernado en la península.
5. Un pastor llamado Viriato estaba dotado de tan grande genio militar que, al frente de sus ejércitos, derrotó a los mejores generales de Roma.
6. Numancia, capital de una confederación de tribus celtíberas, resistió heroicamente a los ejércitos romanos; no hay muchacho español que no conozca el nombre y heroísmo de Numancia.
7. Cuando, tras muchos meses de sitio, entró el ejército enemigo en la ciudad, no pudieron hacer un solo prisionero: todos sus habitantes, hombres, mujeres y niños, se habían entregado a la muerte.

CUESTIONARIO

1. Diferencia entre el modo de luchar de las tribus peninsulares y de los ejércitos romanos.
2. ¿ Por qué se resistían los soldados romanos a alistarse en los ejércitos destinados a España?
3. Causas que movieron al Senado romano a mantener la guerra.
4. ¿ Qué procedimientos adoptaban los cónsules y generales romanos?
5. ¿ Quién fué el genio militar que derrotó a los mejores generales de Roma?
6. ¿ Dónde estaba situada Numancia?
7. ¿ Quién era Escipión?
8. ¿ Qué hizo éste para rendir a la ciudad?
9. ¿ Cuándo solicitó Numancia términos honrosos de capitulación?
10. ¿ Por qué no se los concedió Escipión?
11. ¿ Qué hicieron los numantinos para no caer en manos del enemigo?

CAPÍTULO VI

ESPAÑA ROMANA

LOS LEGIONARIOS romanos, al volver de la guerra de España, hablaban de las muchas riquezas que encerraba, de sus minas de plata y oro, de sus campos feraces, de la abundancia de sus ganados, de su suave clima, de la
5 hermosura de su cielo. Los graves autores romanos también ponderaban todo ello en subidos términos. Y una considerable parte de la población romana,
10 viendo en España un vellocino de oro, allá fué a establecerse.

La región meridional, la de mayores bellezas naturales, la más rica y la de población más
15 culta y hospitalaria, atrajo particularmente a los romanos. Itálica, Córdoba, Cádiz y Cartagena llegaron a figurar después entre las más prósperas,
20 nobles y populosas del imperio. Algunas de tales ciudades, como Cádiz, competían con las de Italia en el número de caballeros romanos que en ellas residían.

ITÁLICA: COLUMNAS ROMANAS

Obras públicas. — Abriéronse grandes vías que atrave-
25 saban la península en todas direcciones, se levantaron puentes

y acueductos, se construyeron obras públicas de todo género. En las ciudades se edificaron templos, baños y palacios al estilo romano. Muchas de sus construcciones, como los acueductos de Segovia y Tarragona, el puente de Alcántara en Extremadura, etc., subsisten todavía. La grandeza imponente de aquellas vías y monumentos impresiona tanto a la posteridad que, para ponderar la magnitud o la dificultad de una gran empresa, suele decirse que es *obra de romanos*.

ACUEDUCTO ROMANO DE SEGOVIA

Política romana. — La política tolerante y benéfica de Julio César y, luego, de Augusto, se hizo sentir en España como en todas las demás provincias romanas. Reconocióse a los españoles los derechos de ciudadanía; y entonces, la lengua, la religión, las leyes y las costumbres públicas y privadas de los romanos fueron adoptadas gradualmente en la península. Vespasiano otorgó a los españoles todos los derechos de que gozaban los ciudadanos de Roma. España vino a ser así la provincia privilegiada del imperio. Su prosperidad e importancia subieron de todo punto al ocupar el trono imperial varios españoles.

Influjo de España en el imperio. — Desde que Augusto se pone a la cabeza del imperio, en el año 27 a. de J., hasta la última y decisiva invasión de los bárbaros (s. v), España ejerce un extraordinario influjo en la cultura romana, in-
5 flujo mucho mayor que el de todas las restantes provincias del imperio juntas. Ninguna suministró tanto oro al tesoro de Roma, ni tantos soldados a sus legiones; ninguna

TEMPLETE ROMANO, EN BADAJOZ

recibió tantos honores y privilegios, ni se identificó tanto con Roma, hasta el punto de decirse que *España fué más*
10 *romana que la misma Roma.* El primer extranjero que alcanzó la dignidad de cónsul en Roma fué Cornelio Balbo, español de Cádiz; el primer extranjero que rigió los destinos del mundo, otro famoso español, el emperador Trajano, de Itálica.

15 **Grandeza de la España romana.** — Español era el trigo con que se alimentaban los ciudadanos de la imperial ciudad; españolas, de Cádiz, eran sus más famosas bailarinas; y

nacidos en España también, o de sangre hispana, varios de sus más ilustres emperadores, como Trajano, Adriano, Marco Aurelio y Teodosio el Grande; españoles, en fin, muchos de sus mejores retóricos, poetas, filósofos y maestros. « Desde la muerte de Ovidio (año 17) — escribe el historiador británico Burke — hasta la muerte de Marcial (año 102), no hay un solo autor latino de primera categoría que no proceda de España.» El mejor tratadista latino de agricultura es Columela, español de Cádiz; el mejor retórico latino es Quintiliano, español de Calahorra; el primer geógrafo latino es Pomponio Mela, español de Algeciras; y españoles son, entre otros, los Sénecas, de Córdoba, el poeta satírico Marcial, de Bílbilis, hoy Calatayud, el poeta épico Lucano, de Córdoba, y el ya citado filósofo y emperador Marco Aurelio.

Marco Aurelio
Según un altorrelieve de la época.

Tal fué la grandeza de España que un autorizado historiógrafo inglés, Hume, ha podido afirmar que « en todas las cosas, excepto en el nombre, España, la hija, fué más grande que Roma, la madre, desde la muerte de Domiciano (año 96) hasta la muerte de Marco Aurelio (año 180).» Y durante sesenta años, de los ochenta de mayor paz, bienestar y poderío que tuvo el imperio romano, éste y el mundo 5 estuvieron regidos por emperadores españoles.

SUMARIO

1. Las riquezas de España atrajeron a una parte de la población romana.
2. Las ciudades meridionales de la península llegaron a figurar entre las más prósperas y populosas del imperio.
3. Los romanos construyeron en España obras públicas de todo género; algunas de ellas subsisten todavía.
4. Vespasiano otorgó a los españoles todos los derechos de que gozaban los ciudadanos romanos.
5. España fué la provincia más próspera e importante del imperio, y por cinco siglos ejerció mayor influjo en la cultura romana que todas las demás provincias del imperio juntas.
6. La península dió a Roma varios de sus más grandes emperadores; y españoles eran también muchos de sus mejores retóricos, poetas, filósofos y maestros.

CUESTIONARIO

1. ¿Qué ponderaban los soldados romanos que volvían de la guerra de España?

2. ¿Cuál fué la región española que atrajo particularmente a los romanos?

3. ¿Qué construyeron éstos en la península?

4. ¿Cómo suele ponderarse hoy la magnitud o dificultad de una gran empresa?

5. ¿Cuándo ejerce España extraordinario influjo en la cultura romana?

6. ¿De dónde era el emperador Trajano?

7. Y los Sénecas y Lucano, ¿de dónde eran?

8. ¿Y de dónde procedían también las más famosas bailarinas del imperio?

9. Cítense los emperadores españoles.

10. ¿Qué dice Burke?

11. Repítase la opinión del historiador Hume sobre la grandeza de España en tiempo de los romanos.

CAPÍTULO VII

LOS GUERREROS DEL NORTE

DESDE el siglo III el imperio romano fué atacado varias veces por los bárbaros del norte. En la segunda mitad del siglo siguiente, cuando aquél parecía condenado a inmediata y segura destrucción, un nuevo emperador, Teodosio el Grande, salvó a Roma.

Teodosio el Grande

Según una medalla de la época.

Era Teodosio un español austero, impetuoso, el primero entre los guerreros, gran legislador, gran cristiano: grande en todo, aun en su tiranía. En el momento de la crisis suprema entre la barbarie y la civilización romana, entre el paganismo y el cristianismo, entre la herejía y el catolicismo, Teodosio venció a los bárbaros y luchó victoriosamente también contra los heréticos.

Caída del imperio. — En el año 395 muere Teodosio, el último emperador del mundo. Pocos años después, el imperio cae en poder de los bárbaros. Invaden a España en el año 409, y se extienden por toda ella con empuje irresistible. No eran ejércitos, sino muchedumbres, pueblos enteros cuyos hombres y mujeres combatían juntamente en el campo de batalla. Ni la escasa guarnición de la península ni la población hispanorromana pudieron resistir aquella ola humana que desde los Pirineos descendió hasta los pilares de Hércules.

5 La decadencia de Roma se había extendido a todas sus provincias. El lujo, los placeres y las ocupaciones pacíficas tenían relegadas al olvido las tradiciones militares del imperio. Habíanse pervertido las costumbres; habíase relajado el principio de autoridad en el orden político y en el

JEFE VISIGODO EN UN CAMPAMENTO ROMANO

10 social, y la disciplina militar apenas existía. Los legionarios, que habían hecho temblar al mundo, hallaban ahora demasiado pesada su armadura, y se quejaban de ello ante el emperador. Los cristianos procuraban eludir el servicio militar; los esclavos no tenían porqué luchar; las clases
15 humildes del imperio, maltratadas, agobiadas por la codicia de los funcionarios públicos, no querían combatir; los patricios, enervados, decadentes, no sabían combatir tampoco. Débil fué, pues, la resistencia que en todas las provincias del imperio se opuso a aquellos temibles guerreros del
20 norte.

Tribus invasoras de España. — Respecto de España, tres tribus germánicas realizaron su invasión: los suevos, que se establecieron en el noroeste, los alanos, en el centro, y los vándalos, en el sur. Cinco años más tarde, en el 414, otro pueblo del norte invadió y conquistó a España: el pueblo 5 visigodo. Era éste el más avanzado de todos los germánicos; al contacto de la civilización romana, los visigodos

REGRESO TRIUNFAL DE UN EJÉRCITO VISIGODO

habían progresado mucho e imitándola aun en materias religiosas se habían convertido al cristianismo.

Organización de los visigodos. — Luchan los visigodos 10 contra las otras tres tribus germánicas que les habían precedido en la invasión, y habiendo logrado vencerlas al fin, queda firmemente asentada en España la monarquía visigoda. Ésta consiguió realizar en parte la unidad política, religiosa y legislativa de la península, y aspiró a la fusión 15 de visigodos e hispanorromanos. Mas su gobierno y administración quedaron en manos de aquéllos. La aristocracia romana, liberal en su organización, en la que podían entrar todos los hombres libres, fué reemplazada por una aristocracia hereditaria, cerrada a los hispanorromanos.

Los romanos, con su amor a la vida urbana, habían atraído a las ciudades la población de los campos. Los visigodos, por el contrario, ocasionaron en la península un movimiento de desintegración de las ciudades; levantaron sus castillos fuera de ellas, echando así los cimientos de la organización feudal.

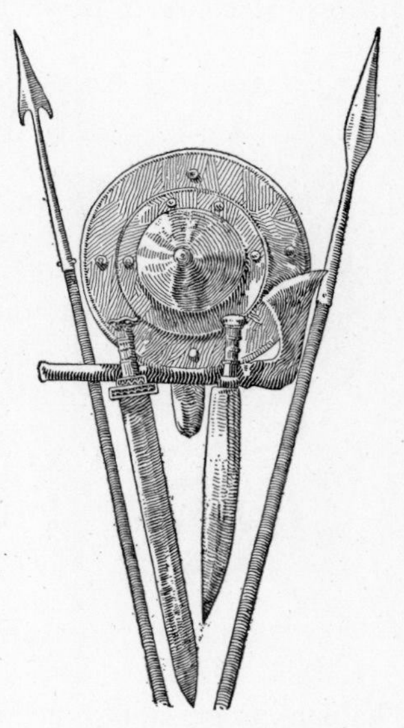

Armas visigodas

Cultura. — Durante la dominación visigoda, las escuelas oficiales desaparecieron, siendo substituídas por las escuelas de las iglesias y monasterios. La cultura vino a ser patrimonio del clero. Así casi todos los intelectuales renombrados fueron sacerdotes, como San Isidoro (570–636), arzobispo de Sevilla, uno de los más eminentes humanistas de la Edad Media. El influjo de los visigodos en la cultura peninsular fué pequeño, con la sola excepción de sus costumbres jurídicas, que han prevalecido en muchos respectos en la legislación europea. Su cultura la habían recibido de los romanos, cuyos trajes y costumbres adoptaron también, diferenciándose de los hispanorromanos, en el aspecto, por su larga cabellera solamente. Aun el idioma godo estaba ya enteramente substituído por el latín, en la península, hacia fines del siglo VII.

Roma, vencida en los campos de batalla, continuó triunfadora por toda Europa en la religión, la lengua y la cultura.

MONEDA VISIGODA DE LA ÉPOCA

SUMARIO

1. Pocos años después de la muerte de Teodosio el Grande, el imperio romano cayó en poder de los bárbaros.
2. Invadieron éstos a España en el año 409 y se extendieron por toda ella, desde los Pirineos hasta los pilares de Hércules.
3. No eran ejércitos sino tribus enteras las que llevaron a cabo la invasión del imperio romano; tres de ellas vinieron a España, los suevos, los alanos y los vándalos.
4. Cinco años después de esta primera invasión, en el 414, otra gran tribu germánica invadió a la península: los visigodos.
5. El pueblo visigodo era el más civilizado de todos los pueblos bárbaros, y se había convertido al cristianismo.
6. Los visigodos, tras vencer a las otras tribus que les habían precedido en la invasión y conquista de España, lograron realizar en parte la unidad política, religiosa y legislativa de la península.
7. Los visigodos adoptaron íntegramente la civilización romana, y hasta su propio idioma quedó enteramente substituído por el latín a fines del siglo VII.

CUESTIONARIO

1. ¿En qué siglo comenzó a ser atacado el imperio romano por los bárbaros?

2. ¿Quién era Teodosio el Grande?

3. ¿Cuándo invadieron a España las tribus germánicas?

4. ¿Cuáles fueron éstas?

5. ¿Qué clase de unidad lograron realizar los visigodos?

6. Menciónese la diferencia entre la aristocracia romana y la aristocracia visigoda.

7. ¿Dónde preferían vivir los romanos y los visigodos, en la ciudad o en el campo?

8. ¿Qué cambio sufrieron las escuelas durante la dominación visigoda?

9. ¿Quién fué San Isidoro?

10. ¿En qué respecto influyeron los visigodos en la cultura peninsular?

11. ¿Cómo se diferenciaban, en el aspecto, de los hispanorromanos?

12. ¿Qué idioma hablaban los visigodos?

ARMAS VISIGODAS

CAPÍTULO VIII

LA CRUZ Y LA MEDIALUNA

A FINES del siglo VII, los visigodos no eran ya los fuertes y frugales guerreros que habían aterrado a Roma. Tenían perdidas sus costumbres sencillas y patriarcales. El lujo, la ociosidad y los placeres los habían convertido en un pueblo flojo, indolente y afeminado. Desde poco después de su establecimiento en la península ibérica, la corte visigoda imitó el ejemplo de la corte romana. Y la situación de la monarquía en tiempos de don Rodrigo, último rey visigodo, era la misma del imperio romano en vísperas de su destrucción; su destino había de ser el mismo. Era don Rodrigo hombre de livianas costumbres y naturaleza. Frente a él, un partido de nobles poderosos trabajaba en secreto por destronarle. Entre ellos figuraba el conde don Julián, gobernador del extremo sudoeste de la península.

ANTIGUA MONEDA ÁRABE

Leyenda de la invasión árabe. — Relacionadas con la traición de este conde están la invasión árabe y la perdición de España, según una popular leyenda que graves y respetables historiadores antiguos presentan como verídica historia. El conde don Julián tenía una hija de peregrina hermosura y virtud al servicio de la reina. Estaba la doncella bañándose un día en el río Tajo, que pasa junto a Toledo, capital entonces de la monarquía visigoda; vióla el rey desde 5 una ventana de palacio, y se prendó de su belleza. Solicitóla el rey, rechazóle ella, avivóse el fuego de la pasión del monarca, y la perdición de la doncella acarreó la venganza de su padre y 10 la ruina de España.

Armas árabes

Consistió la venganza de don Julián en abrir las puertas de España a los sarracenos, que habi- 15 taban en el norte de África, e invitarlos a su invasión.

Desembarco y conquista. — Una banda de guerreros cruzó entonces el estrecho en cuatro naves, asoló los indefensos 20 campos de Algeciras y regresó a África con copioso botín y con la noticia de las grandes riquezas y poca defensa del territorio que había al norte del estrecho. Poco después, en el año 711, un nuevo ejército desembarcó en Gibraltar y derrotó al ejército de don Rodrigo, que éste en persona 25 acaudillaba. La traición de los nobles enemigos del rey, en el momento crítico de la batalla, facilitó la victoria de los árabes.

Aquellos esforzados hombres del desierto pasearon triunfante su bandera por toda la península hasta el pie de los 30 Pirineos. Es una de las conquistas militares más rápidas que registra la historia. Las rivalidades entre hispanorromanos, visigodos y judíos debilitaron grandemente la resistencia que se opuso a los invasores. En pocos meses la

La Alhambra de Granada

Fortaleza-palacio de los reyes moros de Granada, construída en los siglos XIII y XIV.

monarquía visigoda había desaparecido: los árabes eran dueños de España.

Humanidad de la dominación árabe. — No es posible tornar la mirada hacia la dominación musulmana sin admirar 5 la tolerancia, benignidad y noble espíritu que los conquistadores mostraron. Bajo su dominación, la población

VISTA INTERIOR DE LA MEZQUITA DE CÓRDOBA

Antes de restaurarse, la mezquita tenía 1200 pilares.

hispanorromana y visigoda conservó sus propiedades, sus leyes y jueces, sus iglesias y sacerdotes. La condición de los siervos que cultivaban los campos, de los esclavos y de los 10 judíos mejoró notablemente. Los judíos, en particular, que habían sido cruelmente perseguidos en tiempo de la monarquía visigoda, gozaron de entera libertad y participaron del nuevo gobierno y administración. Árabes y judíos, estas dos razas cuyo triste destino presente no puede menos de apenar a los hombres de corazón, fueron humanos, justos y clementes con los cristianos vencidos.

La Giralda de Sevilla

En tiempos de la dominación musulmana era minarete de una mezquita.

Desarrollo económico y espiritual. — La España mahometana, a pesar de las frecuentes y sangrientas rivalidades entre las tribus árabes y africanas que la componían, logró un desarrollo industrial, agrícola y comercial muy superior al del resto de Europa. Y con la fundación del califato de Córdoba, por Abderramán I, en el año 758, dicha ciudad vino a ser el centro intelectual y político de la España árabe. Dos siglos después, lo era de casi toda Europa.

Fué Abderramán III el más insigne capitán y gobernante de la España árabe. Durante su reinado y el de sus inmediatos sucesores, siglo X, tenía aquélla la más poderosa marina de guerra del Mediterráneo, además de un gran ejército de tierra. Era la más próspera, culta y respetada nación de Europa.

Civilización cordobesa. — Córdoba, la capital, la ciudad de los monumentos y palacios, de las bibliotecas y academias, era un centro del saber europeo, escuela de la universal cultura, y el mayor emporio comercial. En aquel ambiente embal-

samado todo el año por las flores; bajo aquel cielo de azul tan limpio, tan sereno, que allí, y no en otra parte, debía de estar el paraíso de Alá; en comunión con su fértil y hermosa naturaleza, hombres de todas la sectas y razas vivían
5 en libertad, en orden. Frente al fanatismo de la Europa cristiana, practicábase aquí la tolerancia; frente a la igno-

Un pasaje del Corán

De un manuscrito contemporáneo del libro sagrado de los musulmanes.

rancia de la Europa cristiana y bárbara, manteníase aquí viva la antorcha de la civilización. En las tinieblas de la Edad Media apenas hubo más rayo de luz que el de la
10 civilización cordobesa, que sirve de enlace entre la cultura clásica y el Renacimiento.

SUMARIO

1. Los visigodos, fuertes y guerreros al invadir a España, se convirtieron después en pueblo flojo, indolente.
2. La situación de la monarquía visigoda en el reinado de don Rodrigo era la misma del imperio romano en sus últimos tiempos: padecía igual decadencia en todos los órdenes.
3. Entre los nobles que trataban de destronar al rey figuraba el conde don Julián, gobernador del extremo sudoeste de la península.
4. No se sabe con certeza si fué por vengar un ultraje del rey, mas es rigorosamente histórico que don Julián invitó secretamente a los sarracenos a invadir a España, y les facilitó la entrada.

5. En el año 711 un ejército musulmán invadió a España y, en pocos meses, realizó su conquista.
6. Los conquistadores mostraron tolerancia y benignidad con los vencidos: les permitieron conservar su religión, sus leyes y sus costumbres.
7. En el siglo X la España árabe era la nación más culta y próspera de Europa.
8. La civilización cordobesa sirve de enlace entre la cultura clásica y el Renacimiento.

CUESTIONARIO

1. ¿Cuál era la situación de la monarquía visigoda en vísperas de la invasión árabe?

2. ¿Quién era el conde don Julián?

3. ¿Dónde habitaban los sarracenos?

4. ¿Quién les facilitó la entrada en la península?

5. ¿En qué año se realizó su invasión y conquista?

6. ¿Por qué es admirable la dominación musulmana?

7. ¿Cuál fué, bajo ella, la situación de los judíos?

8. Dígase el nombre del más insigne gobernante de la España árabe.

9. ¿En qué siglo fué la nación más culta de Europa?

10. Compárese la España árabe de entonces con la Europa cristiana.

11. ¿Cuál fué el servicio que la civilización cordobesa prestó a la cultura europea?

MONEDA MAHOMETANA DE ORO

En circulación en España durante la dominación árabe.

CAPÍTULO IX

COVADONGA Y LA RECONQUISTA

HAY en el norte de España una región montañosa llamada Asturias. Es famosa en la historia por haber sido desde tiempos remotos la fortaleza de la independencia y del honor español. Una raza animosa, batalladora, más amante de la libertad que de la vida misma, habita la comarca. Todos los pueblos invasores de la península, cartagineses, romanos, godos, árabes, hallaron en Asturias una barrera a sus ambiciones militares. La parte norte de esta región y su población no fueron jamás humilladas por la planta y el yugo de los conquistadores.

Soldados españoles de principios del siglo X

Y en Asturias buscaron refugio los restos del ejército godo y los hispanorromanos que no quisieron aceptar el dominio musulmán (s. VIII). Aquí se trajeron desde la capital de la monarquía visigoda, Toledo, las reliquias de los santos, los libros de la ley, es decir, los símbolos de la viva llama de la fe y del patriotismo que ardía en el corazón de los refugiados.

Nueva España. — Éstos se unieron en la hora del dolor, 5 y unidos siguieron luego en los días de la victoria. Las diferencias entre godos, hispanorromanos e iberos desaparecieron: ya no eran sino españoles. Los nobles habían de ser en adelante quienes se ganaren nobleza en los campos de batalla, sin distinción de castas; el rey, el que entre 10 estos nobles más lo mereciere. Débese, pues, considerar a Asturias como cuna de la raza española y de la independencia, la nobleza y la realeza de España.

Pelayo. — Los refugiados y los astures eligieron por caudillo a Pelayo, quien, aunque no llevara el título de rey, 15 fué el verdadero fundador de la monarquía española.

Unos siete años después de la invasión árabe, Asturias, independiente y bajo el gobierno de Pelayo, inauguraba la guerra de la Reconquista. La capital era Cangas de Onís, y no lejos de ella se dió la primera batalla por la patria y por 20 la fe, la batalla de Covadonga, en el año 718.

Batalla de Covadonga. — Los moros habían enviado un ejército contra los cristianos de Asturias. Pelayo se retiró con su pequeña banda de guerreros a una cueva, que constituye una inexpugnable fortaleza natural, en el valle de 25 Covadonga. Desde la entrada de la cueva y altas rocas próximas se defendió valientemente la hueste cristiana. Estaba formada por unos pocos centenares de hombres, mientras el ejército musulmán constaba de muchos millares. Mas la superioridad del último en el número de combatien- 30 tes estaba compensada ventajosamente por la favorable posición que ocupaba el ejército cristiano. Hallábase éste atrincherado en las alturas, y al pretender ascender por la

ladera el enemigo, los cristianos arrojaron sobre él una granizada de flechas y piedras y troncos de árboles. Las mismas flechas y piedras que los moros lanzaban, al chocar contra las rocas, rebotaban y caían sobre ellos sem-
5 brando la muerte en sus propias filas. En el momento en que las pérdidas, confusión y desaliento del ejército musulmán eran mayores, la hueste cristiana se precipitó sobre él impetuosamente y lo venció.

El histórico lugar de Covadonga

Nótese en el fondo la cueva donde se defendió la hueste cristiana.

Primer reino cristiano. — Victoria decisiva fué la de
10 Covadonga, que hace época en la historia; con ella quedó asegurada para siempre la libertad de Asturias. Este núcleo de la independencia española fué considerablemente extendido en el reinado de Alfonso I (m. en 757), yerno de Pelayo; tan animoso rey logró ensanchar sus dominios
15 hasta ocupar cerca de una cuarta parte del territorio de España.

SUMARIO

1. Asturias ha sido siempre, frente a los invasores, la fortaleza de la independencia española.
2. En dicha región buscaron refugio los godos e hispanorromanos que no quisieron aceptar el dominio musulmán.
3. Allí desaparecieron las diferencias que habían existido hasta entonces entre hispanorromanos, godos e iberos: ya no eran sino españoles.
4. Pelayo, elegido caudillo por los refugiados, es el fundador de la monarquía española.
5. Unos siete años después de esta elección se inaugura la guerra de la Reconquista, con la batalla de Covadonga, en 718.
6. El ejército cristiano, a pesar de su corto número, obtuvo la victoria por la favorable posición que ocupaba.
7. Con tal triunfo quedó asegurada la independencia de Asturias.
8. Desde la muerte de Pelayo, en el año 737, hasta la de Alfonso I, en el 757, se ensancharon los dominios de Asturias hasta alcanzar cerca de una cuarta parte de España.

CUESTIONARIO

1. ¿Dónde está situada Asturias?

2. Dígase por qué es famosa en la historia.

3. Después de la invasión musulmana, ¿quiénes buscaron refugio en esta comarca?

4. ¿Qué se llevaron consigo los refugiados?

5. ¿Por qué se debe considerar a Asturias como cuna de la raza española?

6. ¿Quién fué el fundador de la monarquía española?

7. Menciónese la fecha de la batalla de Covadonga.

8. ¿Cuántos años habían transcurrido desde la invasión árabe cuando se dió esta batalla?

9. Descríbase la posición de ambos ejércitos en Covadonga.

10. ¿Qué extensión alcanzaban los dominios de Asturias a la muerte de Alfonso I?

CAPÍTULO X

SANTIAGO, APOSTOL BATALLADOR Y PATRÓN DE ESPAÑA

LA LUCHA contra los moros prosigue. La frontera del territorio cristiano y del ocupado por aquéllos es continuo campo de batalla. Si los españoles conceden treguas, es para reponerse y tornar al ataque con nuevos bríos; sus ejércitos son como brazos siempre en tensión que empujan hacia el sur con lentitud, mas con firmeza y poder incontrastable, la frontera enemiga.

COMBATE ENTRE CRISTIANOS Y MOROS
Pintura de una vidriera del siglo XI.

Como la lucha no es sólo por la patria, sino también por la fe, el sentimiento religioso inflamado prende su fuego en la imaginación del pueblo; y surgen leyendas sobrenaturales, en que el verdadero Dios muestra su protección inequívoca en favor de las armas cristianas.

Leyenda del apóstol Santiago. — Una de estas leyendas nos interesa conocer; pues bien puede intercalarse, en el relato grave y autorizado de la historia, la leyenda del apóstol Santiago, que figura a la cabeza de las más famosas de la Reconquista. No hay español que no esté al corriente 5 de tal leyenda.

Conviene saber que, en opinión de algunos, el apóstol

Santiago de Compostela

Santiago había predicado en España. Después de sufrir el martirio en Jerusalén, el año 42, su cuerpo fué trasladado a la tierra predilecta de sus amores, España: así, al menos, 10 se dice.

Pasan ochocientos años. Cierto día un pastor, guardando su ganado en la montaña, tuvo una revelación maravillosa. En medio de aquellas vastas soledades se le apareció al pastor un aviso celeste; y fué éste una columna de luz torna- 15 solada y vivísima que del cielo descendía sobre el terreno. Quedóse maravillado el pastor, comunicó luego el milagro, comprobáronlo gentes de su aldea, hiciéronse excavaciones en el punto donde la luz sobrenatural se posaba, y allí se descubrió el sepulcro del apóstol Santiago.

Por orden del rey se edificó en tal lugar una iglesia, en torno a la cual fué surgiendo más tarde la ciudad de Santiago 5 de Compostela. Cundió la noticia del milagro por España, se extendió a todas partes, y Santiago de Compostela vino a ser la Meca de los cristianos de Europa entera. « Los caminos de la cristiandad — declara Burke — estaban llenos de peregrinos que allí acudían. »

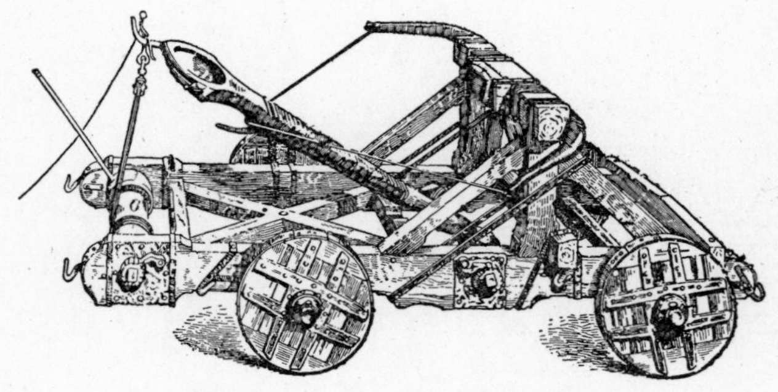

(a) La Guerra en la Edad Media

Máquina para lanzar piedras.

10 **Leyenda de la batalla de Clavijo.** — Pocos años después del milagro, cuando mayor calor le prestaba la fantasía popular, tuvo lugar otro milagro igualmente famoso: la intervención activa y valerosa del apóstol en la supuesta batalla de Clavijo.

15 Combatían moros y cristianos. Llevaban los últimos la peor parte de la batalla. Con la llegada de la noche suspendióse la lucha, y los cristianos se echaron a descansar, tan rendidos de cuerpo como desalentados de ánimo; el duro presentimiento de que la derrota llegaría para ellos con la 20 luz del nuevo día, les tenía a todos apocados. Trataba de

reposar en su tienda el caudillo de los cristianos, Ramiro I (m. en 850), rey valiente y piadoso, cuando se le apareció en sueños el apóstol Santiago prometiéndole la victoria. La fausta nueva corrió de boca en boca por el campamento; los soldados recobraron el ánimo y la fe en la victoria, y al grito de *¡Santiago y cierra España!* — que ha sido por varios siglos después el grito de guerra de los españoles — atacaron furiosamente al enemigo. En lo más encarnizado de la pelea, vieron los asombrados españoles aparecer entre sus filas al apóstol Santiago en persona, montado en soberbio caballo blanco, enarbolando blanco estandarte con cruz roja en el centro, y manejando con la diestra una espada; dirigió la batalla, combatió él mismo bravamente, y dió la victoria a su pueblo.

(b) LA GUERRA EN LA EDAD MEDIA

Torre movediza.

Esta batalla, llamada de Clavijo, tuvo lugar en el año 846 según el historiador Mariana. Por desdicha, tan hermosa leyenda no pasa de ser eso: leyenda, pura invención, que data del siglo XIII. Antes de dicho siglo, ni moros ni cristianos hacen alusión alguna a la supuesta batalla de Clavijo.

SUMARIO

1. Los cristianos prosiguieron empujando hacia el sur la frontera enemiga.
2. La leyenda del apóstol Santiago figura entre las más famosas de la Reconquista.
3. En opinión de algunos, este apóstol había predicado en España, y aquí fué trasladado su cuerpo después de sufrir el martirio.
4. Ocho siglos más tarde, se descubrió su sepulcro por medio de un milagro.
5. En el mismo lugar donde estaba el sepulcro se edificó una iglesia, en torno a la cual fué surgiendo la actual ciudad de Santiago de Compostela.
6. Es rigorosamente histórico el hecho de que peregrinos de Europa entera acudían, en grandísimo número, a dicho lugar santo.
7. Según la leyenda, el apóstol prometió a los españoles la victoria en la llamada batalla de Clavijo, y luego tomó parte en ella.

CUESTIONARIO

1. Descríbase la visión que tuvo el pastor.
2. ¿Qué ordenó el rey al descubrirse el sepulcro?
3. ¿Cómo se llama la ciudad que se edificó en este lugar?
4. Cítese la frase del historiador inglés.
5. ¿Por qué estaban apocados los soldados cristianos en la supuesta batalla de Clavijo?
6. ¿Cuándo se le apareció en sueños el apóstol al rey Ramiro?
7. ¿Cuál ha sido el grito de guerra de los españoles, por varios siglos?
8. ¿Cómo apareció el apóstol Santiago en la batalla de Clavijo?
9. ¿Por qué niegan los historiadores modernos la existencia de semejante batalla?

CAPÍTULO XI

EL CID, HÉROE NACIONAL

GUERRERO ESPAÑOL DE LA ÉPOCA

Según la estatua de su sepulcro.

LA IDEA de la unidad nacional tardó varios siglos en imponerse. Así es que, bien por testamento del monarca legítimo o bien por rebeliones de sus hijos o de los nobles, los reinos 5 de León, Galicia, Navarra, Castilla y Aragón fueron apareciendo sucesivamente a medida que la guerra de la Reconquista avanzaba.

En el año 1067 estalló una guerra 10 entre los reinos de Castilla y León. En esta guerra figuró por primera vez en la historia *El Cid Campeador* entre los caballeros que combatían en los ejércitos de Castilla. Su nombre era 15 Rodrigo Díaz de Vivar, y había nacido cerca de Burgos, en la aldea de Vivar, hacia el año 1040; procedía de noble linaje castellano.

Primeros hechos de El Cid. — Con 20 un acto de audacia, traición y heroísmo hizo El Cid su entrada en la historia. Siete años llevaban ya combatiéndose Castilla y León. Al cabo, en vísperas de una batalla, se comprometieron 25 solemnemente Alfonso VI de León y Sancho II de Castilla, su hermano, a que quienquiera de ellos que perdiese dicha batalla renunciaría a su reino en favor del otro. Perdió la batalla el rey de Castilla. Su hermano, el de León, confiado en la palabra empeñada, descansaba con su ejército descuidadamente después de la victoria. Entonces, algunas tropas castellanas cayeron de sorpresa sobre el ejército de León, y lo destrozaron. Había sido golpe de traición y heroísmo de un caudillo castellano: y ese caudillo era El Cid.

Pasó el tiempo. Sancho II de Castilla muere asesinado ante

Castillo antiquísimo de Zafra

Ciudad de remota antigüedad, cuya posesión fué muy disputada entre cristianos y moros.

los muros de Zamora, ciudad que había tocado en herencia a una de sus hermanas y que aquél pretendía unir a su corona de Castilla. Su hermano Alfonso no sólo recobró entonces el reino de León sino que también fué elegido rey de Castilla.

El Cid, caudillo de la nobleza. — Según la historia los nobles castellanos le impusieron a Alfonso una condición para nombrarle soberano: prestar solemne juramento de no haber tenido parte en el asesinato de su hermano Sancho. Mas, ¿quién iba a atreverse a tomarle al rey juramento tan ofensivo? . . . El Cid, y con pocas y claras palabras, conforme a la leyenda; era entonces El Cid el caudillo de la nobleza castellana. No le perdonó jamás el monarca ni este agravio del juramento, ni la traición que le había hecho años atrás, según queda referido. Pero El Cid era demasiado poderoso para que contra él se atreviera el monarca. Guardó, pues, el último su rencor para desahogarlo más adelante, cuando la ocasión propicia llegara. Y llegó en el año 1081, en que habiendo guerreado El Cid contra los moros de Toledo sin la venia del monarca, éste le expulsó del reino.

RELICARIO DE HUESO DEL SIGLO X

El Cid en el destierro. — Acogióse El Cid al reino moro de Zaragoza, donde recibió el título de « Sidi » o Cid, señor o caudillo de los árabes. Combatió al servicio del rey moro, el mismo año de 1081, contra el conde cristiano de Barcelona, Ramón Berenguer III, a quien hizo prisionero. En 1083, los moros atacaron al reino cristiano de Aragón, y El Cid luchó entre ellos y derrotó al monarca aragonés. Continuó El Cid al servicio del rey de Zaragoza, batallando contra los enemigos de éste, fuesen moros o cristianos, y siempre activo y afortunado en sus intrigas, heroico y victorioso en sus batallas.

Conquista de Valencia. — En julio de 1093 puso sitio a la ciudad de Valencia, que estaba en manos de moros. Cruelísimo fué tal sitio y lucha. Los sitiados le pidieron la paz a El Cid, ofreciendo pagarle un tributo; concediósela el caudillo. Más tarde, tras varias vicisitudes, reanudó el sitio de Valencia, apoderándose de ella el 15 de junio de 1094. Y allí reinó como señor independiente hasta su muerte, ocurrida en mayo o julio de 1099.

Por dos años mantuvo su mujer doña Jimena la soberanía de Valencia, pero al cabo tuvo que abandonar la ciudad, forzada por los ataques de nuevos moros sitiadores. Y ahora no es la historia, sino la leyenda, la que nos da a conocer el modo en que fué evacuada la ciudad. Cierto día, cuando la defensa de la plaza no podía prolongarse, doña Jimena y su ejército hicieron la salida final. Llevaban el cadáver de El Cid, armado de todas armas, sobre su famoso caballo Babieca. Los sitiadores, desconcertados al ver aparecer a El Cid, cuya sola presencia les había producido siempre consternación, y creyendo que el terrible caudillo había resucitado, apenas opusieron resistencia al brioso ataque de los sitiados. La fama de su heroísmo le dió al Cid la victoria aun después de muerto.

SEPULCRO DE EL CID Y SU ESPOSA

En el monasterio de San Pedro de Cardeña, Burgos.

La personalidad de El Cid. — El Cid Campeador, conforme a la historia, fué cruel, avaro, traidor, como lo fueron los príncipes cristianos de su tiempo. En la leyenda, fué modelo de hidalguía. Mas en ambas, en la leyenda y en la historia, hombre de tan poderoso carácter, de tan audaces y felices empresas, de tan heroica naturaleza, que no tuvo par. Su popularidad se justifica, no sólo por aquellas cualidades viriles poseídas en grado eminente, sino también por haber sido el campeón de las libertades populares frente a los monarcas, el que desdeñó y humilló su soberanía y protegió al pueblo. Las hazañas de El Cid llenan la historia medioeval de España; y su figura, ensalzada por la imaginación del pueblo y la inspiración de los poetas, es la de un caballero sin miedo y sin tacha, el campeón de las libertades, el terror de toda la morisma, el héroe nacional. 5 Sus hijas casaron con príncipes, y la roja sangre de El Cid circuló por las venas de los reyes 10 de Navarra, Castilla, Portugal y Aragón, y hasta uno de los más insignes empera- 15 dores que ha conocido el mundo, el emperador Carlos V, se enorgullecía de ser descen- 20 diente de nuestro héroe.

MONJE COPIANDO UN MANUSCRITO DEL SIGLO XII

La última parte de la vida militar y doméstica de El Cid constituye el asunto del 25 más antiguo y venerable monumento de la literatura castellana, el *Poema del Cid*, compuesto hacia el año 1140.

SUMARIO

1. Los reinos cristianos de la península fueron apareciendo a medida que la Reconquista avanzaba.
2. Rodrigo Díaz de Vivar, llamado *El Cid Campeador*, nació hacia el año 1040, de noble linaje castellano.

3. Figuró por primera vez en la historia con ocasión de la guerra entre los reinos cristianos de Castilla y León, que estalló en 1067.
4. Varios años después El Cid fué expulsado de Castilla por el monarca.
5. Acogióse entonces al reino moro de Zaragoza, a cuyo servicio combatió contra sus enemigos, fuesen moros o cristianos.
6. En el año 1094 se apoderó de Valencia, y allí reinó hasta su muerte, ocurrida en 1099.
7. El Cid tenía los defectos morales de los guerreros de su tiempo, mas también, y en grado eminente, sus cualidades heroicas.
8. Su popularidad se justifica, no sólo por el heroísmo siempre victorioso, sino también por haber sido el campeón de las libertades populares.
9. La vida de este guerrero constituye el asunto del *Poema del Cid*, el más antiguo monumento de la poesía castellana.

CUESTIONARIO

1. ¿ En qué guerra figura El Cid por primera vez en la historia?

2. ¿ Dónde había nacido?

3. ¿ Qué condición le impusieron los nobles castellanos a Alfonso para nombrarle rey?

4. ¿ Cómo le tomó juramento El Cid, según la leyenda?

5. Dígase por qué le expulsó de Castilla el monarca.

6. ¿ Qué significa el título de « Sidi » o Cid?

7. ¿ Dónde reinó El Cid como señor independiente?

8. Menciónese el año en que ocurrió su muerte.

9. ¿ Cómo fué nuestro héroe conforme a la leyenda y la historia?

10. ¿ De qué se enorgullecía el emperador Carlos V?

11. ¿ Cuál es el monumento más antiguo de la literatura castellana?

12. ¿ Cuál es su asunto?

CAPÍTULO XII

EL TRIUNFO DE LA CRUZ

Cruz del tiempo de la conquista de Granada

PARA el año 1469, en que tuvo lugar el matrimonio entre Isabel de Castilla y Fernando de Aragón, los estados independientes de la España cristiana se habían fundido en dos grandes reinos, el de Castilla y el de Aragón. Diez años después, en 1479, la guerra dinástica de Castilla terminó con el reconocimiento de Isabel, y en el mismo año su esposo heredó la corona de Aragón. Unidos ambos reinos, España apareció con su presente extensión territorial, salvo dos pequeños estados que entonces quedaban independientes: el cristiano de Navarra en el extremo norte, y el moro de Granada en el extremo sur.

Guerra de Granada. — Los ejércitos cristianos habían tardado cerca de ocho siglos en reconquistar del poder musulmán la península. Sólo el mencionado reino moro de Granada quedaba en ella, el más fértil, rico y poblado de Europa. En abril de 1491, prosiguiendo su guerra contra los árabes, el ejército cristiano puso sitio a la ciudad de Granada. Acaudillábanlo en persona los Reyes Católicos, Fernando e Isabel.

Una noche los vigías de la alcazaba mora dieron la voz 5 de alarma. En el campamento cristiano había desusado movimiento. Las tropas cristianas se disponían sin duda

Ataque y defensa de una ciudad

De un códice del siglo XV.

a atacar la ciudad. No podían imaginar los sitiados la verdadera causa de aquella actividad súbita de los enemigos. Y era la causa una luz que, dejada imprudentemente junto 10 a una cortina de la tienda de la reina, le había prendido fuego; propagóse luego a las demás tiendas, consumiendo las llamas el campamento entero.

El campamento cristiano. — En unos sesenta días se levantó sobre las cenizas del campamento una ciudad con edificios de piedra; frente a la ciudad sitiada, alzóse la ciudad sitiadora. La idea la había sugerido la reina Isabel, alma de toda empresa, y los soldados quisieron ponerle por nombre el muy amado de la reina. Negóse ella, siempre humilde, a que la ciudad se llamase *Isabela;* y le dieron el nombre 5 de *Santa Fe*, que en la actualidad conserva.

Durante los largos meses del sitio hubo reñidas batallas

LA RENDICIÓN DE GRANADA
Del cuadro de Francisco Pradilla.

entre sitiados y sitiadores. Eran frecuentes, en particular, los desafíos personales entre sus más renombrados caudillos, cuyos caballerosos y valientes encuentros dieron motivos 10 de inspiración a los poetas, y de elogio y admiración a los austeros cronistas.

Rendición de Granada. — Habían pasado varios meses desde el de abril, en que comenzara el sitio. Granada no tenía ya esperanza de recibir auxilios de África. Los habi- 15 tantes padecían hambre. Sus defensores, que tan bravamente habían combatido, estaban ahora desmoralizados. Empezóse en la ciudad por hablar de la posibilidad de una rendición, se discutió luego su necesidad, declaróse finalmente su urgencia, y en diciembre fueron despachados embajadores que tratasen con los Reyes Católicos de la capitulación. Fueron los términos de ella benignos y liberales.

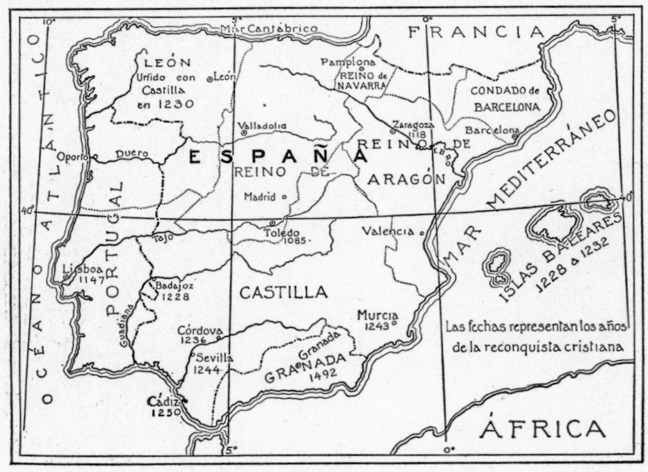

MAPA POLÍTICO DE ESPAÑA

Unificación de España durante la Edad Media.

Los moros podían continuar viviendo allí, y se les permitía conservar su religión, sus leyes y magistrados, sus bienes, trajes y costumbres.

El 2 de enero de 1492 los sitiados vieron avanzar por la vega al ejército cristiano, a cuyo frente iba el rey Fernando; le salió al encuentro Boabdil, el monarca de Granada, acompañado de lucida escolta de caballeros, y le presentó las llaves de la ciudad en señal de capitulación. « En vuestras manos, gran rey — parece que le dijo Boabdil — , ponemos nuestros bienes y nuestras vidas, esta capital y el reino, seguros de que nos trataréis con clemencia y humanidad.» Aquel mismo día ocupó el ejército cristiano la Alhambra; y el 6 hicieron los reyes su entrada triunfal en la ciudad, 5 cuya insigne hermosura les maravilló.

El último suspiro del moro. — Fuéle permitido a Boabdil continuar viviendo en Granada por algún tiempo, después de conquistarla los Reyes Católicos. Mas al 10 cabo hubo de abandonarla. Y cuenta la tradición que, al llegar a la cumbre de una alta montaña desde donde se divisa por última vez la ciudad, Boabdil tornó la 15 mirada para contemplarla por vez postrera, y lanzó un suspiro: «¡Ay, Señor, Dios de las batallas!» dijo, derramando lágrimas. «Bien te está — exclamó su madre — llorar 20 como mujer la pérdida de una corona que no supiste defender como hombre.»

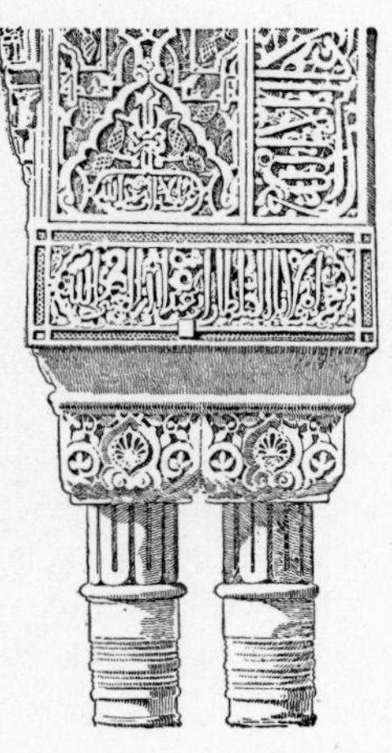

ARABESCOS Y CAPITELES DE LA ALHAMBRA

La obra de la Reconquista quedaba completada. La cruz había vencido a la medialuna. 25 Ya no había más que una patria, un Dios y una ley en España. Se abre el libro de la *Edad Moderna*.

SUMARIO

1. Los estados independientes se habían ya fundido en dos grandes reinos, el de Castilla y el de Aragón, en 1469.
2. Diez años después, en 1479, se unieron ambos reinos.
3. En el mes de enero del año 1492, los Reyes Católicos se

apoderaron de Granada, el último baluarte de los moros en la península.

4. Los términos de la capitulación fueron tan benignos que los moros podían continuar viviendo allí, conservar su religión, leyes y costumbres.
5. Después de la conquista de Granada, sólo quedaba otro reino independiente en España, el pequeño reino de Navarra.
6. Con la terminación de la obra de la Reconquista se inaugura la Edad Moderna.

CUESTIONARIO

1. ¿ Qué acontecimiento tuvo lugar en el año 1469?
2. Nómbrense los dos reinos en que se fundieron los demás estados independientes de la España cristiana.
3. ¿ Cuánto tiempo tardaron los ejércitos cristianos en reconquistar la península?
4. Relátese el incendio del campamento cristiano.
5. ¿ Cuál es el nombre de la ciudad que se levantó en el mismo lugar?
6. Refiéranse los términos de la capitulación de Granada.
7. ¿ En qué mes y año penetró en ella el ejército cristiano?
8. ¿ Qué les maravilló a los reyes al entrar en la ciudad?
9. Descríbase la partida de Boabdil.

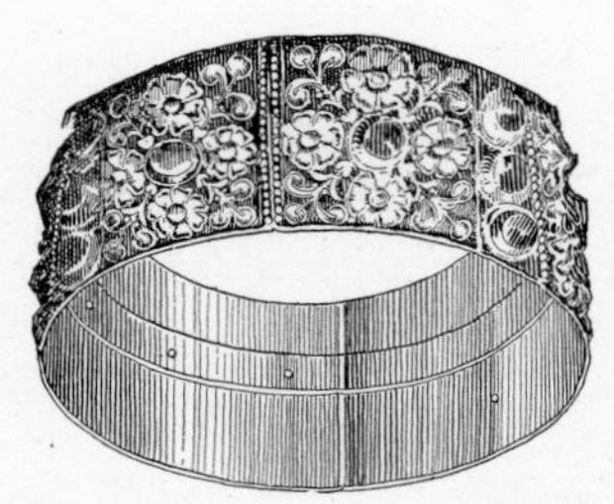

Corona de uno de los primeros reyes de España

CAPÍTULO XIII

DESCUBRIMIENTO DE AMÉRICA

TORNEMOS la mirada hacia atrás. Pocos meses antes de la rendición de Granada, es decir cierto día del verano de 1491, se presentó en el campamento cristiano de Santa Fe un extranjero que tendría hasta cuarenta y seis años de edad, de noble continente, de cabello que fué 5

Nunc vero & heę partes ſunt latius luſtratæ/ & alia quarta pars per Americũ Veſputium(vt in ſe- quentibus audietur)inuenta eſt:quã non video cur quis iure vetet ab Americo inuentore ſagacis inge niĵ viro Amerigen quaſi Americi terram/ſiuę Ame ricam dicendam:cum & Europa & Aſia a mulieri- bus ſua ſortita ſint nomina.Eius ſitũ & gentis mo- res ex bis binis Americi nauigationibus quę ſequũ tur liquide intelligi datur.

Ame- rico

El nombre « América »

Facsímile del pasaje en la *Cosmographiæ Introductio* (1507) en la cual por primera vez se sugiere el nombre « América » para el Nuevo Mundo, y cuya traducción encontrará el lector en las Notas.

dorado en la juventud, blanqueado ahora más que por los años por el sufrimiento; tenía el aspecto triste, de tristeza resignada, y su mirada grave, ardiente, expresaba concentrado entusiasmo y ansiedad.

El proyecto inmortal. — Largos años había ido de corte 10 en corte solicitando protección para una empresa inmortal:

la de hallar una nueva ruta marítima — distinta de la ruta del cabo de Buena Esperanza, ya descubierta por los portugueses — para ir al Asia o las Indias, como entonces se decía.

5 El extranjero iba recomendado a la reina de Castilla por un antiguo confesor suyo, y fué bien recibido por ella, como ya lo había sido antes en otra ocasión y con el mismo proyecto. Mas el absorbente interés que despertaba enton-

ISABEL LA CATÓLICA
De un cuadro en el Museo del Prado.

CRISTÓBAL COLÓN
De un retrato considerado como auténtico.

ces la conquista de Granada hizo que se aplazara una vez 10 más la resolución de ayudar al extranjero en su empresa marítima. La ciudad de Granada fué tomada y, tras varias vicisitudes, el viaje inmortal de Colón fué concertado, nombrándole los reyes almirante del Océano y virrey de los ignorados países del oeste.

15 **En el pueblo de Palos.** — Llegó el día 2 de agosto de 1492. Estamos en el pequeño pueblo de Palos, donde reina desde

las primeras horas de la mañana la mayor animación. Por todas partes se ven grupos de gente que comenta con calor, a veces con tristeza, el asunto del día. La villa, de ordinario tan tranquila, tan desierta, parece agitada hoy por la fiebre de un gran acontecimiento. En todos los hogares y en todas las esquinas, se discute sobre la loca aventura de un puñado de hijos del pueblo que, guiados por un extranjero, van a abrir una nueva ruta en el vasto mar desconocido. Grupos de gente van, y vienen, sin cesar, a la calzada del puerto para contemplar las tres naves ya listas para la partida. Mientras tanto se celebran imponentes ceremonias en el templo de San Jorge, el único del pueblo. Los expedicionarios se confiesan y reciben la sagrada comunión, preparando el alma para la que tal vez sea su última jornada.

La Santa María, capitana de la expedición

Fué el embarque un acto solemne y doloroso. Despedíanse de sus familias los expedicionarios con lágrimas y sollozos. El presentimiento de que jamás volverían a verse llenaba de angustia los corazones. Formaban la expedición ciento veinte hombres, todos españoles con la excepción de Colón y de un tripulante inglés. Español era el dinero que la costeaba, españoles los tripulantes de las carabelas, y español el pabellón que en éstas ondeaba. Colón puso el genio, y el pueblo español suministró todos los demás elementos morales y materiales de la expedición.

La partida. — En la madrugada del día 3 de agosto, cuando los rayos rojos de la aurora, asomando por las cercanas cumbres, iluminaron la tierra, el pueblo y las aguas como el fulgor de un incendio, las tres carabelas levaron anclas y emprendieron el viaje inmortal. Aquellos intrépidos navegantes se lanzaban en el misterio de las aguas, cuando se ignoraba la redondez del planeta, la ley de la atracción terrestre, la extensión de aquel mar incógnito, y si era o no navegable.

Navegaron con rumbo a las islas Canarias, ya descubiertas. Al tercer día, una de las carabelas, las cuales no eran más grandes que nuestros barcos de pesca, sufrió averías en el timón. En la madrugada del día 9 vieron elevarse en el horizonte una inmensa columna de fuego y humo, que llenó de temor el ánimo de los tripulantes: era el volcán de Tenerife, la mayor de las islas Canarias. Detuviéronse allí un mes para reparar averías. El 9 de septiembre perdieron de vista la última de aquellas islas, la última porción de tierra descubierta. Tras ellos quedaba el mundo conocido, la patria y el hogar; delante tenían el misterio impenetrable del océano, acaso la gloria y el oro, acaso también la muerte y el olvido. Las lágrimas se les saltaban a aquellos hombres heroicos.

Ansiedades y desaliento. — Luchaban con la muerte, que mar y cielo concertados les ponían ante los ojos: un día era el mástil de un barco, resto de algún naufragio, otro día era gran llama de fuego, un meteoro, que caía al parecer a pocas millas de las naves. Luego, a la delirante alegría de tomar por tierra lo que no era sino una nube baja en lontananza, sucedía el desaliento mortal. Continuaban avanzando. El viento, propicio, les empujaba siempre hacia el oeste. Nueva y terrible alarma . . . Si el viento de aquellas regiones soplaba siempre hacia el oeste, ¿cómo les sería posible regresar?

El 21 de septiembre descubrieron los navegantes un sorprendente espectáculo: en toda la extensión que abarcaba 5

DESEMBARCO DE COLÓN

Del cuadro de Dioscora Puebla.

la vista, estaba el mar cubierto de juncos y vegetación. Creyeron primero que era señal de la proximidad de tierra, pero aunque continuaban navegando la tierra no aparecía. Temían unos que las naves quedaran bloqueadas en aquellas espesuras, temían otros que encallaran en un banco de 10 arena o que se estrellaran contra alguna roca.

Cuatro días después tuvieron por seguro que se divisaba

tierra en lontananza. ¡ Al fin! Presa de inmensa alegría y de gratitud al cielo, cayeron de hinojos en acción de gracias y entonaron cánticos devotos . . . ¡ La tierra de salvación no existía, no era sino un batallón de nubes a ras 5 de agua, que pronto se disiparon!

El descubrimiento. — Siguieron diez y seis días más de ansiedades y decepciones. El 11 de octubre se vieron claras señales de la proximidad de la costa, un junco fresco, una tabla labrada, una rama de árbol con frutas verdes, y aves 10 que no suelen alejarse mucho de tierra. El día 12, a las dos de la madrugada, resonó un disparo de lombarda de la nave que iba delante, seguido de universal clamor: *¡ Tierra! ¡ tierra!* . . . Era la virgen América.

Colón y los españoles que le acompañaban hallaron el 15 Nuevo Mundo. Mas la obra del descubrimiento de un entero continente cuatro veces mayor que Europa no podía ser obra de un solo hombre; fué obra de millares de hombres, de millares de españoles que descubrieron el litoral de América, sus ríos, sus cordilleras, sus bosques, sus desiertos. No 20 sólo en la América española, sino también en la mitad del presente territorio de los Estados Unidos.

SUMARIO

1. El propósito de Colón no era descubrir un nuevo mundo, sino una nueva ruta marítima para ir al Asia.
2. El inmortal navegante había ido de corte en corte solicitando protección para su empresa inútilmente.
3. Al fin encontró dicha protección en la corte de España.
4. Todos los elementos de su expedición, morales y materiales, los suministró el pueblo español.
5. El 3 de agosto de 1492 partió la expedición para el descubrimiento, el cual tuvo lugar el 12 de octubre.
6. La mitad del territorio de los Estados Unidos fué descubierta y civilizada por el pueblo español.

CUESTIONARIO

1. ¿ Cuándo se presentó Colón en el campamento de Santa Fe?

2. Dígase cuál era su edad y aspecto en aquella ocasión.

3. ¿ Qué ruta marítima habían descubierto ya los portugueses?

4. ¿ Quiénes formaban la expedición del descubrimiento?

5. ¿ Qué se ignoraba antes de realizarse éste ?

6. ¿ Cuánto tiempo se detuvieron las naves en las islas Canarias?

7. ¿ Qué señales de la proximidad de la costa se descubrieron el día 11 de octubre?

8. ¿ Qué parte del territorio norteamericano descubrieron los españoles?

9. ¿ Qué suministró el pueblo español para la expedición del descubrimiento?

UNA DE LAS CARABELAS DE COLÓN

CAPÍTULO XIV

ESPAÑA EN EL NUEVO MUNDO

TRAS el descubrimiento viene aquel ciclo maravilloso en que el pueblo español, que apenas contaba ocho millones de habitantes, explora, conquista y coloniza casi todo el territorio americano, levanta aquellas razas bárbaras que lo poblaban al nivel de sus propios hijos, y les da su Dios, su patria y su pensamiento.

ESCUDO DE COLÓN
Concedido por los Reyes Católicos después del descubrimiento.

Los exploradores. — La labor de los exploradores españoles es ejemplo único en la historia. Extendíanse por las selvas inmensas donde apenas logran penetrar los rayos del sol y hay que abrirse paso con el hacha a través de la apretada vegetación; por los desiertos sin fin, calcinados por el sol ardiente, sin un refugio en que albergarse los días de tormenta, sin un árbol que sirva de sombra protectora o de guía, desiertos donde el espíritu se siente deprimido en medio de su vasta soledad y silencio; exploraban las abruptas y grandiosas cordilleras, donde los precipicios están sesgados a nuestros pies y cada paso es un riesgo; atravesaban y exploraban en débiles canoas o troncos de árboles los mayores ríos del globo.

Y todo ello sin la ayuda de los instrumentos científicos que tanto facilitan la labor de los exploradores modernos. Si en tal escenario plantamos con la imaginación las tribus salvajes y belicosas, con su terrible número, sus emboscadas y flechas venenosas, se comprenderá la grandeza de aquellos 5 puñados de españoles que ensancharon el corazón y el pensamiento de Castilla en tierras americanas y echaron los cimientos de diez y ocho nacionalidades.

Opinión autorizada. — « Existía un Viejo Mundo en plena

TIERRAS DESCUBIERTAS POR COLÓN
Las marcadas en blanco.

civilización — escribe el norteamericano Lummis —; de 10 pronto se descubre un Nuevo Mundo, el más importante y asombroso descubrimiento en los anales de la humanidad. Cabría suponer, naturalmente, que la grandeza de tal descubrimiento hubo de aguijonear el alma de todas las naciones civilizadas, y que éstas se apresuraron a aprovechar con 15 común anhelo la excepcional ocasión que, para servir a la humanidad, ofrecía el descubrimiento. Pero, en realidad, no sucedió así. Pudiera decirse que toda la empresa fué acometida por una sola nación europea, y no precisamente la más rica y fuerte. Una sola nación tuvo, de hecho, la gloria de descubrir y explorar a América, de revolucionar y ella sola rehacer la geografía y todo el mundo de las ideas y de los negocios durante siglo y medio. Y esa nación fué España.» En poco más de cincuenta años, se llevó a cabo la exploración y conquista de casi toda América, desde la Florida hasta el cabo de Hornos.

Cimientos de la civilización americana. — A partir del

LOS EXPLORADORES

año siguiente al descubrimiento, empiezan a echarse las bases de la civilización económica, industrial, cultural y religiosa de América. Envíanse de la metrópoli hortelanos, labradores, albañiles, carpinteros, comerciantes, maestros, geógrafos, misioneros, y frecuentes y copiosas expediciones de semillas, plantas y ganados desconocidos en las tierras descubiertas, se edifican ciudades, se levantan templos y escuelas, se establece el correo y, a contar de 1511, emprendese la construcción de obras públicas, caminos, puentes, canales y puertos. 5

En 1576, Juan López de Velasco publicó una *Geografía y descripción general de las Indias*. Por él sabemos que hacia el año 1574 había en América unas doscientas ciudades

TOMA DE POSESIÓN DEL PACÍFICO POR VASCO NÚÑEZ DE BALBOA

Según un altorrelieve moderno.

y villorrios, sin contar los innumerables caseríos de centros mineros y plantaciones. Calcula en 170,000 almas la pobla- 10 ción española, y en unos cinco millones la indígena ya sometida a la vida comunal, en ocho o nueve mil aldeas; cinco millones de naturales que profesaban el cristianismo y laboraban, vestían y vivían conforme a las costumbres civilizadas. No había lugar sin sacerdote que administrara los sacra- 15 mentos, convirtiera y predicara.

Leyes de Indias. — Conforme a lo que declara el historiador norteamericano Bourne, profesor que fué de la Universidad de Yale, en su libro *España en América* (1904), los indios fueron considerados desde el principio como ciudadanos libres, como vasallos del rey de España. En vez de reducirlos a la condición de esclavos, como hicieron los demás europeos, los civilizaron, trataron de elevarlos al 5 nivel de la cultura europea, convirtiéndolos a la religión cristiana, enseñándoles las artes y las ciencias, el ejercicio de las industrias y del comercio.

Fué España la única potencia colonial que declaró a los naturales de sus colonias, libres 10 súbditos de la corona, y ni aun hoy, en este liberal siglo XX, llevan a tal extremo de igualdad todos los países su política colonial. Repetidas veces se 15 establece en las leyes de Indias que los enlaces entre españoles e indias, amén de ser permisibles, son útiles y provechosos para la difusión de la fe y 20 población de los países descubiertos. Que sean tratados *cual cristianos y libres vasallos nuestros*, ordena el emperador Carlos V en sus instrucciones del 15 de junio de 1540, y se reitera una y otra vez en todo 25 tiempo. En la vida civil, en la religiosa, en la política, en la cultural, ambas razas, la conquistadora y la conquistada, vivían sobre un mismo pie de igualdad legal.

Francisco Pizarro, conquistador del Perú

Cultura. — La solicitud del gobierno y la iglesia en la educación de los indígenas es palmaria, como afirma Bourne, 30 habiendo logrado fomentarla en una escala muy superior a la que se intentó siquiera en las posesiones británicas. Concerniente a Nueva España, hoy Méjico, escribe dicho historiador: « No es posible enumerar aquí todas las instituciones de cultura fundadas en Méjico durante el siglo XVI, mas no sería excesivo afirmar que, en el número de los estudios y en el alto nivel intelectual de los maestros, aventajaron a cuanto se conoció hasta el siglo XIX en la América sajona. » 5

Prosperidad económica. — A pesar del monopolio comercial establecido por España en sus colonias americanas,

ALTAR AZTECA

Usado por los aztecas para celebrar las ceremonias de su culto; se conserva en el Museo Nacional de la ciudad de Méjico.

gozaban éstas de gran prosperidad en la antevíspera de su emancipación. Nos dan testimonio de aquélla Humboldt y Adam Smith, entre otros viajeros y economistas del último 10 tercio del siglo XVIII. « Encuéntranse las colonias españolas — escribía Adam Smith, en 1776 — bajo un gobierno en muchos conceptos menos favorable al desenvolvimiento de la agricultura, la prosperidad y la población, que el de las colonias inglesas. No obstante, al parecer, aquéllas pro- 15 gresan en todo esto con mucha mayor rapidez que ningún país de Europa. »

SUMARIO

1. En la época de la colonización americana, España apenas contaba ocho millones de habitantes.
2. La empresa de explorar y civilizar a América fué acometida por una sola nación durante siglo y medio, y esa nación fué España.
3. A partir del año siguiente al descubrimiento, empiezan a echarse los cimientos de la civilización económica, industrial, cultural y religiosa del Nuevo Mundo.
4. Hacia el año 1574 había ya cinco millones de naturales que vivían conforme a las costumbres civilizadas.
5. Los indios americanos y los colonizadores españoles estaban sobre un mismo pie de igualdad.
6. Las colonias gozaban de gran prosperidad en la antevíspera de su emancipación.

CUESTIONARIO

1. ¿En cuánto tiempo se llevaron a cabo la exploración y la conquista de casi toda América?

2. ¿Cuál era la población española de América hacia el año 1574?

3. ¿Qué ordenó el emperador Carlos V, respecto de los indios, en sus instrucciones?

4. ¿Cuál fué la única potencia que declaró libres súbditos a los naturales de sus colonias?

5. ¿En cuáles órdenes esban los conquistadores y los conquistados sobre el mismo pie de igualdad?

6. ¿Qué afirma el historiador Bourne acerca de la cultura de Méjico en el siglo XVI?

7. ¿Qué escribía Adam Smith sobre el estado económico de las colonias españolas?

CUCHILLO AZTECA

CAPÍTULO XV

EL IMPERIO ESPAÑOL

EN EL feliz reinado de los Reyes Católicos se echaron los fundamentos de la grandeza nacional en todos los órdenes. El vasto imperio español de su nieto e inmediato sucesor Carlos V (1516–1556) y de Felipe II (1556–1598) fué natural desarrollo de la política de los Reyes Católicos. Y tal imperio, por su extensión territorial, es el mayor que registra la historia; y por su trascendencia e influjo espiritual, sólo comparable al imperio romano.

CARLOS I DE ESPAÑA Y V DE ALEMANIA

Del cuadro de Tiziano.

Extensión del imperio. — Abarcaba el imperio español, además del presente territorio nacional, las posesiones de Cerdeña y Sicilia, la mitad meridional de Italia; el Rosellón, el Artois, el Charolais, el Franco-Condado y Flandes, en

ARMADURA Y LANZA DEL AÑO 1550.

Francia; Luxemburgo, los Países Bajos, el noroeste y el oeste del continente africano, América y Oceanía. En 1520, Carlos V fué también proclamado emperador de 5 Alemania. Tenía entonces el emperador veinte años de edad. Era de mediana estatura, más bien delgado, cetrino su semblante, los ojos grises, de expresión grave y taciturna. Celebrábanle soldados 10 y cortesanos por su excelencia en deportes y ejercicios militares. Reservado, frío y nada inclinado a las dulces frivolidades del amor, era un joven sin juventud, mas hombre de cuerpo entero y ya insigne 15 soberano.

Su significación espiritual. — El imperio español representa en la historia moderna de Europa una grandeza mayor que su grandeza territorial, militar y política: 20 representa la grandeza espiritual de un pueblo que, llevado de su celo religioso, batalla contra los enemigos de la fe católica en mil campos de batalla. Los españoles del siglo XVI luchan contra el 25 más poderoso rival de la Europa cristiana, los turcos, cuya fuerza militar sólo España podía afrontar, y los vence decisivamente. El protestantismo amenazaba extenderse por todo el sur del continente europeo, y 30 fueron los soldados y caballeros españoles quienes lo combatieron en Alemania, y en todas partes y quienes — desde el punto de vista español y católico — salvaron a los países latinos de la inundación del protestantismo.

Reforma de la iglesia. — Mas al par que combaten fieramente a los luteranos, combaten también la desmoralización de las costumbres de la corte romana, del Vaticano, que había provocado la Reforma, y la corrupción que en toda la iglesia católica reinaba. 5 Se imponía una reforma eclesiástica, y el pueblo español la llevó a cabo. Y así, junto al renacimiento clásico, hubo gracias a España 10 un renacimiento eclesiástico. Los teólogos y diplomáticos españoles, venciendo las resistencias de Roma, 15 lograron que se convocara el Concilio de Trento (1544), y se opusieron luego a su suspensión. Austeros 20 sabios y teólogos españoles fueron el alma de este concilio que restauró la religiosidad y las buenas costumbres eclesiásticas, que purificó, en una palabra, al 25 mundo católico.

FRAILES DE LA EDAD MEDIA

Según miniaturas de un códice del siglo XIV.

Grandeza del imperio. — Al contemplar en la perspectiva del pasado el imperio español, vemos a sus teólogos y moralistas luchar contra el paganismo que acompañó al renacimiento clásico y contra el materia- 30 lismo; vemos a sus novelistas y escritores didácticos influír en las literaturas de Europa; vemos la lengua española puesta de moda en todo el continente, y los libros españoles circular por toda ella; vemos la diplomacia española ser la primera de Europa. Mas sobre todo ello, y sobre sus conquistas y triunfos militares en ambos mundos, sus vastos territorios y su inmensa grandeza material, vemos brillar su 5 grandeza espiritual, la epopeya moral de un pueblo que se desangró voluntaria y heroicamente por imponer en el mundo el ideal cristiano de su política.

San Ignacio de Loyola
Fundador de la Compañía de Jesús.

10 **El ideal del imperio.** — Los españoles del siglo XVI se habían echado sobre los hombros la magna empresa de mantener, contra todos los enemigos, la 15 unidad religiosa de la cristiandad. Y con tal fervor e ímpetu, que fueron el asombro y el terror de Europa. Desastres, sufrimientos, pobreza, todos los ma- 20 les soportáronlos con abnegación sublime por defender sus ideales religiosos, y este pueblo de ocho millones de habitantes combate al mundo entero, caminando los españoles como soldados de Cristo hacia la victoria o 25 hacia la muerte.

SUMARIO

1. En el reinado de los Reyes Católicos se echan los cimientos de la grandeza española.
2. El imperio español del siglo XVI fué, en extensión territorial, el mayor que registra la historia.
3. Los españoles de aquel siglo tuvieron como supremo ideal la unidad religiosa de la cristiandad.

4. Al par que combaten a los turcos y los protestantes, tratan de extirpar también la corrupción de las costumbres eclesiásticas y del mundo católico.
5. La lengua española era estudiada con preferencia en toda Europa.
6. El influjo literario de España, en aquel siglo, se manifestó particularmente en la novela y en la prosa didáctica.
7. La característica del imperio español fué el idealismo, su reacción contra el materialismo del Renacimiento.

CUESTIONARIO

1. Menciónense algunos territorios del imperio español.
2. ¿ Cuál era el aspecto del emperador Carlos V?
3. ¿ Cuál era su carácter?
4. ¿ Contra quiénes batallan los españoles del siglo XVI?
5. ¿ Qué ideal querían imponer en el mundo?
6. Cítese el año en que se convocó el Concilio de Trento.
7. ¿ Quiénes fueron el alma de dicho concilio?
8. ¿ Qué restauró éste?
9. ¿ En qué géneros literarios influyeron particularmente los españoles sobre Europa, en el siglo XVI?
10. ¿ Qué puede decirse de la lengua española en dicho siglo?
11. ¿ Qué soportaron los españoles por defender sus ideales?
12. ¿ Cuántos habitantes tenía entonces España?

CAPÍTULO XVI

FELIPE II EL PRUDENTE

A LAS cuatro de la tarde del 21 de mayo de 1527, nació en Valladolid el español que mayores alabanzas y más enconados vituperios ha despertado en la historia: Felipe II, llamado por sus contemporáneos *el Prudente*.

FELIPE II
Del cuadro de Tiziano.

Desde que heredó el trono, en 1556, fué la figura central de Europa: hacia él se volvieron todas las miradas y también todos los temores del mundo protestante; temores que se convirtieron a poco en odio mortal.

Carácter de Felipe II. — Era Felipe II la viva imagen de su padre, el gran Carlos V; tenía su mismo tipo y aspecto. En sus cualidades, asemejábase grandemente al emperador. El semblante del hijo era más grave y duro; su política lo fué también. Reservado, frugal y humilde, era paciente en escuchar consejos, lento en tomar resoluciones, concienzudo e infatigable en el trabajo. Y este monarca que los protestantes, por él fieramente combatidos, 5 apellidaban *el demonio del mediodía*, era hombre tierno en el hogar, buen padre y buen esposo, amante de las flores, la música y las artes. Los artistas italianos y españoles tuvieron en él su más liberal patrón.

El pueblo español se consideraba el elegido de Cristo, y 10 Felipe II, español hasta los tuétanos, se creyó destinado a ser el instrumento de la Providencia y el campeón de la fe. Como católico, fué firme y duro con heréticos, protestantes y turcos; como español, imperioso y enérgico con los papas italianos que trataron de oponerse al dominio hispano en 15 Italia. Tuvo mano de hierro en su política exterior, pero no por dureza de corazón, sino por fanatismo y extremado amor a su país, con un fin claro y que a sus ojos todo lo justificaba: servir a su patria y a su Dios.

Si este monarca fué el español más odiado de su tiempo por 20 los extranjeros, que le consideraban su más poderoso y funesto rival, fué igualmente hombre amado por su familia y sus servidores, acompañándole también de la cuna al sepulcro el amor y la veneración de su pueblo.

En su reinado tuvo lugar la más famosa batalla naval 25 que registra la historia de España, la batalla de Lepanto, y su mayor desastre marítimo, la destrucción de la Armada invencible.

Batalla de Lepanto. — El poderío de los turcos constituía un peligro para Europa, y Felipe II, concertando una liga 30 con el papa y la república veneciana, se dispuso a darle al imperio turco la batalla definitiva. Una poderosa escuadra de 264 naves con 79,000 marineros y soldados se reunió en

Mesina a fines del verano de 1571. El 15 de septiembre zarpó de dicho puerto en busca de la escuadra turca. En la madrugada del domingo 7 de octubre, navegando por la bahía de Lepanto, se divisó la armada enemiga. Antes de 5 emprender la batalla, a la luz del alba vióse a los cristianos de rodillas impetrando el auxilio del cielo; los sacerdotes que les acompañaban les dieron la absolución. Y entonces el mar, tan agitado antes que apenas se podía navegar, calmóse hasta parecer que no se movía.

NAVES DE LA ESCUADRA VENECIANA

10 **El manco de Lepanto.** — En una de las galeras cristianas, en la *Marquesa*, había un soldado enfermo, y aunque ardía en fiebre quiso, contra los ruegos de sus compañeros, subir a cubierta y luchar en esta ocasión y batalla, la más memorable que vieron los siglos pasados ni esperan ver los veni-15 deros, y luchó valientemente, recibiendo dos heridas en el pecho y otra en la mano izquierda que le quedó inutilizada, y por ello se le llamó *el manco de Lepanto*. Este simple soldado, de veinticuatro años de edad, había de llenar al mundo más tarde con la gloria de su nombre: era Miguel de Cer-20 vantes, el autor de *Don Quijote*.

Duró el combate hasta la noche, cuando el incendio de los bajeles turcos iluminaba mar y cielo: «parecía el mar, ardiendo en llamas, un monte de fuego.» Perdieron los turcos unos doscientos cuarenta bajeles, y su poder marítimo quedó vencido para siempre. 5

D. Juan de Austria. — Europa entera consideró al caudillo de tal empresa como su salvador. Y el caudillo era un arrogante mozo de veintiséis años, rubio, de ojos pardos de brillante y dulce expresión, finas 10 cejas y pelo castaño, hermoso galán y prototipo del héroe caballeresco a quien adoraban las damas e imitaban los caballeros de las cortes europeas, D. 15 Juan de Austria, hermano bastardo de Felipe II. Vestido de terciopelo blanco y oro, llevando en la diestra la espada centelleante y en la siniestra el cruci- 20 fijo de marfil y ébano, había dirigido la batalla, impávido, audaz, recorriendo en su nave la línea de fuego hasta ser herido, y arrancando por dondequiera, 25 con su presencia heroica, el clamor de mil voces que gritaban: *¡Víctor el señor D. Juan, víctor!*

DON JUAN DE AUSTRIA

De un retrato pintado por Moro.

El enemigo inglés. — España había vencido en la batalla de Lepanto al mayor enemigo de la cristiandad. Mas otro enemigo, otro rival religioso y político amenazaba su poderío: 30 Inglaterra. La defensora enérgica del protestantismo, Isabel de Inglaterra, asistía a los rebeldes de Flandes en su guerra contra la soberanía española, pagaba tropas extranjeras contra España, consentía que los buques ingleses robaran e incendiaran los pueblos de las costas americanas, alentaba a Drake en sus piraterías contra los navíos españoles y los puertos de la península, y enviaba al cadalso inicuamente a la católica reina de Escocia.

Al propio tiempo, los católicos de Irlanda, Escocia e Inglaterra solicitaban de Felipe II con insistencia que enviara tropas contra Isabel. Y hasta el famoso pirata y contralmirante Hawkins, consocio de la reina, ponía a disposición del monarca español su escuadra con objeto de «restablecer en Inglaterra la religión católica, destruír la tiranía de Isabel y favorecer la libertad y derechos de la reina de Escocia.»

Galeón español de la época

La Armada invencible. — Al cabo se resolvió Felipe II a la invasión de Inglaterra. Circuláronse las órdenes para la preparación de una gran escuadra, cuyo destino se mantuvo secreto. Trabajóse noche y día en todos los astilleros de España y de sus posesiones de Nápoles, Sicilia y Milán. En las órdenes e instrucciones sobre la preparación de la armada y sobre la invasión de Inglaterra no hay una sola frase que revele la altivez o vanagloria del triunfo. El plan de construcción de la armada y el plan de batalla se elaboraron con una seriedad y precisión verdaderamente científicas. Ni en las instrucciones ni en las relaciones de los cronistas españoles de entonces se menciona nunca el adjetivo hiperbólico *invencible*. El título de *Armada in-* 5

ENCUENTRO DE LAS ESCUADRAS ENEMIGAS EN EL CANAL DE INGLATERRA

Según una tapicería de la época.

vencible debió de dárselo el pueblo que veía aquella inmensa escuadra anclada en el puerto de Lisboa.

Su destrucción. — A fines de julio de 1588 partió la armada con rumbo a Inglaterra. Componíanla 127 naves, con un total de 55,000 toneladas aproximadamente, cerca 10 de 2,400 piezas de artillería, conduciendo unos 30,000 marineros y soldados. Dos meses después aquella armada, la más poderosa que había surcado los mares, estaba destruída. No la destruyeron los ingleses; la destruyeron los elementos, el cielo y el mar. 15

Ejemplo de fortaleza en el infortunio dió Felipe II al recibir la noticia, según se cuenta. Un mensajero llegó a palacio con la mala nueva. Escuchóle el monarca sin inmutarse durante la relación. Luego, sin la más leve mudanza en 5 el semblante, dijo simplemente: « Yo envié mis naves a luchar con los hombres, no contra los elementos. Hágase la voluntad del Señor. » Y tornando a coger la pluma, que había abandonado para oír el relato, continuó escribiendo serenamente.

SUMARIO

1. Felipe II fué la encarnación de la España de su tiempo.
2. Tuvo el amor y la veneración de su pueblo, que le apellidaba *el Prudente.*
3. Su dura política contra protestantes, heréticos y turcos le atrajo el odio mortal de los extranjeros, que le llamaban *el demonio del mediodía.*
4. Su política tenía por objeto servir a su Dios y a su patria.
5. El poderío del imperio turco constituía una grave amenaza para la Europa cristiana, y Felipe II resolvió conjurarla.
6. En el año 1571 tuvo lugar la batalla de Lepanto, contra los turcos, la más famosa batalla naval que registra la historia de España.
7. En dicho combate, el poder marítimo de los turcos quedó vencido para siempre.
8. En Lepanto luchó valientemente, recibiendo heridas que le dejaron la mano izquierda inutilizada, el autor de *Don Quijote.*
9. Inglaterra, rival religioso y político de España, amenazaba el poderío de ésta; y Felipe II resolvió la invasión de Inglaterra, conforme lo solicitaban con insistencia los católicos ingleses.
10. En 1588 fué destruída la *Armada invencible* en las costas de Inglaterra, principio de la ruina del poderío marítimo de España.

CUESTIONARIO

1. ¿ En qué año nació Felipe II?

2. ¿ Cuándo heredó el trono de España?

3. Descríbase su carácter.

4. ¿ Cómo fué su política exterior?

5. ¿ Cuál era el fin que a sus ojos todo lo justificaba?

6. ¿ Para qué concertó Felipe II una liga con el papa y la república veneciana?

7. ¿ Por qué se llamó a Cervantes *el manco de Lepanto?*

8. ¿ Por qué se resolvió Felipe II a la invasión de Inglaterra?

9. ¿ Cuántas naves componían la *Armada invencible?*

10. ¿ En qué año fué destruída?

11. ¿ Qué se dice que exclamó el monarca español al tener noticia del desastre?

CASCO DEL ALMIRANTE TURCO VENCIDO EN LEPANTO

En la Armería Real de Madrid.

CAPÍTULO XVII

LA DECADENCIA

HABÍA realizado Felipe II la centralización de las funciones del estado. Todos los hilos del gobierno los manejaba él, y por sus manos pasaban cuantas deci-

EL ESCORIAL

Este vastísimo e imponente edificio, que es a la vez convento, iglesia, palacio y mausoleo real, fué empezado por Felipe II en 1563. La biblioteca del Escorial es una de las más importantes de España.

siones importantes o secundarias concernían al vasto im-
5 perio.

En el caso de un monarca laborioso, dotado de capacidad mental, consciente de sus grandes responsabilidades, hábil en la elección de sus ministros, como Felipe II, tal centralización podía ser hasta cierto punto un mal menor; mas en el caso de un rey indolente, poco atento a sus deberes, falto de la sagacidad y el acierto del gobernante, como fué su heredero, el sistema de centralización ofrecía gravísimos riesgos para el bienestar de la nación. 5

El príncipe heredero. — Felipe II había tratado de ilustrar al príncipe heredero en las prácticas del gobierno,

Felipe III
De un retrato pintado por Velázquez.

pero éste, perezoso, de débil carácter y mediocre inteligencia, no era sujeto apropiado para hacer de él un estadista. El viejo monarca, siempre frío en sus juicios, 10 comprendió pronto que el joven Felipe no sería capaz de gobernar por sí mismo, sino que entregaría la carga del gobierno a algún favorito. «Dios, que me ha dado tantos reinos — exclamaba con tristeza —, me ha negado un hijo capaz de regirlos... ¡Temo que me lo gobiernen!» Y el último consejo que le dió, pocas horas antes de morir, fué que 5 gobernase el reino por sí mismo. No aprovechó el hijo tal consejo, y apenas ocupó el trono puso las riendas de la monarquía en manos de un privado.

A los veintiún años de edad, Felipe III recogió la herencia de un extenso imperio en el cual reinaba la paz; mas un 10 imperio agotado económicamente por las costosas e incesantes guerras del siglo XVI. Y sin embargo, Felipe III inauguró una era de esplendor cortesano, que continuó en el reinado de su sucesor, mientras el país estaba en la pobreza. Felipe II había vivido con la mayor modestia. Su hijo vivió 15 en medio del mayor fausto. Aquél había gastado en su casa 400,000 ducados al año; éste gastaba 1.300,000 ducados. El primero se había pasado la existencia en su despacho, trabajando; el hijo, en el teatro, en los torneos, fiestas y cacerías, divirtiéndose.

20 **Hacia el ocaso del imperio.** — La decadencia de la nación, latente ya en el pueblo, comenzó a manifestarse en la política exterior. Aquellos ejércitos españoles que habían vencido al mundo durante un siglo, empezaron a sufrir derrotas y a perder territorios; la primera diplomacia de 25 Europa no era ya la española, sino la francesa; el dominio del mar no pertenecía ahora a España, sino a Inglaterra; los protestantes podían mirar también sin temor al nuevo soberano español.

No obstante, España se consideraba a sí misma, y era 30 igualmente considerada por los extranjeros, como la más poderosa nación del orbe. Con sus ilimitados territorios, conservaba aún las apariencias de grandeza. En 1617, Jaime I de Inglaterra, hablando con uno de sus consejeros, le decía: « Por supuesto yo sé que, en cuanto a poder y grandeza, el rey de España es más grande y poderoso que somos todos los demás reyes cristianos juntos. »

La rendición de Breda

Del cuadro de Velázquez, llamado también *el cuadro de las Lanzas*, que deja memoria de un triunfo español (1625) que tuvo gran resonancia en Europa.

Corrupción política y social. — Los reinados de Felipe III (1598–1621) y Felipe IV (1621–1665) ofrecen idénticos caracteres, la misma política funesta de favoritos ineptos y ambiciosos, la misma corrupción en las esferas gubernativas, igual miseria del pueblo, igual desmoralización de las costumbres.

El pueblo español del siglo XVI, austero y frugal, se

había convertido en un pueblo amigo del lujo y de los placeres. En las grandes ciudades, el impudor de las mujeres, el fausto de las clases acomodadas, la corrupción general de las costumbres eran un escándalo; tan escandaloso todo ello como la hipocresía de las clases altas en materia religiosa, como la ignorancia y superstición del pueblo bajo, y como la holgazanería de todos, altos y bajos.

Felipe IV
De un retrato hecho por Velázquez.

El escepticismo del pueblo. — Un escepticismo general se había apoderado del espíritu de la nación; escepticismo en su ideal político de establecer una monarquía universal, que, tras haberlo defendido durante un siglo, sacrificándolo todo, veía ahora caído y maltrecho; escepticismo en materia religiosa, viendo los españoles que, a pesar de haberlo dado todo por la causa de la fe, el cielo los abandonaba. Fué una reacción contra el idealismo del pasado; y, tan extremados ahora como lo habían sido antes, los españoles se echaron en brazos del más grosero materialismo. En religión, conservaron la forma, la rutina de cumplir con la iglesia; mas allá en el fondo del corazón, la antigua y robusta fe no alentaba. Así, juzgando por las apariencias, cierto embajador veneciano escribía a su gobierno que los españoles « aunque inmorales, son buenos cristianos. »

Servidumbre. — El espíritu de libertad e independencia de que tantas muestras habían dado los municipios, pactando en ocasiones como de igual a igual con los reyes, estaba ya extinguido. Los municipios, como las cortes del reino, se hallaban sometidos a la servidumbre del monarca. 5
La sociedad española, de arriba abajo, estaba corrompida. La miseria relajó aun más la disciplina social, y en todo el siglo XVII fueron frecuentes los motines a consecuencia del malestar económico que la nación padecía.

Ruina económica. — El país estaba despoblado a causa 10
de las guerras, de la emigración, de la expulsión de judíos y moriscos, y de la disminución de los nacimientos; la agricultura, casi abandonada, arruinado el comercio, y en la mayor decadencia las industrias.

Semejante estado lamentable fué agravándose a medida 15
que avanzaba el siglo XVII. Y los males eran tan patentes que Felipe IV, en una Real cédula de septiembre de 1622, manifestaba el aprieto en que se encontraba el patrimonio real, la despoblación del reino, la extenuación de los negocios y ruina del comercio, la falta de moneda por lo mucho que 20
se sacaba a países extranjeros, la penuria de los vasallos, las excesivas contribuciones que habían de pagar éstos, el desorden en la administración de la justicia y en el reparto y recaudación de los tributos, y el número excesivo que había de funcionarios. 25

SUMARIO

1. Felipe III y Felipe IV fueron monarcas indolentes, de mediocre inteligencia y poco atentos a sus deberes.
2. Ambos pusieron las riendas del gobierno en manos de sus favoritos.
3. Los reinados de estos dos soberanos ofrecen idénticos carac-

teres de corrupción política y social, y de decadencia nacional.

4. El pueblo español del siglo XVII era amigo del lujo y los placeres.
5. El idealismo del siglo anterior se había extinguido en España; en su lugar se había apoderado de los espíritus el escepticismo y el materialismo.
6. La sociedad española, considerada en conjunto, se hallaba corrompida.
7. España estaba despoblada y en la miseria; la agricultura, las industrias y el comercio estaban arruinados.
8. A medida que avanzaba el siglo XVII fué agravándose el lamentable estado de la nación.

CUESTIONARIO

1. ¿Qué edad tenía Felipe III al ocupar el trono?
2. ¿Cómo vivió este monarca?
3. ¿Cuánto gastaba en su casa?
4. ¿Cómo comenzó a manifestarse la decadencia del país?
5. ¿Cuál nación sucedió a España en el dominio del mar?
6. ¿Qué decía Jaime I de Inglaterra hablando del rey de España?
7. ¿En qué puntos ofrecen idénticos caracteres los reinados de Felipe III y Felipe IV?
8. ¿Cómo era el pueblo español del siglo XVI?; ¿y en el siglo siguiente?
9. ¿Qué decía cierto embajador veneciano acerca de los españoles?
10. ¿Cómo se hallaban los municipios y las cortes?
11. Señálese el origen de los frecuentes motines durante el siglo XVII.
12. Causas de la despoblación del país.
13. Menciónense algunos de los males de la nación que manifestaba el rey en 1622.

CAPÍTULO XVIII

CAUSAS DE LA DECADENCIA

A FINES del siglo XV, España tenía unos ocho millones de habitantes, y a principios del XVII había descendido su población a seis millones. En las cortes de Valladolid de 1602 se declaró que Castilla estaba tan despoblada, y tal era la falta de gente para la labranza en las aldeas, « que infinitos lugares de cien casas se han reducido a menos de diez, y otros, a ninguna.» La población de Burgos, que a mediados del siglo XVI era de 5,000 vecinos, baja a 823 para el año 1616. Madrid, que tenía 400,000 habitantes en la primera parte del siglo XVI, contaba sólo con 150,000 al alborear el siguiente siglo. Sevilla vió reducirse su vecindario en tres cuartas partes, mientras otras ciudades, como Segovia y Toledo, quedaban casi desiertas.

CABALLERO DEL SIGLO XVI
De un retrato de El Greco.

Entre las causas de dicha despoblación figuran principalmente el descenso de nacimientos, ocasionado por la miseria y por el número extraordinario de jóvenes de ambos sexos que ingresaban en los conventos; las guerras sostenidas casi incesantemente por un siglo; la emigración a las tierras del Nuevo Mundo; y la expulsión, finalmente, de los judíos y moriscos.

Expulsión de los judíos. — La expulsión de los judíos no sólo había sido un factor de la despoblación de España, sino también de la decadencia económica, pues eran sus más activos y ricos comerciantes. Se había llevado a cabo la expulsión en 1492, por motivos particularmente religiosos. Justificábase en el decreto de expulsión por el « gran daño » que originaba a los cristianos su comunicación y convivencia con los judíos y temor de que aquéllos se contaminaran de sus « falsas creencias.» Aunque los autores de la época difieren grandemente al computar el número de judíos expulsados, se calcula hoy que fueron unos 250,000.

Emigración a América. — La emigración a América llegó a ser tan considerable que hubo de dictarse una ley, a mediados el siglo XVII, prohibiéndola. Tanto como el espíritu aventurero del pueblo español y su afán de conquistarse riquezas en el Nuevo Mundo, contribuían el exceso de tributos que sobre aquél pesaba y la general miseria de la península.

Los moriscos. — Mientras el resto de la población disminuía, la morisca se multiplicaba rápidamente. En el año 1573 había en Valencia, por ejemplo, alrededor de 19,000 familias moriscas, cuyo número subió a 28,000 familias para el año de 1599. Los moriscos constituían un motivo de permanente intranquilidad para la nación. En su explicable odio contra los cristianos, prestaban cuantos auxilios podían a los piratas turcos y berberiscos; y su connivencia con turcos, franceses e ingleses para provocar alzamientos en España es un hecho probado.

Los moriscos aborrecían a los cristianos porque éstos les trataban cruelmente, excluyéndolos de todo género de honores y de los cargos importantes de gobierno, mirán-

ESCENA DE LA INQUISICIÓN
Según un grabado del siglo XVI.

dolos siempre con recelo y desdén. Los cristianos, a su vez, odiaban a los moriscos por considerarlos como enemigos dentro de casa; los envidiaban, además, por su riqueza y laboriosidad.

Expulsión de los moriscos. — Durante un siglo, los monarcas habían hecho esfuerzos por convertirlos al catolicismo; y cuando el pueblo español, tras repetidos fracasos, estuvo convencido de que tal empresa de conversión era imposible, demandó su expulsión. Llevóse ésta a cabo en los años de 1609 a 1614.

La expulsión de los moriscos, cuyo número pasó de 500,000, contribuyó a la despoblación y precipitó la decadencia eco-
5 nómica, pues eran los agricultores e industriales más laboriosos, frugales y expertos de la península.

Decadencia de las industrias. — Hacia mediados del siglo XVII, unas diez y siete industrias que habían logrado el mayor florecimiento, entre ellas las construcciones navales
10 y la fabricación de sedas y de otros tejidos, habían casi desaparecido. Las cortes consignaban que donde antes se fabricaban treinta mil arrobas de tejidos de algodón, fabricábanse ahora menos de seis mil, añadiendo que en las principales ciudades la mayoría de las casas estaban cerradas
15 y deshabitadas.

El estado de la agricultura era igualmente deplorable. Como índice, señalaremos el hecho de que durante los veinte años del reinado de Felipe III el número de labradores de la provincia de Salamanca descendió de 8,343 a
20 bastante menos de la mitad, así como el número de las yuntas empleadas en las faenas agrícolas en dicha provincia bajó de doce mil a cuatro mil y pico.

En tanto que la población trabajadora decrecía, el número de frailes y monjas se acrecentaba hasta representar más
25 de un veinte por ciento de la población total. Dos órdenes únicamente, la de franciscanos y la de dominicos, contaban con treinta y dos mil religiosos.

Ruina del comercio. — La decadencia de su poder naval, iniciada en 1588 con la destrucción de la *Armada invencible*
30 en la costa inglesa, dejó el comercio de España a merced de sus enemigos. Las grandes riquezas de América caían en manos de los piratas ingleses y holandeses, que se aprovechaban de ellas en sus guerras contra la nación

española. Completó la ruina del comercio la errada política económica de España, con el sistema de monopolios y privilegios que ahogaban la iniciativa privada. En los años de 1628, 1630 y 1644 se promulgaron edictos prohibiendo el comercio con los países enemigos, lo que trajo no sólo la paralización del comercio con los más importantes centros fabriles de Europa, sino también el contrabando en grande escala.

DAMA Y NIÑO DEL SIGLO XVII
De un retrato de Velázquez.

Desbarajuste administrativo. — Las excesivas contribuciones impuestas sobre la producción, sobre las fuentes de riqueza del país, y los innumerables monopolios, contribuyeron a arruinar la agricultura, la industria y el comercio. Y con ser semejantes contribuciones excesivas, todavía era lo peor que no bastaban a cubrir, en ciertos ramos, los gastos que ocasionaba su cobranza: tan grandes eran el desbarajuste y la corrupción de la administración pública.

El presupuesto de ingresos del estado español era mucho mayor que el de cualquiera otra nación europea, y sin embargo siempre faltaba dinero para todo, para sostener guerras, para ejecutar obras públicas, etc. Felipe IV manifestaba a las cortes de 1654 que, de los diez millones de ducados con que Castilla contribuía anualmente, nada mas que tres millones ingresaban en el tesoro.

Otra prueba del desorden administrativo es el hecho de 5 que las posesiones españolas, en vez de contribuír a sostener las cargas de la nación, las aumentaban; así el ducado de Milán y el virreinato de Nápoles llegaron a tener un déficit anual de 200,000 ducados el primero, y de 400,000 ducados el segundo. La dilapidación de los fondos públicos 10 y la corrupción eran sencillamente estupendas. El clero de Castilla, por ejemplo, pagaba por el mantenimiento de cincuenta galeras, y sólo ocho existían; Nápoles costeaba treinta, y no había sino diez y seis; Sicilia, veinte, y no existían mas que diez.

15 **La vida económica en poder de los extranjeros.** — Apuntaremos, finalmente, otra causa de la decadencia, el desprecio que los españoles, como los antiguos atenienses y romanos, tenían por el comercio y los trabajos manuales. Los viajeros del siglo XVII hacen notar a menudo el des-20 dén con que los españoles miraban el trabajo. Uno de aquéllos escribía que « antes sufren el hambre y las demás necesidades de la vida que trabajar como mercenarios, según dicen ellos, cosa propia de esclavos. » Por esto, la vida económica del país vino a quedar en poder de los ex-25 tranjeros: la agricultura, en manos de los franceses; el comercio y la industria, en manos de los italianos. Un escritor se lamentaba en 1655 de que el país estuviese en posesión de 120,000 extranjeros que se llevaban cada año, en salarios, un millón de ducados de oro.

30 Considerábanse los españoles como una raza de caballeros, y los caballeros no habían de soportar el deshonor del trabajo. Ellos eran la flor y nata de la tierra, nacidos para darse aires de gran señor aunque fuesen cubiertos de harapos,

y para combatir en los campos de batalla, escribir versos en los salones e ir a la iglesia, al paseo y al teatro.

SUMARIO

1. A principios del siglo XVII, la población de España era de seis millones, es decir, dos menos que a fines del siglo XV.
2. Entre las causas de la despoblación figuran el descenso en el número de nacimientos, las guerras, la emigración y la expulsión de judíos y moriscos.
3. Más del veinte por ciento de la población estaba compuesto de monjas y frailes.
4. La decadencia del poder naval de España se inició con la destrucción de la *Armada invencible* en 1588.
5. Los piratas ingleses y holandeses completaron la ruina del comercio español.
6. Las contribuciones eran excesivas, y a veces no bastaban a cubrir los gastos de su cobranza.
7. Las posesiones españolas, en vez de contribuír a las cargas de la nación, las aumentaban.
8. La dilapidación de los fondos públicos y la corrupción administrativa eran estupendas.

CUESTIONARIO

1. ¿ Cuáles causas contribuyeron a la emigración al Nuevo Mundo?

2. ¿ Por qué constituían los moriscos un motivo de intranquilidad para la nación?

3. ¿ Por qué aborrecían a los cristianos?

4. ¿ Quiénes eran los mejores agricultores e industriales de la península?

5. ¿ Cuándo se inició la decadencia del poder naval de España?

6. ¿ Cuál fué el efecto de los edictos prohibiendo el comercio con los países enemigos?

7. Cítese un ejemplo del desorden administrativo.

8. ¿ Qué hacen notar los viajeros del siglo XVII acerca de los españoles?

9. ¿ Cómo se consideraban a sí mismos los españoles?

CAPÍTULO XIX

CULTURA DE LA NACIÓN EN LOS SIGLOS XVI Y XVII

EN EL reinado de los Reyes Católicos han de buscarse, en cualquier orden, los orígenes de la España moderna, y así los de su literatura y cultura nacionales. Nace en dicho reinado el teatro profano, surge la poesía lírica genuinamente
5 castellana y popular, alcanzan pleno desarrollo los romances, género típicamente nacional, y se publica *La Celestina* (1499), que es la primera y más notable manifestación de nuestra novela dramática.

Estudio de las humanidades. — Al terminar la guerra
10 de la Reconquista (1492), las artes de la paz entraron en un período de esplendor. El estudio de las humanidades adquirió singular desenvolvimiento, se tradujeron al castellano las principales obras de los clásicos griegos y latinos, se estudiaron las lenguas y literaturas de los pueblos an-
15 tiguos, y un afán de aprender se apoderó de los espíritus, sobresaliendo como las más altas figuras de aquel renacimiento de la cultura clásica Antonio de Nebrija (1441–1522), príncipe de los latinistas y gramáticos españoles, y Juan Luis Vives (1492–1540), humanista digno de figurar junto
20 a los más grandes del Renacimiento, dentro o fuera de España.

Inaugúranse también a la sazón grandes obras de arquitectura, y empiezan a acudir a España los artistas extranjeros, y salen de ella, para proseguir sus estudios en
25 Italia, los artistas españoles.

En cuanto a literatura, caracterízase la del reinado de los Reyes Católicos por el nacionalismo en el asunto, por el realismo en la técnica y por la naturalidad del estilo.

Las Universidades. — En el siglo XVI se crean muchas nuevas Universidades, y alcanzan éstas su mayor desenvolvimiento. Para el año de 1619, existían treinta y dos Universidades. Eran unas de tipo democrático, como la de Salamanca, donde los estudiantes elegían por votación a sus profesores y al rector, y eran otras de tipo aristocrático, como la de Alcalá de Henares.

NEBRIJA EN SU ESCUELA

Según miniatura de un códice de la época.

Famosa en toda Europa, y principal entre las españolas, era la Universidad de Salamanca, por el prestigio de su facultad, compuesta por los sabios más eminentes de aquel tiempo, y por el gran número de sus estudiantes: en el curso de 1566 a 1567 se matricularon en ella 7,832 escolares. Era, además, una de las pocas Universidades europeas cuyas puertas estaban abiertas a las mujeres, las cuales, al igual de los hombres, podían estudiar allí y graduarse.

Escuelas especiales. — Existían asimismo varias escuelas militares y navales, en Madrid, Barcelona, Sevilla y Cádiz, y escuelas científicas y técnicas. La mayoría de los centros docentes para la mujer hallábanse establecidos en los con-
5 ventos. El número de seminarios, para la enseñanza de

BIBLIOTECA DEL MONASTERIO DE EL ESCORIAL
Estado actual de la biblioteca famosa.

teólogos, sin contar los muchos colegios y noviciados de jesuitas, era de veintisiete en el año de 1670.

En el siglo XVI se organizó la enseñanza primaria gratuita, iniciativa y obra de un español ilustre, San José de
10 Calasanz, cuando aun era desconocida en el resto del continente. Fué también en España, y a mediados del mismo siglo, donde se fundó la primera escuela de sordomudos, la de Oña, a la cual siguieron otras en varias partes de la península. En 1620, el español Juan Pablo Bonet había

publicado el primer libro que se conoce para la enseñanza de los sordomudos.

Además de estos centros docentes, florecían otros de diversos grados, fundados y costeados por los municipios, por las órdenes religiosas y muchos también por los particu-

UNA IMPRENTA ANTIGUA

Según un grabado veneciano del siglo XVI.

lares cuyo número pasaba de cuatro mil en el año de 1619.

Museos y bibliotecas. — Estableciéronse numerosos museos y bibliotecas en el siglo XVI, entre éstas dos famosísimas: la del Escorial y la llamada Colombina. Organizáronse los archivos de documentos públicos, siendo el principal el archivo de Simancas. Si con esto se atendía al orden intelectual, tampoco se descuidaba el benéfico, creándose manicomios, hospitales militares, hospicios, etc.

Academias. — En las ciudades importantes había academias científicas y literarias, y frecuentísimas eran en todas partes las justas poéticas. Las aficiones literarias de la clase media y de la alta fueron tan extremadas y generales como la afición de todo el pueblo español a las representaciones dramáticas.

5 En semejante ambiente intelectual, las letras y las artes, la filosofía y las ciencias físicas, naturales y exactas, las manifestaciones todas del pensamiento, habían de florecer naturalmente, como comprobaremos más adelante. La arquitectura produce obras maestras en ambos siglos, mas 10 la pintura y la escultura no llegan a su plenitud hasta el XVII. En términos generales, pudiera decirse que el siglo de oro de las ciencias es el XVI, y el de las artes el siguiente.

Introducción de la imprenta. — Con la introducción de la 15 imprenta en España, el año 1474, tomó considerable vuelo el arte del grabado en madera, cobre y otros metales, así como el grabado al agua fuerte — que fué el que prevaleció en el siglo de oro — con que se ilustraban los libros.

Literatura. — Respecto de la literatura, en el reinado 20 de Carlos V brilla de modo especial la narración histórica, los estudios didácticos, la novela caballeresca, con las imitaciones innumerables del *Amadís de Gaula*, y la novela realista, con las imitaciones de *La Celestina*. En el reinado de Felipe II continúa floreciendo la historia, se concede par-25 ticular atención a los graves estudios políticos y morales, y culmina la literatura mística y ascética. En los reinados de Felipe III y Felipe IV sobresalen el drama y la novela picaresca.

En la primera mitad del siglo XVI predomina el espíritu 30 crítico y satírico, sobre todo la sátira clerical; en la segunda mitad, cumplida la reforma de las costumbres eclesiásticas, aquel espíritu satírico desaparece, y la nota de gravedad literaria es casi general. En el siglo siguiente tornará a brillar la regocijada sátira, con propósito moralizador, especialmente la sátira social y política, en la poesía, en la narración y en el teatro.

El clasicismo y el nacionalismo. — La lucha entre el clasicismo pagano del Renacimiento y el nacionalismo español y cristiano, es lo que distingue el fondo de la producción literaria del reinado de Carlos V. En el de su hijo, lo español y cristiano se queda dueño del campo, y la literatura presenta ya los caracteres definitivos del siglo de oro (1550–1680), es decir, el *realismo* — patente aun en los más antiguos monumentos literarios de España—, el *nacionalismo*, la *independencia* del arte clásico o exótico, y la *nota popular y cristiana*.

ARMARIO DE LIBROS ANTIGUOS

El lenguaje. — Concerniente al lenguaje, diremos que logra en el último tercio del siglo XVI toda su plenitud de expresión, el vigor, la flexibilidad y las cualidades musicales que ahora posee. El castellano de hoy en día apenas representa progreso alguno sobre el de entonces, excepto en el mayor caudal léxico por los neologismos y cultismos que se introdujeron en el siglo XVII y los extranjerismos del siguiente.

Para terminar, citaremos las palabras de un historiador alemán, Brentano: « En el siglo XVI — escribe —, la cultura
5 española alcanza transitoriamente el primer lugar en la vida intelectual de Europa. Es el apogeo de la historia de España. No debe admirar, por tanto, que el mundo entero tome a España por modelo. »

SUMARIO

1. En el reinado de los Reyes Católicos, al terminarse la guerra de la Reconquista, las artes y las letras entraron en un período de esplendor.
2. En el siglo XVI se organizó la enseñanza primaria gratuita, se crearon museos, bibliotecas y centros docentes de todo género.
3. Fundáronse también establecimientos benéficos, como hospicios, hospitales y manicomios.
4. En España, el siglo de oro de las ciencias es el XVI, y el de las artes es el siguiente.
5. La arquitectura produce obras maestras en ambos siglos, mas la pintura y la escultura no llegan a su plenitud hasta el XVII.
6. La literatura del reinado de Felipe II tiene una nota de gravedad que la distingue claramente del reinado anterior y del siguiente.
7. Los caracteres de la literatura del siglo de oro son el realismo, el nacionalismo, la independencia y la nota popular y cristiana.
8. En el último tercio del siglo XVI el castellano logra su completo desarrollo, y reviste ya el vigor, la flexibilidad y las cualidades musicales que ahora posee.
9. Se considera el siglo XVI como el de mayor grandeza militar y política de España.

CUESTIONARIO

1. ¿Cuándo nace el teatro español?

2. ¿Qué es *La Celestina?*

3. ¿En qué año terminó la guerra de la Reconquista?

4. Menciónense las características de la literatura en el reinado de los Reyes Católicos.

5. Háblese de la Universidad de Salamanca.

6. ¿Cuáles fueron las dos clases de enseñanza que se organizaron en España antes que en el resto del continente?

7. ¿Quiénes costeaban los centros de enseñanza?

8. ¿Qué establecimientos benéficos se crearon?

9. ¿Qué distingue el fondo de la producción literaria en la primera mitad del siglo XVI?

10. ¿Y en la segunda mitad de dicho siglo?

11. ¿Qué logra el lenguaje a fines del XVI?

MONEDA DE FELIPE IV

CAPÍTULO XX

LAS CIENCIAS

COPIOSA e importante es la labor de los pensadores españoles del siglo XVI, especialmente los teólogos, en el campo de la especulación filosófica. Fueron estos últimos los que atacaron con mayor profundidad las doctrinas del protestantismo, y quienes concibieron, entre otros sistemas teológicos, el *congruismo*, que concilia el libre albedrío con la presciencia divina y la predestinación. Melchor Cano (1523–1560) fué el primero, entre los ortodoxos, en basar la enseñanza teológica sobre el estudio de las fuentes del conocimiento, y Diego Ruiz de Montoya (1563–1632) fué el fundador de la teología positiva.

SIGNO DE LOS JESUITAS

La filosofía mística católica. — El producto más original de los filósofos españoles fué, en conjunto, la filosofía mística católica, que trata de armonizar la creencia y el conocimiento, la fe y la ciencia, y cuyas características eminentes son el realismo — presentando toda especulación en su relación con la vida práctica — y el análisis psicológico. Los más ilustres representantes de esta nueva escuela filosófica y teológica fueron los jesuitas Luis Molina (1536–1600) y Francisco Suárez (1548–1617). Para la enseñanza de sus doctrinas se crearon cátedras especiales en la Universidad de Alcalá y en otros centros docentes.

La ciencia histórica. — En el terreno de la ciencia histórica, son los tratadistas españoles de fines del siglo XVI quienes primero defienden el concepto filosófico de la historia que ha prevalecido en nuestro tiempo, esto es, la interpretación psicológica de las costumbres, del ambiente, 5 de los hechos de la vida social, de las manifestaciones intelectuales del pueblo cuya historia se escribe, frente al concepto que entonces se tenía de la historia como crónica meramente política y militar. Aquí, como en teología y en literatura religiosa, vemos esa particular consideración 10 del aspecto psicológico que parece caracterizar a los pensadores españoles. Y precursor es uno de ellos, Huarte de San Juan (m. en 1591), de la moderna psicología experimen- 15 tal y de la frenopatía.

PELIGROS DEL MAR DE LAS TINIEBLAS

De un antiguo libro de viajes anterior a esta época.

Ciencias jurídicas. — Brillaron en todas las ciencias jurídicas, especialmente 20 en la filosofía del derecho y en el derecho internacional, cuyos fundamentos asentaron al escribir los primeros libros sobre el derecho 25 de guerra, la servidumbre de cautivos e indios, la trata de negros, el derecho de conquista, etc. En el derecho político, apenas si hay punto que dejasen de tratar, siendo la bibliografía española de esta ciencia sobremanera copiosa. En el derecho penal, son dignos de especial mención los estudios 30 sobre cárceles, base de muchas reformas carcelarias que se andan proponiendo como una novedad en nuestro tiempo.

Curiosidad intelectual. — El descubrimiento del Nuevo Mundo despertó en grado sumo la curiosidad intelectual de los españoles. Las narraciones de viajes y descubrimientos, los tratados de geografía de América, de topografía, historia, religión, antigüedades, artes, botánica, zoología, mineralogía, etc., son innumerables. Y esto que empezó a hacerse respecto de América, hízose luego también respecto de la península. Desde que apareció en 1500 el primer mapa de América, debido a Juan de la Cosa, y en 1519 la primera geografía, de Enciso, no cesaron de publicarse por dos siglos, memorias y libros científicos.

Medicina. — A nuestros médicos de aquellos tiempos se deben los métodos de curación de ciertos males hepáticos y epidémicos, y otras enfermedades. En el prólogo de la *Historia bibliográfica de la medicina en España*, de Morejón, se lee que « somos más ricos que ninguna nación de Europa en ilustradores de Hipócrates, en monografías de pestes y tifus . . .; que un español fué el primero que descubrió el crup . . .; que a los españoles se debe la introducción de la quina . . . , el pensamiento de las cuarentenas, el establecimiento de los hospitales militares, el origen de la medicina legal . . . , la circulación de la sangre, la descomposición del agua, el uso de los eméticos y purgantes en la frenitis y hemotisis biliosas, muchos años antes que las aconsejara Stoll; las hospitalidades domiciliarias a mediados del siglo XVI, dos antes que en Francia e Inglaterra; la institución de la medicina patológica en Zaragoza por los Reyes Católicos en el siglo XV, y en Valladolid y en Salamanca poco después; el sistema de la curación de los locos, en Valencia y Zaragoza; la introducción en la terapéutica de las aguas minerales artificiales . . . » , etcétera, etc.

Contribución española a las ciencias. — Imposible sería reseñar aquí, en tan breve espacio, la larga lista de las contribuciones que los españoles aportaron a las ciencias en los siglos XVI y XVII. Recordaremos, sin embargo, unos cuantos nombres. Escrivano fué el primero en determinar la fuerza elástica del vapor en relación con el volumen de agua. Arias Montano sentó los principios de la presión 5 atmosférica. Acosta y Fernández de Oviedo crearon la

LA CIENCIA ASTRONÓMICA

Grabado de un libro de Martín Cortés, publicado en 1551 y traducido al inglés en seguida.

física moderna del globo. Andrés de Urdaneta se adelantó a todos en explicar la teoría de los ciclones. Andrés del Río inventó un aparato para determinar las variaciones de la aguja magnética. 10

En la ciencia astronómica, García de Céspedes inventó un método para calcular y determinar la posición de las estrellas, aceptado en el resto de Europa. Ciruelo reformó la teoría de la refracción astronómica. Alonso de Córdoba corrigió las tablas astronómicas. Alonso de Santa Cruz construyó los mapas esféricos e inventó instrumentos para determinar la longitud geográfica. Cedillo Díaz, además de 5 inventar varios instrumentos matemáticos, sentó nuevas reglas para fijar la posición de los astros. Nebrija fué el primero en medir un grado del meridiano terrestre, y en concebir un sistema de pesas y medidas en que se relacionen el volumen y el peso, siendo en esto último el precursor 10 del presente sistema métrico.

Matemáticas. — Porras inventó nuevos métodos para dividir la circunferencia y varias proposiciones geométricas adoptadas hoy en día. Esquivel aplicó la triangulación a la geodesia. Álava aplicó las matemáticas a la artillería. 15 El primer tratadista de fortificaciones modernas fué Escrivá.

Los procedimientos científicos para el ensayo de los metales y de la moneda los fijó Arfe. Los principios de la metalurgia los sentó Barba. La teoría de la comunicación 20 a distancia por medio de imanes, o sea la telegrafía, la concibió Pérez de Oliva. Pedro Juan Núñez, además de hacer varios descubrimientos científicos, inventó un instrumento de precisión llamado nonio, que es de uso universal en nuestros días.

25 **Navegación.** — El primer tratadista que redujo a reglas el arte de navegar fué Fernández de Enciso. Juan Escalante de Mendoza escribió el primer libro de construcciones navales. Blasco de Garay fué el inventor de un aparato de ruedas con paletas para mover los barcos, y 30 Diego Rivero de la bomba de metal para desaguar éstos. Laguna, finalmente, hizo un invento para convertir el agua del mar en agua potable.

Quienes tengan interés en esta materia pueden consultar la obra de Felipe Picatoste intitulada *Apuntes para una biblioteca científica española del siglo* XVI (1891).

SUMARIO

1. España ha contribuído a la historia de la filosofía con la filosofía mística católica, que trata de conciliar la creencia y el conocimiento, la fe y la ciencia.
2. Los tratadistas españoles de fines del siglo XVI son los primeros en defender el concepto filosófico de la historia.
3. Ellos asentaron los fundamentos del derecho internacional.
4. En el terreno de la medicina, las más importantes contribuciones de España son la teoría de la circulación de la sangre, el sistema de cuarentenas, el establecimiento de las hospitalidades domiciliarias y el método de la curación de los locos.
5. Los españoles sentaron los principios de la presión atmosférica, crearon la física moderna del globo, midieron por primera vez un grado del meridiano terrestre, sentaron los principios de la metalurgia y concibieron la teoría de la comunicación a distancia por medio de imanes, o sea, la telegrafía.

CUESTIONARIO

1. ¿ Cuáles son las características eminentes de la filosofía mística católica?

2. ¿ Quiénes fueron sus más ilustres representantes?

3. ¿ En qué consiste el concepto filosófico de la historia?

4. ¿ Qué caracteriza a los pensadores españoles?

5. ¿ En cuáles ramas del derecho brillaron particularmente?

6. ¿ Quién es el autor de la primera geografía de América?

7. Y de su primer mapa, ¿ quién fué el autor?

8. Cítense algunos progresos, en el terreno de las ciencias, que se deben a España.

CAPÍTULO XXI

LITERATURA: LA POESÍA

LAS DOS producciones mayores de la poesía española, antes del siglo XVI, fueron el *Poema del Cid*, anónimo, del siglo XII, que trata de la vida y hazañas del Cid, el héroe nacional; y el *Libro de buen amor*, del siglo XIV, escrito por Juan Ruiz (1283?–1350?), arcipreste de Hita, realística y formidable sátira de la sociedad medioeval.

GARCILASO DE LA VEGA
De un grabado en madera del siglo XVI.

Romanceros. — A principios del siglo XVI comenzaron a publicarse los romances, en pliegos sueltos, y luego en colecciones llamadas *romanceros*. «Los romances son un collar de perlas — escribe Hégel, en su *Estética* —; cada cuadro particular es acabado y completo en sí mismo, y al propio tiempo estos cantos forman un conjunto armónico. Están concebidos en el sentido y en el espíritu de la caballería, pero interpretada conforme al genio nacional de los españoles ... Los motivos poéticos se fundan en el amor, en el matrimonio, en la familia, en el honor, en la gloria del rey y, sobre todo, en la lucha de los cristianos contra los sarracenos. Pero el conjunto es tan épico, tan plástico, que la realidad histórica se presenta a nuestros ojos en su significación más elevada y pura, lo cual no excluye una gran riqueza en la pintura de las más brillantes proezas. Todo esto forma una tan bella y graciosa corona poética, que nosotros los modernos podemos oponerla audazmente a lo más bello que produjo la clásica antigüedad. »

En el siglo de oro los poetas escribieron romances, a imitación de los populares, y se han seguido escribiendo hasta nuestros días, como el género más típicamente español. Los romances primitivos, conservados por la tradición oral, estaban escritos en versos de diez y seis sílabas, de uniforme asonancia. Los que se han compuesto después, imitándolos, son de ocho sílabas, rimando los versos pares.

Influjo italiano. — En la primera mitad del siglo XVI, al calor del Renacimiento, entró en España el influjo de las letras italianas, capital sobre todo en nuestra poesía lírica. El terceto, el soneto, la octava rima y, en general, el endecasílabo, que apenas se habían cultivado en la península, se enseñorearon de la poesía española gracias a Boscán y a Garcilaso de la Vega.

Fué Juan Boscán (m. en 1542) excelente prosista, y sólo mediano poeta. Sus versos son duros, y laboriosos; no brillan por su originalidad ni por su perfección. La importancia de Boscán en la historia literaria estriba, más que en sus dotes de poeta, en su calidad de innovador. Completó su obra, nacionalizando los metros italianos, su amigo Garcilaso de la Vega (1503–1536), príncipe de los líricos, que dominó maravillosamente los nuevos metros.

Pocos poetas le han aventajado en la dulzura de expresión, en el estilo terso, elegantísimo. Sus versos son bellos y fríos como el mármol.

Triunfo de la escuela italianista. — La fama de Garcilaso se impuso. La mayoría de los poetas siguieron sus huellas, que eran las mismas de la poesía italiana. No faltaron, sin embargo, poetas que se mantuvieran fieles a la poesía realística y popular castellana y a los metros nacionales. Pero los más importantes, en número y calidad, fueron los italianizados. Entre éstos mencionaremos a Gutierre de Cetina (1520–1557?), semejante a Garcilaso en la suavidad y hermosura de la versificación, en su misma falta de brío, mas superior a él en la sinceridad y calor de los afectos. De la pluma de Cetina salió el más primoroso madrigal de nuestra lengua, aquel que empieza así: *Ojos claros, serenos . . .*

La orientación nacional y la italianista. — En el curso del siglo XVI vemos convivir en España las dos escuelas mencionadas, la nacional y la italianizada. A fines del siglo ambas se funden, aunque la lírica nacional prevalece casi absolutamente en el teatro, con las letrillas, quintillas, romances y demás metros castellanos. La fusión de ambas escuelas se manifiesta en la labor poética de Herrera y de fray Luis de León, dos poetas que no sólo mantienen, y aun elevan, la perfección formal que caracteriza a sus predecesores, sino que traen a la poesía el nervio, el calor y la fuerza que a estos últimos faltaba.

Fray Luis de León. — Filósofo, teólogo y sabio, fué también fray Luis de León (1527–1591) uno de los más altos poetas líricos que ha tenido España. En la prosa, su obra notable es *Los Nombres de Cristo*, en que estudia el significado que encierran los nombres simbólicos que le da la Sagrada Escritura. Fray Luis es el poeta místico de la

naturaleza, el primero que se pone en comunicación con la tierra madre y se detiene a contemplar su hermosura, el que mejor percibe y expresa el sentimiento íntimo y armonioso de la naturaleza. La religión, el arte y la naturaleza aparecen fundidos en su obra en sublime consorcio. 5
Se combinan en ella la forma clásica y el espíritu cristiano. Sus odas *Noche serena* y *Vida retirada*, por citar algunas, muestran hasta qué punto puede alzarse un poeta en sublime concepción, en majestad del estilo, en concisión y acendrado gusto. 10

Herrera. — Junto a fray Luis puede figurar dignamente Fernando de Herrera (1534–1597), crítico literario además de poeta. Simbólico e idealista en sus composiciones amatorias, es un continuador de Garcilaso, pero con mayor fuerza poética. Su entonación grandilocuente, en las odas 15
patrióticas, como la de *Don Juan de Austria* y *Por la victoria de Lepanto*, han caracterizado su estilo, llamado *herreriano*, imitado por muchos poetas.

Ercilla. — La misma entonación viril, herreriana, hallamos en *La Araucana*, de Alonso de Ercilla (1533–1594), 20
el mejor poema épico castellano del siglo de oro, que trata de la guerra de los españoles contra los indios chilenos del sur, los araucanos. Ercilla tomó parte en aquella fiera lucha, y al par que manejaba la espada componía su epopeya «en la misma guerra y en los mismos pasos y 25
sitios — según él declara —, escribiendo muchas veces en cuero por falta de papel y en pedazos de cartas, algunos tan pequeños que apenas cabían seis versos.»

Góngora y el culteranismo. — Al principiar el siglo XVII, una nueva orientación se marcó en la poesía, el culteranismo, llamado también *gongorismo* por ser su originador 30
Luis de Góngora (1561–1627). Consistía el culteranismo en el abuso de vocablos raros o exóticos y de metáforas

exageradas, tanto como en el empleo excesivo de la mitología y de la erudición clásica. Góngora había empezado en las huellas de Herrera, cantando con el mismo poderoso numen temas patrióticos, como en su *Oda al armamento de Felipe II contra Inglaterra*, y cultivando también con feliz sencillez y encanto la poesía popular. Más tarde, cambiando de manera, se entregó al artificio de la forma, a las metáforas extravagantes, a las inversiones y giros extraños de la frase, siempre rico en las imágenes, deslumbrador por el colorido, pero falto ahora de afectos poéticos, y aun en algunos poemas, como las *Soledades*, sin asunto ni ideas.

Luis de Góngora y Argote

Esta poesía refinada, oscura, aunque desdeñada por muchos, despertó la admiración de los cultos y acabó por adueñarse de la lírica castellana.

El conceptismo. — El mismo mal gusto de la época que había originado el culteranismo, así en Inglaterra, Francia e Italia como en la península, dió también nacimiento a otra errada tendencia literaria: el *conceptismo*, que dominó particularmente en la prosa. Consistía en emplear conceptos

rebuscados y de extravagante originalidad. En sus defectos se parece al culteranismo, siendo igualmente oscuro, pero se distingue de él por ser, no un preciosismo lingüístico, sino un preciosismo de ideas; ambos son tendencias amaneradas, la del culteranismo en la forma, la del concep- 5
tismo en el fondo.

FRANCISCO GÓMEZ DE QUEVEDO Y VILLEGAS

Quevedo. — El caudillo del conceptismo es D. Francisco de Quevedo 10
(1580–1645), una de las mayores figuras del siglo de oro, como pensador y literato; en prosa y 15
verso, el más profundo satírico de España. De sus obras serias, en prosa, citaremos la 20
Política de Dios, donde, inspirándose en la doctrina y el ejemplo de Cristo, asienta los princi- 25
pios de buen gobierno, y la *Vida de Marco Bruto*; y de las satíricas, dejando aparte sus innumerables poesías, recordaremos la *Vida del Buscón*, de la cual nos ocuparemos más adelante al tratar de la novela picaresca, y los *Sueños*.

Gracián. — El conceptismo culminó con Baltasar Gra- 30
cián (1601–1658), que fué poeta mediocre, pero en prosa notable pensador y artista, uno de los más originales del siglo áureo, muy admirado en Alemania, traducido por

Schopenhauer, quien consideró la novela filosófica de aquél titulada *El Criticón* como « uno de los mejores libros del mundo. »

Con el culteranismo y el conceptismo, la poesía lírica 5 y la prosa entraron en el período de su decadencia.

SUMARIO

1. Los romances forman la poesía más típicamente española y, conforme a la opinión del alemán Hégel, pueden oponerse justamente a lo más bello que produjo la clásica antigüedad.
2. Boscán y Garcilaso españolizaron en la primera mitad del siglo XVI los metros italianos.
3. En el curso de dicho siglo conviven en España las dos escuelas, la nacional y la italianista, perteneciendo a esta última los mejores poetas.
4. A fines del siglo ambas se funden, aunque la lírica nacional, con las letrillas, quintillas, romances y demás metros castellanos prevalece casi absolutamente en el teatro.
5. Los más grandes poetas españoles, fuera de la poesía dramática, son fray Luis de León, en la poesía mística, Fernando de Herrera, en la patriótica, y Luis de Góngora, en la puramente lírica.
6. El mejor poeta épico es Alonso de Ercilla, que compuso su epopeya *La Araucana* en los mismos campos de batalla americanos.
7. Góngora, grande en la primera fase de su labor poética, cambió más tarde de manera y acaudilló el culteranismo, que es una tendencia amanerada de la forma.
8. Quevedo, el más profundo satírico de España, inició después el conceptismo, que es otra tendencia amanerada, un preciosismo en las ideas.
9. Ambas tendencias contribuyeron a la decadencia de la prosa y de la poesía lírica.

CUESTIONARIO

1. ¿De qué trata el *Poema del Cid?*

2. ¿Qué es el *Libro de buen amor?*

3. ¿Cuáles son los motivos poéticos de los romances?

4. ¿Cómo se llama a las colecciones de romances?

5. ¿Cuáles son los metros italianos que se españolizan en la primera mitad del siglo XVI?

6. Hágase la crítica de Garcilaso.

7. ¿Cuáles son los metros castellanos?

8. Cítense dos odas de fray Luis de León.

9. Nómbrense dos poesías de Herrera.

10. ¿Qué es *La Araucana*, y cuál es su asunto?

11. Háblese de Góngora.

12. Diferencia entre el culteranismo y el conceptismo.

13. ¿Quién es el autor de *El Criticón?*

CAPÍTULO XXII

LITERATURA: LA NOVELA

A FINES del siglo XV se publicó *La Celestina,* novela dialogada, cuya más antigua edición conocida es de 1499. Su autor es, con toda probabilidad, Fernando de Rojas (m. en 1538?). El argumento, el amor de Calixto por
5 Melibea, cuya correspondencia logra aquél por intervención de una vieja alcahueta llamada Celestina; la novela termina de modo trágico, con la muerte de los amantes. Es obra de la mayor poesía en los sentimientos, de la mayor verdad en los caracteres y del mayor realismo en la técnica. Fuera
10 del *Quijote,* no hay en toda la literatura española una novela que la aventaje ni siquiera la iguale. Y sólo con el triunfo de la obra de Cervantes puede compararse el que obtuvo *La Celestina* en toda Europa. Aparecieron numerosas imitaciones y continuaciones de ella, algunos poetas la
15 pusieron en verso, otros la llevaron al teatro y su fama e influjo literario no han menguado, sino crecido, en el curso del tiempo.

La novela de caballerías. — Al principiar el siglo XVI continuaba gozando de general boga en España, como en
20 el resto de Europa, la novela caballeresca, cuyo renombrado modelo es el *Amadís de Gaula.* El texto más antiguo que se conoce de este libro, de fecha, autor y nacionalidad ignorados, es el texto castellano de 1508. Durante todo el siglo, fué dicho género novelesco el predilecto del pú-
25 blico. Su exaltación del valor, de la lealtad y del amor en-

cajaba bien en los ideales de la época, y muy del gusto de aquellas gentes era la acción de tales novelas, repleta de fantásticas aventuras y de episodios extraordinarios.

Otros géneros novelescos. — Al par que este género, cultivóse desde mediados del siglo XVI la novela pastoril, que versaba sobre los amores idílicos de pastores fingidos; y en la cual solía ser todo, el asunto, el escenario, los personajes y el lenguaje, un mero artificio literario. La más renombrada, entre las castellanas, fué la *Diana*, de Jorge de Montemayor (1520?–1561), que se supone publicada en 1559. Esta novela pastoril, como la novela caballeresca del *Amadís de Gaula*, fué traducida a todos los idiomas e imitada en todas partes.

En dicho siglo tuvieron también algún cultivo, no mucho, la novela sentimental y la novela histórica. En los albores del siguiente, la novela de caballerías había casi desaparecido, aunque tuviera todavía lectores, y a poco murió igualmente la novela pastoril.

La novela picaresca. — Otro género, que empezó a florecer en la segunda mitad del siglo XVI, la novela picaresca, origen de nuestra novela de costumbres moderna, se había enseñoreado sobre todos. Su primero y mejor modelo, en la península o fuera de ella, es el *Lazarillo de Tormes*, de autor desconocido, que apareció en 1554 o tal vez antes. En este género de novelas, de forma autobiográfica, un pícaro nos relata sus aventuras, retratando de paso realística y satíricamente la sociedad contemporánea. Es una serie de cuadros y episodios sin plan, cuya unidad está mantenida por el carácter picaresco de los pasos y por ser uno mismo el protagonista de todos ellos. El héroe, el pícaro, envuelto en su manto de filósofo cínico, despliega donoso ingenio en sus dichos y travesuras, penetrante agudeza en la observación psicológica y plástico arte en la descripción. Tan importante como sus aventuras, y aun más, es la pintura del ambiente, de los tipos, ideas y costumbres de la sociedad en que el pícaro se mueve.

Imitaciones del *Lazarillo*. — Las imitaciones del *Lazarillo* menudearon en España y en el extranjero, y su influjo como modelo llega hasta la literatura de nuestros propios días. Entre las imitaciones españolas del siglo de oro citaremos el *Guzmán de Alfarache*, de Mateo Alemán, que se publicó en dos partes: la primera en 1599, y la segunda en 1604. Diferénciase del *Lazarillo* en que el protagonista no es ya un pícaro travieso, sino un empedernido y criminal vagabundo. El panorama social que se contempla en el *Guzmán* es mucho más amplio, mayor es también su inventiva y profundidad en la observación, y no inferior a su modelo en gracia. Pero sí le es grandemente inferior por su amargura y pesimismo, por su pesada nota moralizadora, por carecer de la ligereza encantadora, de la rebosante alegría de vivir que resplandecen en las páginas del *Lazarillo*.

Hacia 1608 escribíase otra gran novela del mismo género, la cual se publicó varios años después, en 1626. Titúlase *Historia de la vida del buscón llamado don Pablos*. Y es su autor aquel D. Francisco de Quevedo de que hemos hablado en el capítulo anterior. Es su novela más compleja y poderosa que el *Lazarillo*, con pintura más impersonal de la realidad, igualmente festiva, pero más amarga, de una crudeza sarcástica que a menudo hiere. En estilo, muy superior a las demás novelas picarescas.

El escudero Marcos de Obregón (1618), de Vicente Espinel, es semejante en el arte de la trama y en la rapidez de la acción a la *Vida del Buscón*, pero muy inferior a ella en vigor mental.

El diablo cojuelo. — Difiere de las novelas picarescas, aunque por el asunto entre ellas suela incluírse, *El diablo* *cojuelo* (1641), de Vélez de Guevara. No se trata aquí de las aventuras de un pícaro, sino de los cuadros que un estudiante contempla en el interior de los hogares, cuando las familias están en el abandono de la vida íntima. Auxiliado por el diablejo, puede el estudiante viajar por los aires y presenciar cuanto pasa bajo la techumbre de las casas. Distínguese también de la mayoría de las novelas picarescas por su estilo conceptista y oscuro.

Don Quijote. — Independientes unos de otros, existían los géneros novelescos que hemos mencionado, el caballeresco, el sentimental, el pastoril, el picaresco, cuando un escritor, abarcándolos todos ellos con la grandeza de su genio, nos dió de pronto, en un solo libro, la novela moderna de costumbres y caracteres. Fué Miguel de Cervantes (1547–1616), en *Don Quijote.* El asunto no está constituído sólo por las vagas idealizaciones de las novelas de caballerías y las sentimentales, ni sólo por el realismo de las picarescas, sino por el idealismo y el realismo que se dan en la vida juntamente entretejidos. Y así viene a ser *Don Quijote,* no el libro de una escuela, de un pueblo particular o de una determinada época, sino el libro universal. Su forma y carácter es español, y español del siglo XVII, mas su fondo y substancia es de la humanidad de todos los tiempos.

Cervantes. — No se sabe si su autor hizo estudios universitarios, excepto los que se cursan en esta gran Universidad que es el mundo; mas sí sabemos que fué valiente soldado y, por desventura suya, funcionario de la Hacienda pública; que estuvo cautivo en poder de los turcos cinco años, y cautivo del dolor y la pobreza toda su vida. Cultivó todos los géneros literarios, gozó de fama entre los poetas, triunfó como dramaturgo hasta que Lope de Vega se levantó con la monarquía del teatro, y ya bien entrado en años, y en una cárcel, concibió su creación inmortal de *Don Quijote.*

SUPUESTO RETRATO DEL AUTOR DEL *QUIJOTE*

Descubierto en 1912.

La figura del hidalgo manchego. — En 1605 se publicó la primera parte del *Quijote*, y la segunda en 1615. ¿ Su argumento? Las aventuras de un hidalgo, D. Quijote, que, trastornado por la lectura de los libros de caballerías, sale a recorrer el mundo en defensa de todos los ideales humanos. Acompáñale Sancho, un pobre labriego metido a escudero, que es la encarnación del sentido común y del sentido prác-

MARCA DEL IMPRESOR
De la portada de la primera edición del *Quijote*, año 1605.

tico, pero quien contagiado de la singular locura de su amo, cree también en la real existencia de los caballeros andantes. Es el libro del contraste humano, entre la idealidad del alma y la estrechez miserable de la realidad de la vida. Y en ese contraste, ¡ cuán alta es la figura del caballero de los ideales! Grotesco es en el aspecto, mas sublime en el corazón; loco es en las hazañas, mas pronuncia siempre palabras tan bien concertadas, de tan gran entendimiento, que aun en medio de sus locuras parece cuerdo; y siempre, en cualquier momento, en toda ocasión, es cortés, digno y arrojado caballero.

SUMARIO

1. *La Celestina*, por su grandeza literaria y humana, sólo puede compararse con el *Quijote*.
2. Durante el siglo XVI continuó siendo la novela caballeresca la predilecta del público.
3. Cultivóse también la novela pastoril, que versaba sobre los amores idílicos de fingidos pastores, la novela sentimental y la novela histórica.
4. Sobre todas ellas se enseñoreó la novela picaresca, cuyo primero y mejor modelo es el *Lazarillo de Tormes*.
5. La novela picaresca se caracteriza por su forma autobiográfica y por su pintura realística y satírica de la sociedad.

6. La mejor novela picaresca, después de aquel primer modelo, es la *Vida del Buscón*, de Quevedo, mucho más poderosa y también más pesimista.
7. El *Quijote* es la síntesis de todos los géneros novelescos, y la suprema expresión del genio español.
8. Su forma y carácter es español, mas su fondo y substancia es de la humanidad de todos los tiempos.
9. Su autor, Cervantes, fué soldado, estuvo cautivo, y vivió y murió en la pobreza.
10. Este escritor, inmortal en la novela, fué también poeta y dramaturgo.

CUESTIONARIO

1. Asunto de *La Celestina*.
2. ¿ Quién fué probablemente su autor?
3. ¿ Cuál es el más famoso modelo de la novela caballeresca?
4. ¿ Por qué fué este género el predilecto del público?
5. Nómbrese la más celebrada novela pastoril de España.
6. ¿ Quién fué su autor?
7. Háblese de la novela picaresca.
8. ¿ En qué se diferencia *Guzmán de Alfarache* del *Lazarillo de Tormes?*
9. ¿ Cuál es el argumento de *El diablo cojuelo?*
10. Fecha del nacimiento y de la muerte de Cervantes.
11. ¿ Cuándo se publicó el *Quijote?*
12. ¿ En qué estriba la importancia capital de esta novela en la historia literaria?
13. ¿ Cuáles son sus dos principales personajes?

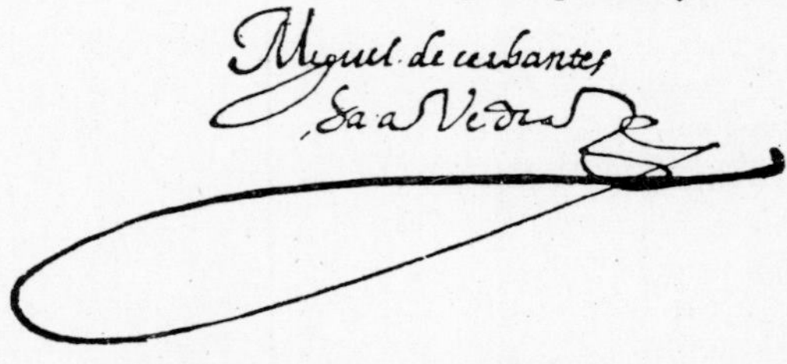

AUTÓGRAFO DE CERVANTES

CAPÍTULO XXIII

LITERATURA: EL TEATRO

EL TEATRO español profano surge a fines del siglo xv. En la Edad Media había existido en España, como en el resto de Europa, la representación dramática de pasajes bíblicos y temas morales en las iglesias, con ocasión de festividades religiosas. De la iglesia pasó el drama al palacio de los nobles con la representación de la primera égloga de Juan del Encina (1469?–1529?), el año 1492, en la mansión del duque de Alba. Por ello se ha considerado a nuestro autor como el fundador del teatro español. En 1517 se publicaron en un volumen las comedias de Bartolomé de Torres Naharro (m. en 1531?), verdadero y brillante precursor del teatro moderno.

RETRATO DEL INSIGNE CÓMICO
Grabado en madera (1567).

Desarrollo del drama. — A principios de dicho siglo existían ya, según parece, algunas compañías de cómicos ambulantes que daban representaciones públicas y retribuídas. Mas quien en realidad afirmó el teatro como espectáculo popular fué el insigne comediante Lope de Rueda (1510?–1565), famoso además como autor de unas 5 breves piececillas, modelos de verdad en los caracteres y de humorismo, llamadas *pasos*. Hacia fines del siglo, Juan de la Cueva (1550?–1610?), introdujo la poesía épica nacional

UN AUTO SACRAMENTAL EN EL SIGLO XVII

en el teatro, es decir, tomó como asunto de sus dramas las leyendas históricas y populares. Fué el primero en 10 predicar y practicar el abandono de las unidades clásicas de tiempo y lugar, la fusión de lo trágico y lo cómico y el empleo de variedad de metros en sus comedias, todo lo cual vemos luego prevalecer en el teatro de los grandes maestros.

15 **Corrientes dramáticas del siglo XVI** — Las corrientes dramáticas del siglo XVI son varias, pudiendo señalarse hasta

cinco. Una corriente, la menos importante, consistía en la traducción e imitación de los autores griegos y latinos; otra, la que se inspiraba en el teatro italiano; una tercera corriente, la que originó Juan del Encina, está representada por piezas breves, llamadas *églogas*, de festivo tema pastoril 5 o de tema sentimental; la cuarta corriente, más importante que las anteriores y que llega a culminar en el siglo siguiente está formada por los *autos sacramentales*, de asunto sagrado; y, finalmente, la más considerable de todas, la corriente realística que había iniciado Torres Naharro, 10 y que sus inmediatos sucesores combinaron con elementos tomados de *La Celestina*.

Lope de Vega. — En la penúltima década del siglo XVI empezaron a representarse las comedias de Lope de Vega (1562–1635), el fundador del drama nacional, en cuanto 15 fijó las normas definitivas que habían de seguir los dramaturgos del siglo de oro. Al aparecer Lope de Vega existía una lucha entre dos escuelas dramáticas: la que defendía y cultivaba el teatro popular, de aventuras e intrigas, ajeno a las reglas clásicas, ateniéndose sólo a la libre inspiración 20 del poeta y al interés de la acción; y la escuela clásica, que se sujetaba estrictamente a los preceptos de griegos y latinos. Lope de Vega, abarcando todos los elementos dispersos del teatro español e introduciendo innovaciones, creó con el soplo de su genio el *drama nacional*, realístico 25 en el fondo y los detalles al reflejar la vida, romántico al prescindir de los moldes clásicos y campear sin trabas la fantasía del poeta. Y tan perfecto salió de su mente, que poco o nada tuvieron que mejorar sus sucesores.

Cierto que en la creación del drama nacional no estuvo 30 solo; sus predecesores, algunos de los cuales, como Cervantes, elevaron el drama a un alto grado, habían echado ya las bases. Mas fué Lope quien coronó esta obra y le

dió genuino timbre nacional. Hacia 1587 ó 1588 fija Rennert los comienzos de este nuevo período de la literatura dramática, «en cuyo tiempo Lope de Vega era incuestionablemente el mejor poeta dramático de Madrid.» Su castiza huella
5 habían de seguirla una muchedumbre de dramaturgos que, dirigida por Tirso de Molina, Pérez de Montalván, Vélez de Guevara,
10 Ruiz de Alarcón, Moreto y Calderón, «ha enriquecido la literatura dramática de España —
15 escribe Rennert — con sus admirables producciones, haciéndola en lo caudalosa y variada la
20 primera de la Europa moderna.» Añadiremos que nuestro teatro clásico es el único,
25 entre los modernos, del todo libre de influjo extranjero y genuinamente nacional.

Lope de Vega

Su fecundidad y variedad. — Como la mayoría de los dramaturgos españoles, fué Lope de Vega autor de obras literarias de todo género, en prosa y en verso. Por la fecun-
30 didad de su genio, llamáronle sus contemporáneos *monstruo de la naturaleza*, y *fénix de los ingenios*. En 1604 tenía escritas doscientas diez y nueve comedias; este número subió a mil setenta para el año de 1625; y a su

muerte, acaecida en 1635, se le atribuían mil ochocientas comedias y cuatrocientos autos. Entre las suyas más famosas citaremos *El mejor alcalde, el rey*, donde Lope está más profundo que de ordinario, mejor técnico que suele, con su lozana fantasía poética de siempre, y *Peribáñez y el* 5 *Comendador de Ocaña* modelo en la pintura de las pasiones y de las costumbres.

TEATRO DEL SIGLO XVII

Aficiones dramáticas del pueblo. — El teatro es, y ha sido siempre, la afición predilecta del pueblo español. Muéstrase en esto una de las más acentuadas características de 10 nuestra raza: el sentimiento dramático de la vida. En tiempos de Lope de Vega, el entusiasmo de toda la población por las representaciones era extraordinario. No había ciudad alguna de mediana categoría que no poseyera teatros; y hasta en los villorrios y aldeas, la representación 15 de comedias era frecuente. No se conoció feria ni fiestas públicas en que no jugasen papel principal las comedias. Todas las clases sociales mostraban por ellas verdadera pasión.

Arte escénico. — Desde el nacimiento del teatro español figuraban en él los cantares y las danzas, y a partir de de Rueda venían representándose las farsas y comedias con acompañamiento de música, en los entreactos y antes y después de la función. La propiedad escénica, desde los rudos comienzos de aquel actor, progresó rápidamente, y ya en 1602 empleábanse bastidores, telones, tramoyas, etc. El arte de la representación dramática llegó a su cumbre en los últimos años de Lope de Vega. En 300 ha fijado un escritor el número de compañías que, hacia 1636, había en la península. Con la decadencia de la producción dramática, evidente en la segunda mitad del siglo XVII, coincide la decadencia del histrionismo.

Tirso y Calderón. — Con Lope de Vega, comparten el cetro de nuestra dramática Tirso de Molina (1571–1648) y Calderón de la Barca (1600–1681). Lope es el más variado y fecundo en la invención, el primero en la pintura del amor y en la creación de caracteres femeninos. Tirso es el gran poeta cómico, el más sobrio y regular, el de mayor primor en los detalles; y creación suya es *Don Juan*, personaje de tan estupendo vigor que no hay quien le iguale en la escena española, y cuyas imitaciones se han multiplicado hasta llegar a nuestros días en toda la literatura europea. Calderón es el forjador de los caracteres masculinos más fuertes, si se exceptúa el *Don Juan* de Tirso, y el más trágico, simbólico y profundo de nuestros dramaturgos, el que Shelley declaraba haber leído «con asombro y delicia incomparables,» y el dramaturgo que enternecía a Gœthe «hasta derramar lágrimas.» Entre las mejores comedias de Tirso de Molina, mencionaremos *El vergonzoso en palacio* y *La* *prudencia en la mujer;* y entre las más renombradas de Calderón, *El alcalde de Zalamea* y *La vida es sueño.*

Los tres maestros. — En los albores del siglo XIX, los poetas y críticos alemanes celebraron a Calderón como el más grande de los dramaturgos románticos del pasado, 5 como un semidiós de la dramática europea, sólo igualado acaso por el príncipe británico, 10 Shakespeare. Al mediar dicho siglo, la crítica inglesa elevó a Lope de Vega sobre Calderón. 15 Al finalizar el siglo, los eruditos españoles colocaron a Tirso de Molina a la misma altura de 20 ambos.

CALDERÓN DE LA BARCA

Lope y Tirso superan a Calderón en la naturalidad y vivacidad del diá- 25 logo, en la delicadeza y encanto de sus heroínas, en la mayor lozanía de su teatro. Pero fáltales a entrambos, en particular a Lope, la profundidad y sublimidad del teatro de Calderón. Si Lope y Tirso deleitan, Calderón arrebata. Carece el último de la *vis cómica* de aquellos dos, le falta su 30 gran copia de caracteres, aunque no deje de ser también rica su variedad; pero es que el teatro de Calderón se basa en el honor y la galantería, y sus personajes han de ser siempre nobles y graves. Sin duda es más artificioso, pero sus situaciones dramáticas suelen ser también más complejas. Y si Lope fué, en fin, el fundador del drama nacional, con carácter propio, Calderón lo consolidó.

5 **Juicio de Lowell.** — Cerraremos este capítulo con el juicio que, sobre la poesía dramática española, emitió Jaime Russell Lowell, uno de los críticos norteamericanos que estuvieron más familiarizados con las literaturas europeas. « Ella — escribe — ha suministrado argumentos a toda 10 Europa y ha producido al menos un dramaturgo que está a la altura de los más grandes en cualquier idioma, por su extraordinaria imaginación y fertilidad de recursos [éste es el caso, en mayor escala aún, de Lope de Vega]: en estilo fascinador y profundidad de pensamiento, sería 15 difícil nombrar autor superior a Calderón, ni siquiera igual a él. »

SUMARIO

1. El drama español pasó de la iglesia al palacio de los nobles, y del palacio a la plaza pública.
2. El primer autor dramático de que se tiene noticia es Juan del Encina, considerado como el fundador del teatro español profano.
3. Su primera obra se representó en el año de 1492.
4. Lope de Rueda fué quien afirmó el teatro como espectáculo popular, a mediados del siglo XVI.
5. Lope de Vega fijó, al finalizar dicho siglo, las normas definitivas del drama nacional.
6. Es este drama, realístico en el fondo y los detalles, y romántico por prescindir de las reglas clásicas y dejar libre la fantasía del poeta.
7. Los tres mayores dramaturgos del siglo de oro son Lope de Vega, Tirso de Molina y Calderón de la Barca.
8. El *Don Juan* de Tirso es el personaje de mayor grandeza en todo el teatro español.

CUESTIONARIO

1. ¿ Quién es el verdadero precursor del teatro moderno?

2. ¿ Cuándo empezaron a dar representaciones públicas y retribuídas las compañías de cómicos ambulantes?

3. Háblese de Lope de Rueda como cómico y como autor dramático.

4. ¿ Qué se debe a Juan de la Cueva?

5. ¿ Cuál es la corriente dramática más importante del siglo XVI?

6. ¿ Por qué se considera a Lope de Vega como fundador del drama nacional?

7. ¿ En qué consistía éste?

8. ¿ Cómo llamaban a Lope de Vega sus contemporáneos?

9. ¿ Cuántas obras dejó escritas?

10. Cítese una de las mejores comedias de Lope de Vega, de Tirso de Molina y de Calderón de la Barca.

11. ¿ En qué se distingue cada uno de estos tres poetas dramáticos?

AUTÓGRAFO DE LOPE DE VEGA

CAPÍTULO XXIV

LAS ARTES

MUÉSTRASE el realismo del pueblo español no sólo en las letras, sino igualmente en sus artes; aunque, más bien que realista, es naturalista la orientación que en éstas prevalece, siendo sus cualidades substantivas el misticismo y el sentimiento dramático.

FACHADA DE LA UNIVERSIDAD DE SALAMANCA

Arquitectura y escultura medioevales. — A fines del siglo XV empezaron a tomar vuelo las artes españolas. De la Edad Media sólo un legado artístico recibió la España moderna, el de la arquitectura gótica, con las insignes catedrales, y el de la arquitectura hispanoarábiga, con los alcázares y mezquitas. Tanto la arquitectura como la escultura españolas de la Edad Media presentan el sello de los varios influjos extranjeros. En el reinado de los Reyes Católicos es cuando principian a desarrollarse con carácter propio, originándose en ambas artes el estilo llamado plateresco, de mucha finura y abundancia en los detalles decorativos, uno de cuyos mejores ejemplos es la fachada de la Universidad de 5 Salamanca.

Relaciones artísticas. — La política militar española mantenía la península en estrecha comunicación con los Países Bajos y con Italia. Allá iban a estudiar los artistas españoles, y a España venían los italianos y flamencos, que tuvieron 10 en la corte de Carlos V y en la de sus sucesores liberal acogida y protección. Los reyes y los nobles revelaban una verdadera manía de coleccionistas de objetos de arte, en particular de cuadros, lo que favoreció el desarrollo y subsiguiente esplendor de las artes en España. Los artistas 15 españoles principian, pues, por imitar a los flamencos e italianos. Mas los ideales del pueblo español eran demasiado nacionales para que su arte se sometiera al influjo del elemento extranjero. Su individualismo, su fe ardiente, su realismo, rasgos acentuados del genio nacional, acabaron 20 por imprimirse profundamente en las artes españolas.

El Renacimiento español. — En arquitectura, el estilo gótico y el plateresco son reemplazados a mediados del siglo XVI por el estilo sencillo y austero del puro Renacimiento español, cuyo más sobresaliente arquitecto es Juan 25 de Herrera (1530–1597). La escultura del Renacimiento español representa una fusión de la escultura gótica y de la italiana, pero perfectamente caracterizada por la gravedad e instinto dramático de nuestros artistas. Alonso de Berruguete (1480–1561), tal vez el mayor escultor peninsular, 30 ejerció considerable influjo sobre sus contemporáneos y sucesores, entre los cuales hemos de mencionar especialmente a Montañés y Alonso Cano.

Churriguera. — En el siglo XVII, la arquitectura y la escultura decayeron con la aparición del estilo barroco o *churrigueresco* — llamado así por haber sido su iniciador y principal representante Churriguera (m. en 1725) —, que
5 tiende a corregir la sencillez del arte con el quebrantamiento de las líneas y con los adornos recargados y, por lo común, de mal gusto.

Artes manuales. — Adquirieron también excelencia en ambos siglos los trabajos de armería, los de guadama-
10 cilería — arte de adornar el cuero con dibujos, impresiones y relieves —, los de marfil, alfarería, cristalería polícroma, sedería, encajería y tapicería. Lo mismo ha de decirse de la orfebrería, cuyo más insigne artista fué Juan de Arfe, y de la herrería — rejas, púlpitos, aldabones, etc. —; las
15 rejas, en particular, con esculturas, tracerías y todo género de adornos, están consideradas entre los productos más originales y bellos de la herrería española, debiéndose las mejores obras de este género a Cristóbal de Andino.

La pintura. — En cuanto a la pintura, principió a nu-
20 trirse en dos corrientes enteramente opuestas en tendencias, procedimientos e ideales: la del norte, la flamenca, sobria, minuciosa y realista; y la del sur, la italiana, cálida, vaporosa e idealista. Ambas encajaban en el espíritu del pueblo español, que participa del idealismo de D. Quijote y del
25 realismo de Sancho. De la fusión de ambas corrientes con los elementos indígenas, se desenvuelve con característica personalidad la pintura española. En general, no posee el realismo simbólico de la escuela flamenca ni el puro idealismo italiano, sino que realista, o más bien naturalista, en
30 la fidelidad y firmeza del dibujo, es idealista por su sentido místico.

Escuelas de pintura. — El siglo de oro de la pintura fué el XVII. En él florecieron los representantes más ilustres de las tres escuelas españolas: Ribera (1588–1656), de la escuela valenciana; Velázquez (1599–1660), de la escuela de Castilla; y Murillo (1618–1682), de la escuela sevillana. Y en los albores de la misma centuria vivía aún aquel genio inquietante y españolísimo, nacido en tierra extranjera, llamado El Greco (1537–1614), que dió vida en sus cuadros a una mitad de la raza, la místico-caballeresca. 5

Autorretrato de Velázquez

Velázquez. — «Verdad, y no pintura,» solía decir el propio 10 Velázquez, y tal era su ideal. Pocos pintores han igualado en exactitud, así como en genio creador, los cuadros del 15 maestro sevillano. Jamás pintaba sin modelos o sin tener a la vista el tema de sus lienzos, siguiendo con 20 fidelidad la silueta, la forma y el color del modelo, sin perdonar un solo rasgo, sin omitir pormenor alguno; con 25 igual cuidado y fineza que el semblante dibujaba el calzado. Cábele la gloria de haber superado como naturalista a todos los maestros. Abarcó todos los géneros, y de todos nos ha dejado muestras insignes. 30

Recibió inspiración de El Greco, cuyos errores de técnica corrigió. Estudió a los pintores italianos, particularmente a Miguel Angel y al Tintoreto, pero no los imitó, sino que siguió imitando a la naturaleza. De otro maestro español, de Zurbarán (1598–1662), tiene el pintor sevillano la maestría en el uso de colores, dando un efecto brillante a los

LAS MENINAS

Obra maestra de Velázquez, en el Museo del Prado, Madrid.

matices sobrios. Como la escala de colores de los trajes de 5 sus príncipes y palaciegos estaba limitada a negros y pardos especialmente, vióse obligado Velázquez a buscar los diferentes matices que un color tiene según los efectos de luz. Acaso por esto fué el primero en descubrir que la luz unifica los colores y la forma de los objetos, siendo también el primero que aprovechó en la técnica semejante noción. Velázquez es parco en el colorido, y su finura de tonos es tanta que «sabía pintar hasta el aire.»

Su obra maestra. — La gran obra maestra de Velázquez es, sin duda, el cuadro de *Las Meninas*, donde alcanzó el más alto grado de perfección en sus efectos de la luz sobre el color; a tal punto, que bien ha podido decirse que hay en él más luz que color. Y no sólo sus efectos de luz, sino los de perspectiva, espacio y aire son milagrosos. «Jamás, ni antes ni después — expresa el norteamericano Carlos H. Caffin — se han representado tan maravillosamente las apariencias naturales, ni la belleza de la verdad cotidiana se ha visto tan enaltecida por la inspirada imaginación del artista. El cuadro de *Las Meninas* es una apoteosis, es la revelación de una visión suprema.»

La Purísima Concepción de Murillo

Las *Inmaculadas* de Murillo son célebres en el mundo entero.

Murillo. — Murillo, en cambio, es el pintor poeta. Su genio de artista y su misticismo de creyente fundiéronse para crear esa portentosa galería de *Concepciones*, de las cuales ha dicho alguien, no sé quien, que de no constar que estaban pintadas por Murillo se creerían bajadas del cielo. Era

Murillo el pintor de la iglesia, como Velázquez el de la corte. Pintor de vasta cultura, con una preparación filosófica que pocos artistas poseyeron, dotado de excepcionales facultades de observación y percepción, supo estampar de 5 modo impecable todas las fases del sentimiento religioso, desde el más primitivo hasta el más sublime. Dignidad de tema y composición, nobleza, gracia y una chispa divina de espiritualidad son las notas esenciales de su labor. Los 10 rostros son retratos de almas, donde se traslucen piedad, amable melancolía, divino amor, ansias del inmortal seguro. Dudo que la materia, 15 en cualquiera de sus estados, pueda revestir más pura y sutil expresión.

Autorretrato de Murillo

El pintor poeta y el pintor dramático. — Fué Murillo el 20 menos dramático de los pintores españoles, no obstante haberse inspirado al comienzo de su carrera en el más dramático de todos ellos, el insigne Ribera, el inquietante pintor del sufrimiento, de la agonía, 25 del terror al infierno y la condenación eterna. Si Murillo fué pintor de *Inmaculadas*, Ribera pudo serlo del tormentoso Jehová. El contraste entre estos dos maestros no puede ser mayor. Ribera, entendido anatómico, no ha omitido en sus cuadros de martirio y agonía ni un hueso de 30 la víctima, ni una vena, ni una sola gota de sangre; allí estan los cuerpos en carne viva, palpitantes, los semblantes lívidos, los ojos de los condenados que miran aterrados como en visión interior de los profundísimos infiernos, la boca entreabierta, contraída, lanzando los últimos estertores, pavorosos. Con sombras negras y luces amarillas, llevó Ribera su naturalismo a una crudeza que ofende la vista, angustia, y al par nos atrae con fascinación irresistible. Es la obra de un genio atormentado y trágico. 5

La diferencia entre una *Inmaculada* de Murillo y el *Martirio de San Bartolomé* de Ribera, verbigracia, de un naturalismo hórrido, es la misma que existe entre la clara y risueña luz del alba y el negrear de las aguas de un abismo en noche de tormenta, o entre el huracán que estremece 10 de espanto y la brisa que acaricia blandamente; aunque Ribera tiene también un *Santo Ermitaño* que es prodigio de justeza, dignidad y finura artística.

SUMARIO

1. El realismo, el misticismo y el sentimiento dramático son, en general, las cualidades del arte español.
2. Los artistas españoles comenzaron por imitar en el siglo XVI a los flamencos e italianos, y luego crearon su propio arte.
3. En el siglo XVII, la arquitectura y la escultura decayeron con la aparición del estilo churrigueresco, y la pintura alcanzó su más completo desenvolvimiento.
4. La pintura española es naturalista en la fidelidad y firmeza del dibujo e idealista por su sentido místico.
5. Las tres escuelas españolas de pintura son la valenciana, que prefiere los temas religiosos y los trata con crudeza naturalista; la castellana, sobria en el uso de colores; y la sevillana, opulenta en el colorido.
6. El mayor pintor de España es Velázquez, y luego le siguen en importancia, entre los antiguos, Murillo, El Greco, Ribera y Zurbarán.
7. Velázquez es el pintor naturalista, y Murillo es el pintor poeta, sobresaliendo en sus pinturas de la Virgen.

CUESTIONARIO

1. ¿ Cuál es el legado artístico de la Edad Media?

2. ¿ En qué consiste el estilo plateresco?

3. ¿ Con qué países mantenía España estrecha comunicación?

4. ¿ Cuáles son los rasgos acentuados del genio español?

5. ¿ Quién fué el mayor escultor peninsular?, ¿ y sus dos más famosos sucesores?

6. ¿ Qué se entiende por estilo churrigueresco?

7. Cítense algunas artes que lograron excelente desarrollo en el siglo XVI.

8. ¿ Cuáles son las principales diferencias entre las escuelas de pintura flamenca e italiana?

9. Trácese un paralelo entre el arte de Murillo y el de Ribera.

CAPÍTULO XXV

POLÍTICA Y CULTURA EN EL SIGLO XVIII

LA DECADENCIA de la nación llegó a su más turbio y bajo nivel en el reinado de Carlos II el Hechizado (1665–1700), desgraciada criatura en lo físico y en lo moral, medio loco y medio imbécil, último descendiente por línea masculina del grande y poderoso emperador Carlos V. A falta de hijos, designó aquél por sucesor a Felipe de Anjou, príncipe de la dinastía borbónica que reinaba en Francia. Con las armas en la mano, disputóle la corona el archiduque de Austria, y toda Europa tomó parte, o se vió envuelta, en la guerra de sucesión a la monarquía española. Triunfador al cabo el príncipe francés, siguió gobernando en próspero reinado con el nombre de Felipe V (1700–1746).

Progresos económicos. — Inauguró su política una era de reformas. Reorganizóse la administración pública, purificándola de los tradicionales abusos y dilapidaciones, así como la marina mercante y la de guerra, que devolvió a España su puesto entre las grandes potencias navales. Se emprendieron importantes obras públicas, en particular la construcción de caminos, canales de riego y puertos. Se revivieron el comercio y las industrias, sobre todo la minera y la textil; y así vemos que el número de telares de Valencia, por ejemplo, pasa de trescientos en 1717 a dos mil en 1722, bastando ahora la producción nacional en este ramo a suplir las necesidades de la península y de las colonias americanas. Concediéronse privilegios y subvenciones a las nuevas industrias que se establecieran.

Gracias a la buena administración y consiguiente prosperidad nacional, los ingresos que el tesoro recibía de las
5 colonias ascendieron desde tres millones de ducados en 1742 hasta seis millones en 1750; y los ingresos generales casi se duplicaron igualmente durante este reinado.

COCHE DE LA CASA REAL

Del siglo XVIII.

Fomento de la cultura. — Atendióse asimismo a fomentar la cultura de la nación, creando centros de enseñanza,
10 atrayendo científicos y técnicos industriales extranjeros que colaborasen en la obra de la reconstitución nacional, otorgando numerosas pensiones a los jóvenes para que fuesen a realizar estudios en el extranjero, enviando comisiones de especialistas a las diversas provincias para estudiar sus
15 necesidades, ya en el terreno económico, ya en el intelectual, y fundando entre otras muchas instituciones directivas de la cultura general la Biblioteca Nacional (1711), la Academia Española (1714), la de Medicina (1734) y la de la Historia (1738).

Carlos III y su política. — A pesar de la resistencia de ciertos elementos a cada nueva reforma, siguió España progresando en el reinado de Carlos III (1759–1788), el más inteligente, activo y patriota de cuantos monarcas hemos tenido. No sólo se ampliaron las reformas más arriba mencionadas, sino que se llevaron a cabo otras no menos importantes, como la distribución gratuita, entre

TRAJES DEL SIGLO XVIII

De un grabado de la época.

los labradores de cada distrito, de vastas comarcas que estaban sin cultivar, y la repoblación de otras desiertas, como las de Sierra Morena, adonde fueron a instalarse seis mil inmigrantes bávaros.

Mejoras administrativas. — Se reformaron los sistemas de contribución en un sentido menos opresivo para las industrias, y se reguló la cobranza de los impuestos, que ahora sólo costaba un ocho por ciento de las cantidades cobradas.

Creáronse bancos de ahorro, y muchos hospitales, asilos

y escuelas públicas; establecióse el servicio de correos; se secularizó y nacionalizó la enseñanza primaria y secundaria, que había estado hasta entonces a cargo principalmente de las órdenes religiosas. Al mismo tiempo que se reorga-
5 nizaba el ejército, conforme al tipo prusiano, se implantaba un efectivo sistema de policía rural.

Así como se mejoraba la administración de la península, mejorábase también la colonial, suprimiendo las encomiendas, haciendo libre el tráfico de los dominios americanos
10 con la metrópoli y abriendo de par en par las puertas de América a los extranjeros.

Por medio de una severa legislación, mantenida enérgicamente por la administración, se tendió a desterrar los excesos de las costumbres sociales.

15 Aumentó la población a medida que su prosperidad, llegando aquélla el año de 1788, en que murió Carlos III, a unos diez millones de habitantes.

Corriente francesa. — Con los reyes de la dinastía borbónica, el influjo francés se hizo sentir en todos los órdenes.
20 El próposito de los reyes y de las clases directoras era moldear la política, las ideas, las letras y las instituciones españolas conforme al modelo francés; y, a pesar de una constante y tenaz oposición de cierta parte de la población, lográronlo al fin.

25 Todo el siglo XVIII es de lucha entre el bando nacional y el bando de los afrancesados, en la política y en la cultura, aunque prevaleciendo siempre el segundo.

Literatura. — No es éste un siglo de producción de obras de amena literatura, de verdadera creación artística, como
30 lo habían sido los dos anteriores; sino de crítica literaria, de erudición, de investigación histórica y, en más humilde escala, de cultivo de las ciencias. En la crítica, se hace la revisión de los valores literarios del siglo de oro, mas con

criterio comúnmente errado y negativo, por haberse examinado aquéllos desde el punto de vista académico y seudoclásico francés, tan contrario en su índole al alma y arte español. Nada patentiza tan ostensiblemente tal desorientación crítica como el poco aprecio que se hizo de los mayores 5 ingenios del siglo de oro, aunque no faltara de vez en cuando algún escritor que los 10 defendiera, vislumbrando la apoteosis que ciertos maestros como Lope de Vega, 15 Tirso de Molina y Calderón habían de conquistarse en el siglo XIX.

D. Ramón de la Cruz

De un retrato de la época.

Contienda literaria. — La contienda 20 literaria entre el omnipotente partido afrancesado y el 25 partido nacional se resolvió en el último tercio del siglo XVIII con el triunfo del arte español, manifiesto sobremanera en el teatro con los sainetes de D. Ramón de la Cruz (1731–1794), cuya doctrina dramática era 30 sencillamente « retratar los hombres, sus palabras, sus acciones y sus costumbres » ; recordaremos aquí, entre sus más felices piezas teatrales, el sainete *La petimetra en el* *tocador* (1762). Fué el triunfo del realismo y libertad en la creación artística, del humorismo y espíritu satírico del genio nacional sobre el arte académico y fría imitación de lo clásico; el triunfo del habla popular sobre el lenguaje puramente literario, repulido y campanudo de los escritores afrancesados.

LEANDRO FERNÁNDEZ DE MORATÍN
De un retrato de Goya.

Figuras sobresalientes del siglo. — La literatura de este período es la menos original y valiosa de nuestra historia. Es, en general, una mala copia de la francesa. No faltan, sin embargo, algunas figuras de considerable relieve, como el ya citado D. Ramón de la Cruz; el P. Feijóo (1676–1764), pensador y crítico independiente en el *Teatro crítico universal* y en *Cartas eruditas y curiosas;* el P. Isla, autor de la regocijada novela satírica contra los malos predicadores intitulada *Fray Gerundio de Campazas* (1758); Iriarte y Samaniego, los mayores fabulistas españoles de cualquier época, aquél más original y atildado, éste más hondo y espontáneo; Meléndez Valdés (1754–1817), el mejor poeta lírico del siglo, que tiene el genio de la melodía, verdadero instinto de poeta, y frase feliz y perfecta; y Leandro Fernández de Moratín (1760–1828), prosista y autor dramático, cuya más celebrada comedia es *El sí de las niñas.*

SUMARIO

1. A la muerte de Carlos II, en 1700, sin dejar hijos, se disputaron el trono Felipe de Anjou y el archiduque de Austria, originándose la guerra de sucesión.
2. Habiendo triunfado el primero, inauguró su política una era de reformas, se revivieron el comercio y las industrias, y se fomentó la cultura de la nación.
3. Siguió ésta progresando en el reinado de Carlos III, el más inteligente, activo y patriota de todos los monarcas españoles.
4. En 1788, España tenía unos diez millones de habitantes.
5. El influjo francés se hizo sentir en todos los órdenes de la vida española durante el siglo XVIII.
6. En aquel siglo descuellan la crítica literaria, la erudición y la investigación histórica por cima de la producción de obras originales de amena literatura.
7. Entre las figuras de mayor relieve del siglo recordaremos a los autores dramáticos D. Ramón de la Cruz y Fernández de Moratín, y al poeta lírico Meléndez Valdés.

CUESTIONARIO

1. ¿ Quién era Felipe de Anjou?

2. Cítense algunos datos que prueban el progreso económico de su reinado.

3. ¿ Cuáles instituciones directivas de la cultura general se fundaron?

4. ¿ Qué puede decirse de Carlos III como monarca?

5. ¿ En qué ramos descuella la producción literaria del siglo?

6. ¿ Cuáles son los tres grandes dramaturgos del siglo de oro que se nombran en el texto?

7. Doctrina dramática de D. Ramón de la Cruz.

8. Menciónese una de sus piezas teatrales.

9. ¿ Quién era el P. Feijóo?

10. ¿ Qué clase de obra es *Fray Gerundio de Campazas?*

11. Cítense los mayores fabulistas españoles.

12. ¿ Cuál es la más celebrada comedia de Fernández de Moratín?

CAPÍTULO XXVI

EL DOS DE MAYO Y LA GUERRA DE LA INDEPENDENCIA

HABÍA ocupado el trono a la muerte de Carlos III su hijo Carlos IV (1788–1808), que se apresuró a deshacer la obra liberal y progresiva de su predecesor. Regentaba el gobierno desde años antes al histórico de 1808 el favorito Godoy, que había logrado elevarse desde humilde puesto a las cumbres del poder. El amor lo puede todo, especialmente el amor de una reina. Carlos IV podía mirar, en verdad, al favorito Godoy como a un colega. Frente a la omnímoda influencia del valido, se formó un partido acaudillado en secreto por el príncipe Fernando. Las luchas de camarilla se sucedían sin cesar, pero Godoy logró mantenerse triunfador como ministro universal del monarca.

NAPOLEÓN
De una pintura francesa de la época.

Napoleón y los reyes de España. — En tales circunstancias Napoleón firmó un tratado secreto con el gobierno

español, el 27 de octubre de 1807, para invadir y conquistar unidos el reino de Portugal. Fresca estaba aún la tinta del tratado, cuando las tropas francesas, en mayor número del convenido y siguiendo distinto derrotero, penetraron en la península y se alojaron como aliados en las fortalezas es- 5
pañolas del norte. Entre tanto, el 18 de marzo de 1808 estalló un motín popular en Aranjuez, donde a la sazón se encontraba la corte española, 10
y el cual, dirigido contra el favorito Godoy, motivó su caída y la abdicación de Carlos IV a favor del príncipe Fernando, que fué proclamado 15
rey. El ejército napoleónico, como aliado contra Portugal, penetró en Madrid. Y aquí entran los manejos de Napoleón, quien con pretexto de 20
dirimir las contiendas entre Fernando VII y su padre, que había abdicado a la fuerza, los reune y retiene en la ciudad francesa de Bayona. 25

FERNANDO VII
De un cuadro de Goya.

La mañana del dos de mayo. — Llegó el 2 de mayo. En lunes cayó aquella fecha sangrienta y gloriosa. Era una de esas mañanas templadas, llenas de sol y alegría, de la primavera madrileña. Apretada muchedumbre com- 30
puesta de hombres y mujeres de todas las clases sociales se había ido congregando, desde las primeras horas, frente al palacio real. Ansiedad y concentrada ira podía leerse

en todos los semblantes. Desde el día anterior corría por Madrid el rumor de que, por mandato de Napoleón, los Infantes serían conducidos a Francia.

Hacia las nueve de la mañana, un coche de viaje de la
5 casa real se estacionó a la puerta del palacio. Divulgóse a poco la noticia de que el Infante D. Francisco, muchacho

El 2 de mayo de 1808 en Madrid

Primer combate entre el pueblo y las tropas francesas frente al Palacio Real. De una estampa de la época.

de pocos años, se resistía con lágrimas a abandonar el suelo español. Encendióse la indignación de la multitud, y como saliera cierto oficial francés con escolta, para averiguar la
10 causa del alboroto, fué atacado por la muchedumbre. Crecido cuerpo de tropas francesas acudió al punto, y sin previa intimación, hizo fuego mortífero sobre el pueblo, que se dispersó en busca de armas, clamando venganza.

Lucha del pueblo con las tropas francesas. — Voló la nueva del pérfido ataque por la ciudad, y a las once de la mañana las calles principales eran un hervidero de gente del pueblo armada con cuchillos, pistolas, escopetas de caza y cuantas herramientas habían podido recoger. Dondequiera que se topaban con un grupo de soldados franceses, allí los acuchillaban. Al grito de *¡ Mueran los franceses!* y *¡ Viva España!*, bramando de coraje, peleaban las mujeres con igual furia que los hombres. Y mientras unos combatían cuerpo a cuerpo con las tropas francesas, otros, desde balcones y azoteas, arrojaban sobre ellas ladrillos, tiestos, maderos encendidos, agua hirviendo, lo que podían, o les hacían fuego.

La pequeña guarnición española, por orden superior, no tomó parte en la refriega. Y al cabo, tras varias horas de carnicería, los treinta mil soldados franceses acuartelados en la capital y sus contornos pudieron sofocar, y ahogar en sangre, la revuelta del pueblo madrileño.

¡ A las armas ! — Mas el grito de la independencia estaba lanzado. Los franceses que habían sido considerados hasta entonces como amigos, aunque no sin recelo, eran ya mirados como crueles enemigos. Un humilde patriota, el alcalde de Móstoles, pequeño pueblo de la provincia de Madrid, enviaba de pueblo en pueblo su mensaje famoso anunciando que la patria estaba en peligro, dando el grito de *¡ A las armas !* Y su eco repercutió primero en Oviedo y luego en toda la tierra española, desde los Pirineos hasta las sierras y los valles de Andalucía. Organizáronse en todas partes juntas gubernativas, se improvisaron ejércitos, y surgieron de valles y montes partidas de guerrilleros que habían de ostigar a todas horas las huestes napoleónicas. No hubo varón capaz de llevar las armas que no se alistara bajo las banderas de la patria, y en las ciudades y villas la población prestaba solemne juramento en la plaza pública de combatir hasta vencer o morir.

José Bonaparte, rey de España. — Los acontecimientos del dos de mayo precipitaron los planes de Napoleón, y 5 tres días más tarde imponía a la familia real española, todavía en Bayona, su renuncia al trono de España, y nombraba rey a su hermano José Bonaparte. Apenas pisó éste el suelo español cuando ya se dió cuenta de la fatal empresa, escribiéndole en su camino al emperador estas palabras 10 proféticas: «Señor, creedme y no os hagáis ilusiones: vuestra gloria se hundirá en España.»

Batalla de Bailén. — En los campos de Bailén dióse la primera batalla importante, el 17 de julio. Mal organizadas estaban las tropas españolas, mas el dulce y fiero deseo de 15 morir por la patria ardía en sus pechos. Allí dieron cargas heroicas, sirviéndose de las garrochas como lanzas, los vaqueros andaluces. Y las águilas imperiales, que habían sido paseadas triunfantes por Europa, quedaron humilladas en los campos de Bailén.

20 **Zaragoza.** — Luchóse con abnegación y fortaleza en todas partes, mas el valor épico desplegado en los dos sitios de Zaragoza y en el de Gerona llenó de asombro y admiración a Europa. Sólo cuatro palabras sobre el primer sitio de Zaragoza, que tuvo lugar de junio a agosto de 1808. El 25 pueblo destituyó al comandante militar, que figuraba entre los afrancesados, y se dispuso a defender la ciudad contra los siete u ocho mil soldados franceses que venían a tomar posesión de ella. Un aristócrata aragonés, Palafox, se puso a la cabeza del pueblo y de los quinientos soldados de la 30 guarnición.

¡Guerra y acero! — Sin más fortificaciones que los antiguos muros, medio derruídos, y unos cuantos cañones viejos, sus moradores rechazaron los ataques de las tropas napoleónicas durante seis semanas. Cuando la artillería enemiga hubo destruído las murallas, el general francés propuso « paz y capitulación,» y el esforzado caudillo del pueblo únicamente respondió « ¡ Guerra y acero ! » Si faltaban murallas de piedra, allí estaba para reemplazarlas el pecho 5 de aquellos habitantes heroicos, hombres y mujeres, que perecían a centenares, pero cuyos puestos venían otros a ocupar. Por último, el ejército 10 francés hubo de levantar el sitio.

El duque de Wéllington
De un cuadro de Goya.

Segundo sitio de Zaragoza. — Y del segundo sitio de Zaragoza, no haremos sino 15 repetir lo que el general francés escribía a Napoleón: « Jamás he visto mayor resolución que en la defensa de esta plaza. Las mujeres se 20 dejan matar en frente de cada brecha. Cada casa necesita ser tomada por asalto . . . En una palabra, señor, esta es una guerra que horroriza. »

Duró la guerra de la independencia más de cinco años. 25 Con la ayuda de tropas inglesas y del genio militar de Wéllington, el suelo español quedó al fin libre de enemigos en 1814.

SUMARIO

1. Los ejércitos de Napoleón penetraron en España como aliados contra Portugal.
2. Luego atrajo aquél la familia real española a Francia, para

dirimir las contiendas que existían entre Fernando VII y su padre.

3. El 2 de mayo es hoy la gran fiesta nacional de España, por haberse levantado el pueblo madrileño contra las tropas napoleónicas en dicho día e iniciado la guerra de la independencia.
4. El grito de *¡A las armas!* resonó en toda la tierra española, y no hubo varón capaz de llevar las armas que no se alistara bajo las banderas de la patria.
5. Napoleón impuso a la familia real española su renuncia al trono de España, y nombró rey de ella a su hermano José Bonaparte.
6. El valor épico desplegado en los dos sitios de Zaragoza y en el de Gerona llenó de asombro y admiración a Europa.
7. En 1814 quedó España libre de enemigos, gracias a la ayuda de los ingleses y al genio de Wéllington.

CUESTIONARIO

1. ¿Qué motivó la caída del favorito Godoy?
2. ¿Cómo empezaron los acontecimientos del *dos de mayo?*
3. ¿Con qué estaban armados los madrileños?
4. ¿Qué arrojaban desde los balcones y azoteas?
5. ¿Cuáles eran los gritos que lanzaba el pueblo?
6. ¿Qué hizo el alcalde de Móstoles?
7. Repítase lo que escribió José Bonaparte al emperador.
8. ¿Quién era Palafox?
9. ¿Qué le propuso el general francés?
10. ¿Qué le respondió aquél?
11. ¿Cuánto duró el primer sitio de Zaragoza?
12. ¿Quiénes tomaron parte en él?
13. ¿Por qué deben los españoles gratitud al gran Wéllington?

CAPÍTULO XXVII

PÉRDIDA DEL IMPERIO COLONIAL

LOS PRINCIPIOS de libertad, independencia política y soberanía popular de la Revolución francesa (1789) se divulgaron por Europa y también por el Nuevo Mundo. La declaración de la independencia norteamericana (1776) había sido acogida antes con noble envidia y aplauso por 5 las colonias españolas de América.

Actitud de las colonias. — La actitud de éstas en los dos primeros lustros del siglo XIX no deja, sin embargo, lugar a dudas: era de resuelta lealtad a la metrópoli. He aquí unos cuantos hechos que lo comprueban. En 10 1797, sir Tomás Picton, gobernador de la isla de la Trinidad, en las Antillas menores inglesas, incitó a la rebelión a los habitantes de Colombia y Venezuela, y les ofreció el auxilio del gobierno británico. Su proclama quedó sin eco, la población no se rebeló contra el dominio español. 15 En 1806, el general Miranda arriba a las costas de Venezuela, su país natal, proclama la revolución, y en vista de la hostilidad de los naturales tiene que reembarcarse más que de prisa y abandonar la empresa. El mismo año, un ejército inglés se apoderó de Buenos Aires, y los naturales no sólo 20 dejaron pasar la ocasión de insurreccionarse contra la metrópoli, sino que lucharon junto a los soldados españoles para arrojar al invasor.

Manifestaciones de lealtad. — Las manifestaciones de lealtad a la metrópoli y a su legítimo soberano, al principio 25 de la guerra de la independencia peninsular, se reprodujeron por todas las colonias. Las noticias de los primeros combates, afortunados para las armas españolas, fueron acogidas con delirante entusiasmo, y de todas partes se enviaron a la península cuantiosos donativos para contribuír a los fondos de guerra. En tanto que escasos y aislados grupos de criollos conjuraban en pro de la revolución americana, el pueblo colonial seguía con patriótico españolismo los acontecimientos de la península.

Simón Bolívar el Libertador

De una medalla de 1832.

Política liberal y sus efectos en las colonias. — Desde la invasión de España por las tropas francesas hasta 1810, el pueblo colonial se conservó fiel a la metrópoli. Durante la invasión, las Cortes de Cádiz, inspirándose en principios liberales, realizaron una labor plausible a los ojos de los americanos, proclamaron la doctrina de la soberanía popular, y al declarar que los vastos dominios ultramarinos formaban parte integrante de la nación española, concedieron a sus habitantes una representación directa e inmediata en las Cortes del reino. Si estas y otras medidas de sabia política estimularon por una parte las aspiraciones de ciertos grupos revolucionarios

Mapa de la América Hispana

Los países de habla española en fondo blanco.

de las colonias, dieron por otra, satisfacción a los más y estrecharon, si cabe, los vínculos entre aquéllas y la metrópoli.

Pero cuando más tarde, en 1814, Fernando VII al regresar a España echó por tierra la labor de las Cortes de Cádiz, hasta los más tibios revolucionarios, viendo de-

ENCUENTRO DE BOLÍVAR Y SAN MARTÍN

fraudadas sus esperanzas de un régimen liberal, ingresaron en el partido separatista.

Juntas gubernativas. — Retrocedamos al año 1810, en que las huestes napoleónicas penetran en Andalucía y se apoderan de Sevilla. La junta central, allí establecida, huye y en la isla de León, junto a la bahía de Cádiz, se reune bajo la amenaza de las fuerzas francesas. *¡ España ha caducado !*, tal es el grito con que toda América recibió la noticia. *¡ Junta, junta como en España !*, exclamó el pueblo americano congregado ante los cabildos. El 19 de abril estalló este movimiento popular en Caracas, y a poco se corrió por las provincias de Río de la Plata, Chile, Nueva Granada y Méjico. Las colonias se habían quedado sin rey y sin metrópoli, prisionero aquél, ocupada ésta por ejércitos extranjeros. Estimando que al hallarse España sin soberano legítimo la autoridad de los virreyes cesaba, 5 se organizaron juntas semejantes a las de la península, para defender los derechos de Fernando VII y gobernar hasta que fuese restablecido en el trono español.

Separatismo. — En las juntas gubernativas saltaron los primeros chispazos del separatismo. Dado el primer paso 10 en defensa de la soberanía popular, con la erección de aquéllas, pronto pensaron los criollos en obtener la independencia.

En el año de 1811, Venezuela, Paraguay y Nueva Granada se proclamaron independientes. El 11 de julio, algunos días después de la declaración de la independencia 15 venezolana, unos cuantos mercaderes españoles, sin plan y sin recursos, promovieron un tumulto en la ciudad de Caracas contra el gobierno revolucionario allí constituído. ¡El drama comienza! . . . Es el trágico preludio de aquella guerra a muerte que luego vino a cubrir de luto, sangre y 20 barbarie todas las tierras americanas.

El gobierno de la metrópoli trató de sofocar la revolución de las colonias con dura política militar, declaró el bloqueo y estado de sitio de las provincias rebeladas y combatió a los revolucionarios a sangre y fuego. Los campos de Amé- 25 rica ofrecían un cuadro de horror, y en sus represalias llegaron unos y otros a los crímenes más odiosos.

Triunfo de la metrópoli. — A fines de 1814, los españoles habían derrocado la república de Venezuela; por todas las colonias, con exclusión de Río de la Plata, las tropas es- 30 pañolas desplegaban victoriosas sus banderas. Cuando en 1817 la revolución podía darse por vencida en toda la América española, si exceptuamos las provincias del Plata que se habían declarado independientes en 1816, fueron éstas el foco de donde salieron nuevos bríos y, en el momento crítico de la revolución, tomaron la ofensiva contra los ejércitos de la metrópoli y libertaron a Chile.

Bolívar, triunfador. — Simón Bolívar, el Libertador, que después de sus derrotas en 1814 se refugiara en la isla de

Argentina — Chile

Méjico — Uruguay

MONEDAS SUDAMERICANAS

Nótese en estas monedas los escudos de dichos países.

Santo Domingo, había tornado a la lucha y en 1819, tras una serie brillante de victorias, libró de enemigos Nueva Granada, Venezuela y el Ecuador y formó con estos territorios la república de la Gran Colombia, dándole admirable constitución que, en opinión de un estadista inglés, « parecía destinada a ser la piedra angular del gran edificio político del Nuevo Mundo. »

Las nuevas repúblicas. — El 28 de julio de 1821, el general San Martín, que con fuerzas argentinas y chilenas había ido a combatir por la libertad peruana, proclamó solemnemente en Lima que « el Perú era desde ese momento libre e independiente por la voluntad de los pueblos, y por 5 la justicia de su causa, que Dios defiende. » En el mismo

El Cristo de los Andes

Estatua levantada en 1904 para conmemorar el arreglo pacífico de la disputa sobre limites entre la Argentina y Chile. Símbolo de paz y confraternidad de los países de la América del Sur.

año, Nicaragua, San Salvador, Honduras, Costa Rica y Guatemala se separaron de la metrópoli y constituyeron los Estados Unidos de Centro-América. En Méjico, donde el año anterior parecía apagada enteramente la revolución, 10 Itúrbide se pronunció por la independencia y venció decisivamente a las tropas españolas en 1821.

Fin de la dominación española. — Al otro año, los Estados Unidos de Norte América reconocen la independencia de los países hispanoamericanos, y en el Congreso de Verona de 1822 las nuevas repúblicas reciben la sanción de la diplomacia del viejo continente. El general Sucre, lugarteniente de Bolívar, consiguió el 9 de diciembre de 5 1824 la victoria de Ayacucho, la cual selló para siempre la independencia americana. El drama termina. Catorce generales españoles rindieron en ese día su espada al vencedor, y con ella la dominación española de América.

SUMARIO

1. Hasta 1810 la actitud de la población colonial era de resuelta lealtad a la metrópoli.
2. De todas partes se enviaron a la península cuantiosos donativos para contribuír a los fondos de guerra.
3. En 1810 se organizaron juntas semejantes a las de España, para defender los derechos de Fernando VII y gobernar hasta que fuese restablecido en el trono español.
4. En las juntas gubernativas saltaron los primeros chispazos del separatismo.
5. En 1811, Venezuela, Paraguay y Nueva Granada se proclaman independientes, y empieza la guerra de la independencia americana.
6. Cuando en 1817 la revolución podía darse por vencida en toda la América española, excepto en las provincias del Plata, éstas tomaron la ofensiva contra los ejércitos de la metrópoli y libertaron a Chile.
7. Simón Bolívar, tras una serie de brillantes victorias, libró de enemigos Nueva Granada, Venezuela y el Ecuador y formó con estos territorios la república de la Gran Colombia.
8. En el congreso de Verona de 1822, las potencias europeas reconocieron la independencia de las repúblicas hispanoamericanas.

CUESTIONARIO

1. ¿ Qué hizo el general Miranda?

2. ¿ Cómo fueron acogidas las primeras victorias españolas de la guerra peninsular?

3. ¿ Qué labor realizaron las Cortes de Cádiz?

4. ¿ Qué hizo Fernando VII al regresar a España?

5. ¿ Dónde está la isla de León?

6. ¿ Para qué se organizaron las juntas gubernativas?

7. ¿ Cómo trató de sofocar la revolución el gobierno de la metrópoli?

8. Repítase la frase de un estadista inglés sobre la constitución de la Gran Colombia.

9. ¿ Qué hizo el general San Martín?

10. ¿ Cuál es la fecha de la batalla de Ayacucho?

11. ¿ Quién la ganó?

12. ¿ Cuál fué la consecuencia de dicha batalla?

CAPÍTULO XXVIII

POLÍTICA DE LA NACIÓN EN EL PERÍODO CONTEMPORÁNEO

DURANTE la guerra de la independencia peninsular, las ideas y aspiraciones del pueblo español sufrieron un cambio considerable. Los principios de libertad y democracia habían arraigado en España. Como la necesidad de defender la patria juntó a todos, los privilegios de clases desaparecieron. Si las juntas de gobierno representaban una administración democrática, los guerrilleros constituían asimismo un ejército democrático. Con la proclamación de la soberanía popular, la vieja organización política desapareció. E inauguróse también, finalmente, la libertad del pensamiento.

MONEDA DE ISABEL II

Gobierno reaccionario. — Mas Fernando VII, al regresar en 1814, desconoció la constitución promulgada en 1812 por las Cortes de Cádiz, que contenía los más avanzados principios de la democracia, y restableció la monarquía absoluta. Hasta el fallecimiento del rey (1833), la historia política de la nación se redujo a las alternativas entre el régimen constitucional, que el pueblo liberal impuso en ocasiones, y el régimen absolutista, que el monarca restauró siempre que pudo.

Liberales y absolutistas. — Esta división de liberales y absolutistas había de originar más tarde las guerras civiles. Los absolutistas se agruparon bajo la dirección del Infante D. Carlos, hermano del rey. Como el último no había tenido descendencia de sus tres primeras esposas, los ab- 5 solutistas concibieron esperanzas de que D. Carlos fuese el sucesor de la corona. Pero el monarca contrajo cuarto matrimonio, y algún tiempo después, al prever el nacimiento de un heredero, derogó la *ley sálica*, para asegurar el trono a su descendiente si fuese hembra. La ley sálica prescribía 10 la sucesión de los varones de la línea directa o de la colateral preferentemente al derecho de las hembras. En octubre de 1830 nació una princesa.

Guerras carlistas. — Al morir el rey, en 1833, los partidarios de D. Carlos se lanzaron al campo para defender con 15 las armas en la mano los supuestos derechos del Infante al trono, frente a Isabel II, la hija y sucesora de Fernando VII. Las dos guerras carlistas (1833–1840 y 1872–1876) terminaron con la victoria de los ejércitos liberales.

Reinado de Isabel II. — El reinado de dicha dama, 20 caprichosa y nada escrupulosa como mujer y como reina, se caracteriza por las turbulencias políticas y los frecuentes pronunciamientos militares en favor de cualquiera de los dos partidos que gobernaban la nación alternativamente, el partido liberal y el partido conservador. Las simpatías 25 de la reina estaban con este último, y las del pueblo con el partido liberal.

Entre los hechos culminantes de su reinado señalaremos la abolición, en 1841, de los fueros políticos, económicos y militares que gozaban algunas provincias del norte, reali- 30 zándose así la unificación nacional; la confiscación de los bienes raíces de las órdenes religiosas, en 1855, que fueron vendidos por el estado en lotes pequeños a fin de que pudieran adquirirlos, y trabajar los terrenos por su cuenta, los labradores más modestos; y la guerra de África (1859-1860), en la que España obtuvo la gloria de un triunfo militar, pero apenas ganó nada desde el punto de vista económico o territorial.

La revolución. — El descontento de los liberales con la política vacilante de la soberana, extremadamente conservadora por lo común, se manifestó en un nuevo pronunciamiento de la marina y casi todo el ejército, el cual puso fin al tormentoso reinado de Isabel II en el año de 1868.

DOÑA ISABEL II DE BORBÓN

Los caudillos de la revolución convocaron las Cortes Constituyentes, las cuales, tras declarar solemnemente la exclusión perpetua de la casa de Borbón, ofrecieron el trono a Amadeo de Saboya, hijo segundo del rey de Italia. El nuevo soberano desembarcó en España el mes de diciembre de 1870.

Reinado de Amadeo de Saboya. — El poder y la agresividad de los partidos antidinásticos, y la división entre los bandos monárquicos, hicieron imposible su permanencia en el trono. Su brevísimo reinado fué un calvario; hasta en la vida cortesana sufrió las mayores humillaciones, pues la aristocracia, que intrigaba por restaurar a los Borbones, se abstenía de acudir a las funciones de palacio. Y como Amadeo era demasiado digno para aquella corte regenteada anteriormente por reyes ineptos y viciosos, o por reinas viciosas e histéricas, el buen caballero abdicó la corona, en febrero de 1873, y abandonó el país; partió persuadido de que los males de España eran obra de los españoles mismos y que eran inútiles cuantos esfuerzos hiciese él por remediar su anarquía civil y militar.

La república. — Después de la abdicación, nuevas Cortes se reunieron, y por una mayoría de 210 votos contra 2 proclamaron la república en febrero de 1873. El nuevo régimen tuvo desde el principio la enérgica oposición de los monárquicos y de los carlistas. El propio partido republicano estaba fraccionado en dos bandos irreconciliables, el unitario y el federal. Consecuencias de todo ello: las intrigas de una fracción republicana por derrocar a la otra, las intrigas de los monárquicos por derrocar el régimen republicano, la sublevación de los carlistas en el norte, el alzamiento de los republicanos federales en el sur, y en suma, la anarquía en toda la nación. La república estaba condenada a muerte.

Restauración de la monarquía. — En diciembre de 1874, otra revolución puso en el trono a Alfonso XII, hijo de Isabel II. El país, extenuado con tantas luchas, acogió al nuevo soberano como una promesa de orden, libertad y regeneración. La gran mayoría de los republicanos, convencidos de que el pueblo no estaba educado suficientemente para mantenerse sin excesos anárquicos dentro del régimen republicano, ingresaron en el bando liberal de la monarquía. Los carlistas, en gran número, considerando perdida su causa tras tantos fracasos, se alistaron también en uno de los partidos dinásticos, el conservador.

En el reinado de Alfonso XII, la estabilidad de los gobiernos, la reorganización administrativa y el prestigio de la nación fueron en progreso. Contrarrestóse la intervención del ejército en la política, y se venció la obstrucción sistemática de la iglesia a las reformas liberales.

Regencia de María Cristina. — En noviembre de 1885 falleció el monarca, y su esposa María Cristina quedó en-
5 cargada de la regencia, hasta 1902, que ascendió al trono Alfonso XIII. En los años de la regencia continuó el país en su marcha ascendente, aunque lenta, introduciéndose algunas reformas importantes, como el sufragio universal, y prevaleciendo en general el orden, si bien hubo algunos
10 alzamientos republicanos. Desde principios de la regencia el socialismo se fué desarrollando con creciente empuje, teniendo para 1893 veintiún diputados en el Congreso.

El separatismo cubano. — Cerróse el siglo XIX con la guerra con los Estados Unidos. Desde 1868 venían los cu-
15 banos luchando por su autonomía. Diez años más tarde la isla estaba pacificada. En 1897 el gobierno español otorgó a Cuba un consejo autónomo, la mitad de cuyos miembros serían elegidos por la corona, y la otra mitad por sufragio de los habitantes de la isla. Esto no satisfizo a los parti-
20 darios de la independencia, que continuaron la guerra. Las juntas revolucionarias operaban en los Estados Unidos, y desde allí enviaban auxilios a los revolucionarios. Aventureros norteamericanos se unían a los rebeldes en el campo de batalla. A fines de 1897, el pueblo norteamericano,
25 simpatizando con las aspiraciones de los cubanos, deseaba la intervención de su gobierno en la cuestión de Cuba. La prensa patriotera, como acontece siempre y en todas partes, alimentaba el odio en los ánimos. La atmósfera se iba cargando, y la guerra estaba a punto de estallar entre
30 España y los Estados Unidos.

El *Maine* — En febrero de 1898 ocurrió la explosión del *Maine*, anclado en la bahía de la Habana. La comisión norteamericana que investigó la causa de la explosión atribuyó ésta a una mina; la comisión española, a la ignición del polvorín del buque. Un hecho palmario es que España no quería ir a la guerra con los Estados Unidos, y que el veredicto de la historia la ha absuelto de toda responsabilidad en el hundimiento del *Maine*. 5

Al cabo, estalló la guerra, España fué vencida, y el 1° de enero de 1899 la bandera española fué arriada en la Habana. No quedaba ya en todo este mundo que España descubrió, cristianizó y civilizó ni un solo palmo de tierra donde ondeara su pabellón nacional. 10

Alfonso XIII. — Con la pérdida del último jirón de su imperio colonial en América, la nación entró en una era de reconstrucción. La atención y energías que se habían puesto en las colonias se concentraron ahora en la península. Las dos décadas del presente reinado de Alfonso 15 XIII no ofrecían en el terreno político caracteres distintos de los del reinado anterior, hasta el pronunciamiento pacífico del ejército en septiembre de 1923, que puso el gobierno en manos de una dictadura militar; y cuyo programa es la eliminación de los viejos políticos y sus 20 procedimientos y la purificación de la política y de la administración pública.

SUMARIO

1. Durante la guerra de la independencia peninsular, las ideas y costumbres democráticas arraigaron en el pueblo español.
2. La división entre los liberales de Isabel II y los absolutistas de D. Carlos originó las guerras carlistas, las cuales terminaron con la victoria de los ejércitos liberales.
3. El reinado de Isabel II fué de grandes turbulencias políticas, y sus hechos culminantes fueron la abolición de los fueros regionales, la confiscación de los bienes raíces de las órdenes religiosas y la guerra de África.

4. En 1873 se estableció la república que, tras incesantes agitaciones, fué reemplazada por la monarquía de Alfonso XII en 1874.
5. Después de la pérdida total de su imperio colonial americano, en 1898, España entró en una era de reconstrucción.

CUESTIONARIO

1. ¿ Qué hizo Fernando VII al regresar a España?
2. ¿ Qué establecía la ley sálica?
3. ¿ Qué caracteriza al reinado de Isabel II?
4. Cítese alguno de los hechos principales de su reinado.
5. ¿ Cuánto tiempo duró la república?
6. ¿ Cuáles fueron las causas de su caída?
7. ¿ Qué hicieron la mayoría de los republicanos y carlistas al subir al trono Alfonso XII?
8. ¿ Qué progresó en este reinado?
9. Menciónese alguna reforma importante de la regencia.
10. ¿ A qué se atribuyó la explosión del *Maine?*
11. ¿ Qué puede decirse del reinado de Alfonso XIII?

CAPÍTULO XXIX

RENACIMIENTO LITERARIO

ABRIÓSE el siglo XIX con la guerra de la independencia. Toda España era un vasto campo de batalla. El fragor de la lucha dió voz y aliento a sus poetas, descollando entonces sobre todos los demás géneros literarios la poesía patriótica que ofrece sus mejores modelos con 5 las odas de Quintana, en particular la titulada *A España* (1808), un llamamiento al valor y la libertad de la raza, y con la oda de Juan Nicasio Gallego al *Dos de mayo* (1808), glorificación del levantamiento del pueblo madrileño contra la tropas francesas. 10

El romanticismo. — El renacimiento de las letras españolas, en la tercera década del siglo, está asociado íntimamente con la aparición del romanticismo. Éste, que en España debiera llamarse *neorromanticismo*, no tuvo en sus principios el carácter de idealización del mundo y de 15 la vida que revistió andando el tiempo, sino que sus adeptos lo cimentaron sobre la sólida base del realismo. A mi ver, todos los elementos que distinguen al romanticismo español en la primera mitad del siglo XIX son los mismos que integran la producción de nuestros grandes clási- 20 cos. No era ni podía resultar un movimiento extranjero el romántico, puesto que entendido a la española, poseía como notas típicas las dos definitivas de nuestra raza: el individualismo y el realismo. Romántica en tal sentido es la obra de Lope, Tirso y Calderón; romántica la de un 25

nutrido grupo de novelistas, con Cervantes a la cabeza, y romántica casi toda la producción literaria del siglo áureo, donde vemos campear sobre un fondo realista el lirismo, predominar la imaginación y la sensibilidad, e
5 imponer sus fueros el individualismo, o sea, la libertad en el arte.

La novela y el drama románticos. — El romanticismo, que produjo en España una revolución literaria y tuvo excelentes líricos y dramaturgos, apenas contó con novelistas
10 de relieve, aunque debe recordarse como buena novela romántica, acaso la mejor, esa triste historia de amor de un trovador del siglo XIV intitulada *El doncel de D. Enrique el Doliente* (1834), de Larra, quien fué asimismo notable prosista satírico. En cambio, en la poesía lírica y en la lite-
15 ratura dramática hubo maestros como Martínez de la Rosa, cuyo drama *La conjuración de Venecia* (1834) llevó el romanticismo al teatro, y el Duque de Rivas, autor de una de las más poderosas creaciones modernas de la escena española, *D. Alvaro o la fuerza del sino* (1835), ejemplo
20 tremendo de la fatalidad que a veces rige el destino humano, y no menos famoso autor por sus *Romances históricos* (1841).

La lírica del romanticismo. — En la lírica romántica ocupan lugar eminente Espronceda, de estirpe byroniana,
25 nuestro mayor lírico contemporáneo, en cuyo largo poema *El Diablo Mundo* (1841) está contenido lo más inspirado que salió de su pluma, el *Canto a Teresa;* Zorrilla, que supo como nadie bucear en el alma de la raza al evocar, y aun levantar de sus sepulcros, las figuras egregias de la
30 historia y la leyenda en dramas como *El zapatero y el rey* (1840) y *Don Juan Tenorio* (1844), que es el más popular acaso de nuestra escena, y en poemas como los *Cantos del trovador* (1841); y el dulce y misterioso lírico Bécquer,

algunas de cuyas *Rimas*, impresas en colección en 1871, andan todavía en boca de las gentes. Contemporáneo suyo es Campoamor, poeta de tan original y variado estro que no siguió escuela alguna, tan pronto filosófico como admirablemente sentimental, burlesco o satírico, en sus 5 *Doloras* (1846), *Pequeños poemas* (1872–1874) y *Humoradas* (1886–1888).

El realismo. — Así como el romanticismo brota casi simultáneamente en toda Europa, así se extingue a un tiempo

José Zorrilla — Gustavo Adolfo Bécquer

en todas partes. Hacia 1848 puede fijarse la fecha en que 10 se cierra el período romántico. Viene entonces el realismo, que no tiende a imaginar la realidad en el pasado como aquél, sino a interpretar artísticamente la realidad presente. El realismo es una evolución del romanticismo en este sentido: el romanticismo reemplazó a los asuntos 15 grecolatinos con los medioevales, y el realismo abandonó éstos por los modernos; el romanticismo cultivó preferentemente los temas nacionales, y el realismo acentuó esta nota nacionalista, y aun la llevó al regionalismo literario.

El renacimiento de la novela. — La publicación de *La Gaviota* (1849) de «Fernán Caballero» inauguró el realismo español y el renacimiento de la novela contemporánea. Tal realismo español a diferencia del ultrapirenaico se distingue por un optimismo sano y fuerte, por su alegría de vivir y por su fina vena humorística, cualidades que siempre se encuentran en los maestros de nuestra novela, y que tan marcadamente se señalan en *El sombrero de tres picos* (1874) de Alarcón y en la *Pepita Jiménez* (1874) de Valera, siendo éste último escritor, además de notable novelista, nuestro mejor crítico literario contemporáneo.

BENITO PÉREZ GALDÓS

Los dos grandes maestros.—Casi al propio tiempo emprendieron la carrera literaria Pérez Galdós y Pereda, que representaron los polos opuestos de la mentalidad española, como campeón el primero de la España liberal en *Doña Perfecta* (1876), como defensor de la España tradicional el segundo en *Peñas arriba* (1895), por citar sólo una novela representativa de las muchas que escribieron. De otra parte, la amplia visión de Galdós se extendía por toda España; mientras Pereda se limitaba a describirnos por lo común la vida y el paisaje de Santander, su provincia natal. Constituyen las novelas y los dramas de Pérez Galdós, en especial sus cuarenta y seis volúmenes de *Episodios Nacionales* (1873–1912) — narraciones novelescas con fondo histórico —, un inmenso panorama donde puede contemplarse la vida, la historia y los ideales del 5 pueblo español en el siglo XIX.

El naturalismo. — Hacia 1880 el naturalismo triunfaba ruidosamente en Francia. El naturalismo estaba de moda. Y como nadie está tan al corriente de las 10 modas, ni tan sujeto a ellas, como la mujer, una mujer había de ser quien lo introdujera en España: la condesa de 15 Pardo Bazán, con *La Tribuna* (1882), pero su obra maestra es *Los Pazos de Ulloa* (1886), novela formidable de 20 pasiones y acontecimientos que sobrepuja en vigor a las mejores de nuestro tiempo. Conviene advertir que el 25 naturalismo español no encierra en sí ni el determinismo ni el pesimismo; por lo tanto, es puramente artístico y formal, quedando reducido al fin de cuentas a aquella orientación genuinamente española que siempre se 30 conoció entre nosotros con el nombre de realismo.

LA CONDESA DE PARDO BAZÁN

Palacio Valdés y Blasco Ibáñez. — Realista también, mas poeta realista por presentar la belleza que la realidad ofrece

y por la delicadeza del rasgo sentimental, es Palacio Valdés. Como muestra de su aguda observación, amable humorismo y perfecto equilibrio en la composición literaria, léase *Los majos de Cádiz* (1896). Más brioso que él, y también más
5 irregular, es Vicente Blasco Ibáñez, cuyas características son una tremenda fuerza descriptiva y un sentimiento trágico y fatalista, como puede verse, ya en sus novelas primorosamente artísticas — *La Barraca* (1898) o *Entre naranjos*

ARMANDO PALACIO VALDÉS

VICENTE BLASCO IBÁÑEZ

(1900), por ejemplo —, ya en las de acción compleja y
10 grande, como *Los cuatro jinetes del Apocalipsis* (1916). En *Los argonautas* (1914) ha desmentido cumplidamente a los críticos que le compadecían por falta de sentido humorístico. Con reservas mentales, o sin ellas, se le admira hoy en todas partes. Hace algunos años, en 1915,
15 Howells declaraba que, muerto Tolstoi, ninguno de los novelistas europeos podía compararse con Blasco Ibáñez, añadiendo en otro lugar el mismo crítico norteamericano

que la novela española aventaja en mucho, a la hora presente, a la de cualquier país contemporáneo.

Literatura dramática. — Retrocediendo ahora a la literatura dramática, brillaron tras el romanticismo Bretón de los Herreros, festivo, delicademente irónico y muy realista, 5 estimándose como excelente ejemplo de estas cualidades la *Escuela del matrimonio* (1852); Tamayo y Baus, de gusto clásico, el autor de *Un drama nuevo* (1867), del cual existe más de una versión inglesa; José Echegaray, el más popular, fecundo y trágico del siglo XIX, cuya fama descansa prin- 10 cipalmente en *El gran galeoto* (1881), donde la fácil y ligera murmuración de la sociedad destruye el honor y la felicidad de un hogar; y Ángel Guimerá, de potente fuerza creadora, no igualado en las comedias aldeanas, como *Tierra baja* (1895), publicada como todas las suyas en catalán y tradu- 15 cida en más de veinte idiomas.

La nueva generación. — De la larga lista de novelistas que empiezan a brillar dentro de nuestro siglo, sólo citaremos a Pío Baroja, cuya reacción contra el estilo literario le lleva a un extremo de deplorable prosaísmo; Valle-Inclán, que 20 frente al anterior representa el preciosismo de la forma y del fondo; Ricardo León, López de Haro y Pérez de Ayala, los tres mayores novelistas de la juventud actual, los únicos capaces de continuar, tal vez, la labor de los maestros del siglo XIX. 25

En la poesía lírica, el modernismo se extiende y domina en todo el parnaso hispánico con la publicación de *Azul* de Rubén Darío en 1888. Sus mejores discípulos al presente son Salvador Rueda, Juan Ramón Jiménez y Francisco Villaespesa. 30

A la hora presente, Jacinto Benavente, ironista y psicólogo en *Gente conocida* (1896), romántico en *Los intereses creados* (1907), profundo y trágico en *La malquerida* (1913), comparte

el puesto de honor en el teatro con Marquina, nuestro mejor poeta dramático en obras como *En Flandes se ha puesto el sol* (1910), y los hermanos Quintero, que combinan en sus comedias, como *El genio alegre* (1906), y en sus deliciosos sai-
5 netes, lozana observación, donosura y sentimiento poético.

José Echegaray

Jacinto Benavente

Menéndez y Pelayo. — Al hablar de la literatura del siglo XIX no es posible pasar en silencio el nombre de don Marcelino Menéndez y Pelayo (1856–1912), rehabilitador de la historia y de la filosofía nacional en *Ciencia española* (1880)
10 y en *Historia de los heterodoxos españoles* (1880–1881), renovador de la crítica y de la erudición literaria en *Horacio en España* (1877) y en su *Historia de las ideas estéticas en España* (1883–1891), el mayor erudito español de nuestro tiempo.

SUMARIO

1. El renacimiento de las letras españolas se inicia en la tercera década del siglo XIX, con la aparición del romanticismo.

2. Tuvo éste último excelentes poetas y dramaturgos, como el Duque de Rivas, Espronceda y Zorrilla, pero ningún novelista de relieve.
3. Hacia 1849 empezó el período realista, dentro del cual la novela española adquirió brillante desenvolvimiento con Alarcón, Galdós, Pereda y otros maestros.
4. El realismo español se distingue por su optimismo y fina vena humorística, y tal vez sea su mejor modelo *El sombrero de tres picos*, de Alarcón.
5. Pérez Galdós es sin duda el más completo novelista español de nuestro tiempo.
6. El naturalismo fué introducido por la Pardo Bazán con su novela *La Tribuna* en 1882.
7. Las características de Blasco Ibáñez son una gran fuerza descriptiva y un sentimiento trágico y fatalista de la vida. En *Los argonautas* muestra también agudo sentido humorístico.

CUESTIONARIO

1. ¿ Cuál es el género literario que descuella a principios del siglo XIX, y cuáles son sus mejores representantes?

2. ¿ Cuáles son las notas definitivas de la raza española?

3. Cítese el nombre de la mejor novela romántica y de su autor.

4. ¿ Qué hemos dicho de *D. Alvaro o la fuerza del sino*, y quién es su autor?

5. Menciónense los poetas líricos del romanticismo.

6. Señálese alguna diferencia entre el romanticismo y el realismo.

7. ¿ Qué son los *Episodios Nacionales?*

8. Nómbrense dos novelas de Blasco Ibáñez.

9. ¿ Cuál era la opinión de Howells sobre él?

10. Cítense tres dramaturgos contemporáneos y alguna de sus obras.

11. ¿ Quién era Menéndez y Pelayo?

CAPÍTULO XXX

RENACIMIENTO ARTÍSTICO

AL FENECER el siglo XVIII, un maestro genial vino a reverdecer los laureles de la pintura española: Goya (1746–1828), pintor del pueblo y de la corte. Netamente español, supo llevar al lienzo lo que existe de perenne en el fondo de la raza, sobre todo su sentimiento trágico de la vida.

AUTORRETRATO DE GOYA
Museo del Prado, Madrid.

El impresionismo de Goya. — Es Goya un impresionista; según críticos autorizados, el padre del impresionismo moderno. Y es tanta su expresividad que a veces raya en la caricatura a fuerza de intensificar las pasiones. En cabal antítesis con el impersonalismo de Velázquez, aquél ve la naturaleza y la vida a través de su temperamento. Original y dotado de fiera agresividad rompió con lo que pudiera calificarse de preciosismo pictórico, que tan de moda estaba a la sazón en todas partes. Habíase degradado el arte en mano de pintores repulidos que falseaban la naturaleza. Enemigo declarado de las tretas e hipocresías de la corte y de la iglesia, delator de los sentimientos viles del alma humana, fué Goya un nihilista del orden social en el campo de la pintura. Algunos de sus *Caprichos* y *Proverbios* son de una sátira feroz.

MUJER ESPAÑOLA DEL SIGLO XVIII
Retrato hecho por Goya.

Aspectos del arte de Goya. — Como Ribera, pintaba con centelleante vigor, con furia loca, si cabe decirlo así, las pasiones terribles. Los *Fusilamientos del dos de Mayo* y *Ataque a la caballería de Murat por el pueblo* son de lo mejor que en expresión, técnica y colorido conocemos en su género. No es necesario ir a la guerra para presenciar, como en estos cuadros y en la colección de ochenta láminas titulada *Los desastres de la guerra*, sus más espantosos horrores.

De ellos pasemos la vista a cuadros de bien distinto orden, como *La maja desnuda*. Aquí tenemos la carne ni más ni menos que en un cuerpo que se alimente, duerma y sueñe, una carne delicada, diáfana, prodigiosa. Las sombras del cuerpo son de una sutilidad indefinible. Y toda la figura, recostada indolente, con candor de doncella ignorante de los hombres, respira juventud, feminidad y endiablada magia. De sus cuadros de conjunto, ninguno supera a *La familia de Carlos IV*, sobresaliente por la composición, la perspectiva, la fineza del dibujo, la opulencia del colorido y el concierto de tonos.

Goya no formó escuela; su arte era demasiado individual. En nuestra pintura, bajo el influjo francés, continuó imperando el preciosismo amanerado. Aparte la labor de Goya, lo mejor de aquellas primeras décadas del siglo XIX es la pintura decorativa de Bayeu, Maella y Vicente López, en los palacios reales y en los templos.

El romanticismo en la pintura. — Vino después el movimiento romántico en la pintura, hacia 1835, el cual, despertando el amor por las obras de la antigüedad clásica, reemplazó los temas alegóricos y galantes con los históricos. Dentro del romanticismo, el que mayor influjo ejerció en el arte nacional fué Madrazo (1781–1859), como pintor de cuadros históricos, *La muerte de Lucrecia* por ejemplo, como primer director del Museo del Prado, que se abrió en 1819, y como organizador infatigable de concursos y exposiciones.

Le siguieron Rosales, cuya amplitud de concepción, sin preocuparse de los detalles secundarios, virilidad y sentimiento pueden apreciarse especialmente en el cuadro de *Isabel la Católica haciendo testamento;* Pradilla, que asoció el refinamiento con el naturalismo en cuadros históricos como *Doña Juana la Loca* y *Rendición de Granada* (véase p. 65); y Fortuny, que se distinguió por su finura y brillantez en los efectos de luz, en *La vicaría* verbigracia, así como por su artística interpretación de la naturaleza en las acuarelas.

El realismo en el arte. — En la segunda mitad del siglo, el realismo se enseñoreó de la pintura tanto como de la literatura. Aun los pintores hasta entonces románticos cambiaron de manera y cultivaron temas modernos; abandonando las idealizaciones y los asuntos históricos, reprodujeron del natural los sentimientos y costumbres del pueblo y el paisaje. Y con Villegas, Anglada y Moreno Carbonero, que se dejan de modelos extranjeros y tornan la mirada a Velázquez y Goya, da principio el verdadero renacimiento, original, potente, de la pintura española contemporánea.

JOAQUÍN SOROLLA

Sorolla y Zuloaga.—Al frente de una pléyade de artistas están hoy Sorolla y Zuloaga. Este último es el pintor de la España vieja, severa, adusta, falta de aire y de sol, el de *Las brujas de San Millán*, el que ha interpretado tan fiel y poderosamente el alma española que muchos críticos le conceden el lugar de honor en la pintura contemporánea. Supérale, en opinión de otros, Sorolla, cuyos mejores cuadros se encuentran en el Museo Metropolitano de Nueva York y en la Sociedad Hispánica de la misma ciudad. Allí pueden contemplarse numerosos lienzos suyos de opulento colorido y enérgicos trazos. Posee un certerísimo golpe de vista y dominio técnico para trasladar con fidelidad y animación sus impresiones visuales. Sus marinas, quizás lo mejor de su obra, están en el citado Museo Metropolitano. En tonalidad y ejecución no puede pedirse más. Se diría que son chillonas, si no fuese por su maravillosa ejecución. Sorolla no es filósofo trascendental, ni poeta, ni humorista, 5 sino pintor a secas, pero ¡qué maestro de pintores! Artista sin escuela, aunque por temperamento genial trabaja como Goya, 10 sólo toma por modelos la naturaleza, el cielo, la tierra, el mar; no es, sin embargo, 15 un fotógrafo de la naturaleza, porque al representarla en aquellas grandes man- 20 chas de color sin retocar nos da también el alma del paisaje y de los tipos.

Ignacio Zuloaga

25 **Influjo español.** — Agregaremos que la pintura norteamericana muestra un acentuado influjo de la escuela española. Predomina en ella el realismo de Velázquez, el impresionismo de Goya, el arte austero y sutil de nuestros buenos pintores. Aquí ha tenido el arte peninsular un discípulo 30 genial en Whístler, cuyos retratos son de típica factura velazqueña. Chase también ha perfeccionado su arte en el estudio de los maestros españoles. Lo mismo puede decirse de Sárgent, de quien se ha escrito que es un norte-

americano nacido en Italia, que, habla como un inglés y pinta como un español. Y entre los discípulos de Goya, ninguno supera a Bellows.

La escultura. — La escultura española de nuestros días combina la sencillez y serenidad de los modelos clásicos con la observación directa de la vida. Recordaremos sus tres

« SOLITA », CUADRO DE ZULOAGA

principales representantes: Benlliure, minucioso y poético en el *Mausoleo de Gayarre*, exhuberante y majestuso en el *Monumento a María Cristina* y en el *Monumento a Castelar;* Blay, sincero, sentido y enérgico en sus grupos de *Los primeros fríos* y de *La canción popular:* y Querol, severo y clásico en el altorrelieve del *Triunfo de las letras, ciencias y artes* del frontón de la Biblioteca Nacional.

La arquitectura. — En arquitectura, es la de nuestro tiempo ecléctica en España, y fuera de ella, aunque impera el estilo gótico en los templos y el del Renacimiento en los demás edificios públicos. Entre las grandes obras recientes de Madrid, la ciudad de suntuosos monumentos modernos, hemos de mencionar la *Biblioteca Nacional*, estilo del Renacimiento, planeada por el arquitecto Jareño; el *Ministerio de Fomento*, neoclásico, así como nacional por el uso de la cerámica, de Velázquez Bosco; el *Monumento en honor de Alfonso XII*, trazado por el arquitecto Grases, uno de los mejores de Madrid y de los más grandiosos de su género;

PALACIO REAL DE MADRID

Fué edificado en el siglo XVIII.

y la *Casa de Correos* (1920), de temas clásicoplaterescos y fantasía moderna, debida a los Sres. Palacios y Otamendi. Respecto a la edificación particular, patentizan sobre todo el esplendor de la arquitectura de nuestros días la calle de la Gran Vía, de Madrid, y el Paseo de Gracia, de Barcelona. Es interesante notar que se están edificando rascacielos en el extrarradio de Madrid.

La música. — En cuanto a otro arte, el más divino, la música, vemos que en este mismo pueblo donde floreció con brío la grave y solemne música sagrada en el siglo XVI — merced a compositores y maestros del órgano como Guerrero y Vitoria, y entre los modernos Eslava —, retoña fragante en el período contemporáneo la música lírica y popular, con la *zarzuela*. De su regionalidad proviene a la zarzuela el claro timbre nacional que la sella; y de esta nota de regionalidad de la zarzuela dimana su capital diferencia de los géneros similares que se cultivan en el extranjero, como la *musical comedy* inglesa. Con leves variaciones en el asunto, y aun sin ellas, lo mismo puede tener ésta por escenario Londres que Dublín o Boston; mas la zarzuela no es ya española, sino andaluza, castellana, aragonesa, y todavía dentro de la región, madrileña, sevillana, etc. Difieren tanto las maneras y particular genio de las provincias, y tan típico de cada una es su música, canto y baile, que bien se explica la gran variedad de la zarzuela.

Zarzuelas. — Entre las producciones innumerables de este género dramático y musical, nombraremos *El barberillo de Lavapiés* (1874), de Barbieri, preciosa joya en que este compositor ha llevado al pentágrama, con no menos arte que Goya al lienzo, el espíritu majo del pueblo madrileño, y *La verbena de la Paloma* (1849), de Bretón, que alaba Saint-Saëns con calor considerándola como el más perfecto modelo del género. En obras musicales de mayor vuelo, aunque se han hecho algunos felices ensayos de ópera española, como *Mariana* (1871), de Arrieta, *Margarita la Tornera* (1909), de Chapí, *Goyescas* (1915), de Granados, etc., aun no ha tenido España en la época contemporánea un compositor que pueda compararse con los grandes maestros extranjeros.

SUMARIO

1. Goya, uno de los más ilustres pintores de cualquier época, es el padre del impresionismo moderno.
2. Aparte las obras de aquél, lo mejor de las primeras décadas del siglo XIX es la pintura decorativa.
3. El romanticismo pictórico penetró en España hacia 1835, y su principal representante fué Madrazo.
4. Este movimiento artístico reemplazó los temas alegóricos y galantes con los históricos.

5. En la segunda mitad del siglo, el realismo se enseñoreó de la pintura así como de la literatura; y el realismo produjo siempre las mejores obras españolas en ambas artes.
6. Los dos grandes pintores de la España actual son Sorolla y Zuloaga.
7. La pintura norteamericana muestra un acentuado influjo de la escuela española.
8. La escultura y la arquitectura, como las demás artes, están ahora en pleno renacimiento.
9. En España, famosa otros tiempos por su música sagrada, florece hoy la música lírica y popular, con la zarzuela.

CUESTIONARIO

1. ¿Cuándo vivió Goya?
2. Dígase algo sobre sus dotes artísticas.
3. Cítense algunos de sus cuadros.
4. ¿Por qué es sobresaliente el lienzo de *La familia de Carlos IV?*
5. ¿Qué caracteriza al romanticismo en la pintura?
6. ¿Cuándo se abrió el Museo del Prado?
7. Diferencia entre el romanticismo y el realismo en la pintura.
8. Háblese del pintor Sorolla.
9. ¿Dónde se encuentran sus mejores cuadros?
10. Dígase algo sobre la pintura norteamericana en relación con la española.
11. Nómbrense algunos escultores españoles de hoy en día.
12. Háblese de la zarzuela.

CAPÍTULO XXXI

DESENVOLVIMIENTO ECONÓMICO

LA PÉRDIDA de las últimas colonias americanas, en 1898, cerró la historia de la España desorientada, indisciplinada y romántica. Los años transcurridos desde entonces han sido de briosa resurrección. No obstante, los fundamentos del presente florecimiento económico están 5 en la segunda mitad del siglo XIX, con la desamortización, las reformas bancarias y financieras, el desarrollo del sistema ferroviario y la reorganización del crédito público. 10

SELLO DE CORREOS
Busto de Alfonso XIII.

Población actual. — Principiaremos por anotar algunos datos generales sobre la población, que es de veintiún millones y medio, según cálculos basados en la última estadística. Si los nacimientos 15 han disminuído ligeramente en los veinte últimos años — de 34.38 por cada mil habitantes a 33.27 —, las defunciones también han decrecido notablemente bajando de 28.68 a 25 por cada mil habitantes en el mismo período. El aumento anual de la población es 20 de 0.70 por ciento. La emigración es de unos ciento cuarenta mil individuos, como promedio anual; la mayoría de ellos van a establecerse en la Argentina, aunque también se dirigen en considerable número a Cuba y Méjico. El setenta por ciento de la población económicamente activa está dedicado 25 a la agricultura, y el veinte por ciento a las industrias.

Agricultura. — A fines del siglo XVIII no había más que 6.000,000 de hectáreas que fuesen laborables, y no más de 2.000,000 propias para la horticultura. En las postrimerías del siglo XIX estas cifras subieron a 14.000,000
5 y 6.000,000 de hectáreas respectivamente. En la segunda mitad del XIX, las tierras en cultivo pasaron de 5.137,000 a unos 8.000,000 de hectáreas; en lo que va del presente siglo, los terrenos cultivados han aumentado en un diez por ciento, la zona de regadío se ha extendido más del
10 doble. «El más poderoso impulso dado por el estado a la agricultura — escribe la mayor autoridad en la materia, Flores de Lemus — consiste en las obras de irrigación, algunas de las cuales revisten proporciones colosales; en algunos años España habrá hecho por la extensión de sus
15 regadíos más que en todos los siglos precedentes.» El incremento de la producción por hectárea, en el último quinquenio, es de 3.3 por ciento para la avena, 4.3 para la cebada, 6.3 para el trigo, 7.8 para el centeno, y 16.3 para el maíz.

Producción forestal. — Mientras la producción forestal de
20 las principales zonas europeas, Alemania, Austria, Noruega, se limita casi exclusivamente a la madera, en España se obtienen los productos más caros: el corcho y la resina. En Francia, uno de los primeros países pineros, cada pino rinde como promedio dos kilos y medio de resina; en España,
25 algo más del doble. La producción anual de corcho oscila alrededor de 62.000,000 de kilogramos. Los montes de Baviera, Sajonia y los Vosgos, que figuran entre los más ricos de Europa, reportan un beneficio del dos o tres por ciento; en tanto que los montes españoles dedicados a
30 producción secundaria rinden un doce por ciento. En el mercado mundial, corresponde a España el primer lugar en la producción aceitera, y el tercero en la vinícola; sus viñedos ocupan cerca de millón y medio de hectáreas.

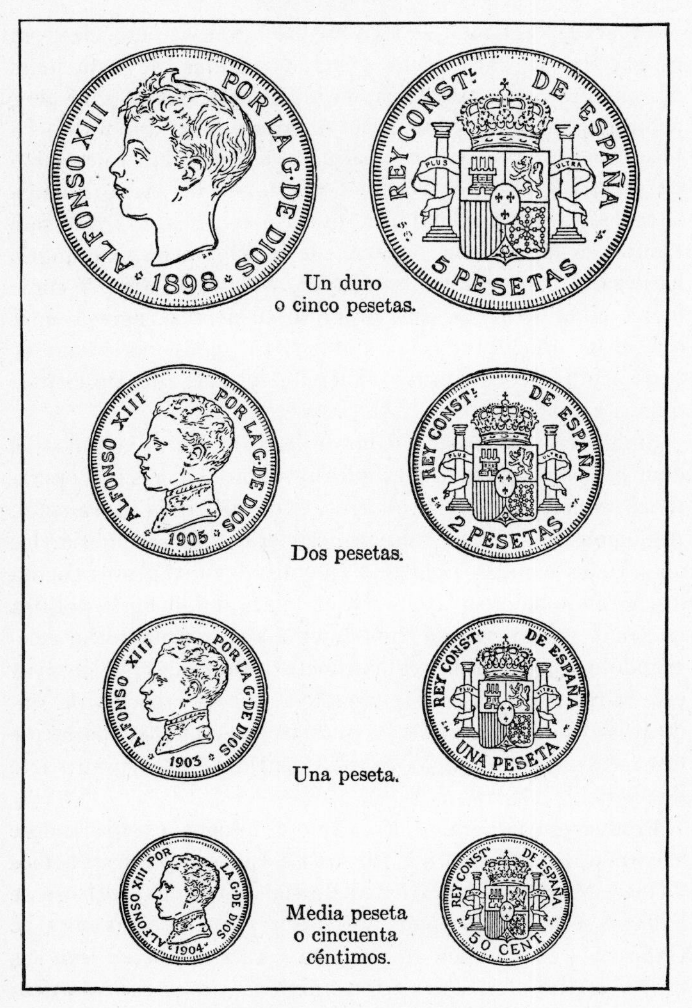

Un duro
o cinco pesetas.

Dos pesetas.

Una peseta.

Media peseta
o cincuenta
céntimos.

MONEDAS DE PLATA ESPAÑOLAS

Progreso agrícola. — Existen 16 granjas escuelas, 17 estaciones de agricultura general, además de estaciones agronómicas, de patología vegetal, sericícolas, vinícolas, arroceras, olivareras, etc. Del progreso de la agricultura da
5 idea la importación de maquinaria agrícola, que subió de 3,874 toneladas en 1909 a 6,324 toneladas en 1912, cuya cantidad se estima duplicada en el año corriente. Al mismo tiempo, la fabricación nacional de la sobredicha maquinaria ha llegado a ser igual, si no mayor, a la importada. Y como
10 índice igualmente de este progreso económico, agregaremos que en el año de 1892 se publicaban veinte periódicos de agricultura, industrias y comercio, y más de doscientos quince en este año.

Sindicatos agrarios. — Uno de los principales factores del
15 desarrollo agrícola son los sindicatos agrarios, con sus cooperativas, seguros, y cajas de ahorros, que extirpan la usura rural. Adquieren en común tales asociaciones la maquinaria, los abonos, las semillas, poniendo en cultivo por su propia cuenta los terrenos baldíos; confedéranse para influír en la política
20 nacional, en un sentido fundamentalmente económico, celebrando sus asambleas regularmente. Comenzó por ensayar este movimiento la iglesia española, con la creación de sindicatos católicos agrarios — que en la actualidad pasan de dos mil —, y su ejemplo ha sido continuado por gran parte
25 de la población rural.

Producción minera. — En riqueza minera, exceptuándose el carbón, España está a la cabeza de Europa, como ya hemos dicho. Mucha es la variedad de sus minerales. El oro se halla en Cáceres, Granada y Toledo y en los aluviones de
30 Galicia y León, si bien en pequeña escala. Huelva, con sus minas de Río Tinto, es en este ramo la provincia más rica; en los últimos años se viene extrayendo de ellas minerales por valor de 150.000,000 de pesetas, como promedio. La

siguen Vizcaya, con unos 90.000,000; Oviedo, con 75.000,000; Murcia, con 69.000,000; Córdoba, con 60.000,000; Jaén, con 55.000,000, y las demás provincias, casi todas ellas también con yacimientos mineros. En el año de 1915 se descubrió en la serranía de Ronda, donde las provincias de Málaga y Cádiz confinan, riquísimos yacimientos de platino, cuyo núcleo es mucho mayor que el de los montes Urales. Mientras en los yacimientos rusos — que hasta el presente constituían el único venero de este precioso metal —, por cada metro cúbico de aluvión se extraen de 20 a 35 centigramos de platino, en los de Ronda pueden obtenerse de 2 a 3 gramos por metro cúbico.

Minas de cobre y de carbón. — La principal producción minera es la de cobre, ocho o diez veces mayor que la de Alemania, que es la segunda de Europa en este mineral; en 1911 se sacaron de las minas españolas 190,000 toneladas de cobre, y actualmente 240,000 toneladas. En cambio, la producción carbonífera es insignificante, pues no llega a cinco millones de toneladas, en tanto que en Inglaterra se extraen unos doscientos sesenta millones. España tiene que importar la mitad del carbón que necesita para el consumo nacional. Pero aun en este ramo, se nota algún progreso, habiendo pasado la producción de carbones de poco más de un millón de toneladas en 1895 a cuatro millones y pico en los últimos años. En toda la península, particularmente en el nordeste, se está supliendo la falta de carbón para las industrias por medio de la fuerza hidráulica, con instalaciones como las de Capdella, que suministra 40,000 caballos de fuerza, Molinos, 20,000, y las del Ebro, 90,000 caballos de fuerza.

La producción minera anual pasa de seiscientos millones de pesetas. Nada menos que veintitrés mil empresas mineras funcionan al presente, con un capital invertido de mil doscientos millones de pesetas aproximadamente.

Prosperidad comercial. — « Tocante a la prosperidad comercial — escribía ya en 1909 Villiers-Wardell — parece como si España estuvese inaugurando ahora su edad de oro. » Y, entre otros, el cónsul general de los Estados Unidos en Barcelona afirmaba más tarde: « Positiva realidad es el florecimiento de este país, gracias a la frugalidad y despliegue de energías de sus habitantes y a la explotación de sus recursos naturales; una España de envidiable crédito

Río Guadalquivir y muelle de Sevilla

A la derecha, la Torre del Oro, del siglo XII, en la cual se solían depositar los tesoros traídos de América.

comercial se ha levantado sobre las ruinas de la nación que durante siglos se alimentara de ilusiones y del culto de sus pasadas grandezas. Vastas comarcas de Galicia y Extremadura, tierras desiertas hasta hace poco, producen ahora ricas cosechas . . . y donde el viajero sólo hallaba antes estériles soledades, ve ahora campos cultivados y prósperas granjas. »

Un autorizado publicista, Chalmers Adams, miembro de la Real Sociedad Geográfica de Londres, escribe que viajando recientemente por España, quedó admirado del progreso que se observa en todos respectos. En el sistema educativo de las masas populares — declara —, en la explotación de los recursos largo tiempo descuidados, en sanidad, construcciones y comercio, España está avanzando hasta ocupar un puesto de primera fila; algo del espléndido ánimo y tenacidad de los conquistadores del siglo 5 XVI vive en la lozana juventud de hoy.

SUMARIO

1. La población de España es de veintiún millones y medio, cuyo setenta por ciento de la económicamente activa está dedicado a la agricultura, y veinte por ciento a las industrias.
2. En lo que va del presente siglo, los terrenos cultivados han aumentado en un diez por ciento.
3. En el mercado mundial corresponde a España el primer lugar en la producción aceitera, y el tercero en la vinícola.
4. Entre los principales factores del progreso agrícola figuran el impulso dado por el estado a las obras de irrigación, y la organización de los sindicatos agrarios.
5. En riqueza minera, exceptuándose el carbón, España está a la cabeza de Europa, especialmente en cobre, que extrae en cantidad ocho o diez veces mayor que Alemania.
6. En toda la península se está supliendo la falta de carbón por medio de la fuerza hidráulica.
7. En prosperidad comercial parece como si España estuviese inaugurando ahora su edad de oro.

CUESTIONARIO

1. ¿ Cuáles son los fundamentos del presente florecimiento económico?

2. ¿ Cuál es el aumento anual de la población?

3. ¿ Adónde se dirije la emigración española?

4. Nómbrense los cereales cuya producción ha subido en el último quinquenio.

5. ¿ Cuáles son las estaciones agrícolas establecidas en España ?

6. ¿ Qué adquieren en común los sindicatos agrarios ?

7. ¿ Cuántos periódicos de agricultura, industrias y comercio se publican en España ?

8. Háblese de la producción carbonífera.

9. ¿ Cuántas empresas mineras funcionan al presente, y qué capital tienen invertido ?

10. ¿ En qué está España avanzando hasta ocupar un puesto de primera fila ?

ACLARACIONES Y NOTAS GRAMATICALES

ACLARACIONES Y NOTAS GRAMATICALES

Historical and geographical names, titles of books, definitions of words and of brief phrases are entered in the **Vocabulario**. Phrases will be found there under the verb; should there be no verb, under the noun.

Page 1. — 1. **Al contemplar,** *Upon looking at.* This combination of **al** with the infinitive is usually translated by *in* with a present participle.

24. **así es que,** *so that.*

Page 2. — 28. **492,230.** Read **cuatrocientos noventa y dos mil doscientos treinta.** For other numerals occurring in the text, see *Tabla de numerales* at the end of the book.

32. **Lo montañoso,** *The mountainous nature.* The neuter article **lo** is used with the masculine form of adjectives to express an abstract idea.

Page 3. — 28. **pudieran clasificarse,** *could be classified.* Pronouns may be placed before the auxiliary verb (**se pudieran clasificar**) or may be attached to the main verb, the latter form being preferable.

Page 9. — 6. **al conquistar,** *in conquering.* See note to page 1, line 1.

31. **de antigüedad,** *very ancient.* Note the diæresis over the **u** in the groups **güe** and **güi** when this letter is to be pronounced.

Page 13. — 18. **y es de saber,** *and it is to be noted.*

Page 15. — 1. **Empezaron . . . a fundar.** Verbs expressing the beginning of an action always take the preposition **a** before the infinitive of another verb.

Page 16. — 8. **Movíales.** The enclitic use of the pronoun is advisable when the verb introduces the sentence, except in the future tense, and it is optional in any case with the imperfect indicative.

Page 18. — 20. **264 a. de J. = doscientos sesenta y cuatro antes de Jesucristo,** 264 B. C.

Page 25. — 5. **de poseer,** *to possess.* Instead of the present participle, the infinitive is generally used after a preposition.

Page 27. — 14. **de auxilio alguno,** *of any help.* The adjective **alguno,** when standing after a noun, has the value of an emphatic negation.

Page 28. — 6–7. **cuando el tiempo y el olvido hayan echado,** *when time and oblivion will have thrown.*

Page 31. — 3. **al estilo romano,** *in the Roman style.*

30. **vino a ser,** *became.* **Venir** and **ir** are frequently used with a present participle to form progressive tenses.

Page 32. — 2. **27 a. de J.** See note to page 18, line 20.

10. **la misma Roma,** *Rome itself.* Note that **mismo** intensifies not only adverbs of time and place, but nouns as well.

Page 33. — 7. **Burke,** in *A History of Spain,* London, 1900, vol. I, p. 37.

32. **Hume,** in *The Spanish People,* New York, 1901, p. 36.

Page 36. — 14. **no tenían porqué,** *did not have any reason.* Notice that **por qué** is *why,* **porqué,** *reason,* and **porque,** *because.*

Page 37. — 7. **al contacto de,** *from its contact with.*

16. **hispanorromanos.** Notice the **r** of **romanos** becoming **rr** in the compound word, in order to keep the hard sound of initial **r.** Other examples in this book are *altorrelieve, autorretrato,* and *neorromanticismo.*

Page 41. — 15. **don.** Note that immediately before the given name, **don** and not **señor** is the proper title.

Page 46. — 2–3. **debía de estar,** *must have been.* In expressing conjecture, the preposition **de** is used before an infinitive after **deber.**

Page 48. — 3–5. **de la independencia y del honor español.** Note that this adjective, though qualifying **independencia** and **honor,** is in the singular; a very common case, the adjective being also understood after the first noun (**de la independencia española y del honor español**).

22. **planta** refers to **tierra,** and **yugo** to **hombres.**

Page 50. — 3–4. **al chocar,** *upon striking.* See note to page 1, line 1.

10–11. **con ella quedó asegurada,** *by it* (i. e., **victoria**) *was assured.*

13. **m. en 757** = **murió en 757.**

Page 52. — 1. **prosigue.** Note the use of the historical present, which is much more common in Spanish than in English.

Page 54. — 8. **Burke,** *op. cit.*, vol. I, p. 157.

Page 55. — 33. **no pasa de ser eso,** *is nothing else but just that.*

Page 59. — 23. **fuesen moros o cristianos,** *whether they were Moors or Christians.*

Page 65. — 14. **comenzara,** *had begun.* The **-ra** form of the imperfect subjunctive is occasionally used, instead of the pluperfect indicative, especially in literary style. It is well to bear in mind that the **-ra** form is derived from the Latin pluperfect.

Page 66. — 10. **2 de enero** = **dos de enero.** In dates the cardinal numbers are used, except for the first of the month.

Page 67. — 9–10. **después de conquistarla los Reyes Católicos,** *after the Catholic kings had conquered it.* The enclitic use of the pronoun is obligatory with the imperative affirmative, as well as with the infinitive and the present participle, except when these are preceded by an auxiliary verb.

12. **al llegar,** *upon his* (i. e., Boabdil's) *arrival.*

19–20. **Bien te está,** *Well it becomes you.*

Page 69. — 4–5. **que tendría hasta cuarenta y seis años de edad,** *who was probably about forty-six years old.* Here the conditional is used to express probability in the past time.

El nombre « América ». The free translation of the Latin passage is as follows: "Now, in truth, both these parts have been traversed at length and another fourth part been discovered (as it will appear in the sequel) by Americus Vesputius; for which reason I do not see why any one should rightly object to our naming it, from the discoverer Americus, a man of wisdom and talent, Amerige, that is to say, the land of Americus, or in fact America, since both Europa and Asia have been assigned their names from women. Its location and the customs of its inhabitants are made clearly intelligible from the four voyages of Americus that follow herewith."

Page 71. — 24. **preparando el alma para la [jornada] que . . .**

Page 72. — 11. **si era o no navegable = si era navegable o no.**

31. **lo que no era sino,** *what was only.*

Page 77. — 10. **Lummis,** Charles Fletcher Lummis, in *The Spanish Pioneers*, Chicago, 1899, pp. 18–19.

13. **Cabría suponer, naturalmente,** *One would naturally think.*

18. **Pudiera decirse,** *It might be asserted.*

Page 79. — 18. **profesor que fué = que fué profesor.**

Page 80. — 21. **Que sean tratados,** *That they be treated.* The participle agrees in gender and number with the subject or with the direct object when the auxiliary verb is any other than **haber.**

32–33. Edward Gaylord Bourne, in *Spain in America*, New York and London, 1904, p. 256.

Page 83. — 17–18. **sólo comparable.** The verb, **es,** is understood.

Page 88. — 16–18. **hacia él se volvieron todas las miradas,** *all eyes turned toward him.*

Page 89. — 18. **a sus ojos,** *in his eyes.*

Page 91. — 2–3. **« parecía . . . un monte de fuego. »** A quotation from Fernando de Herrera's *Relación de la guerra* (de Chipre), XXIII.

Page 92. — 5. **católica reina de Escocia,** i. e., Mary Stuart (1542–1587).

Page 93. — 7. **Lisboa.** This Portuguese city, together with the whole kingdom of Portugal, was brought under Spanish rule in 1578.

Page 94. — 2. **según se cuenta,** *as the story goes.*
6–7. **Hágase la voluntad del Señor,** *The Lord's will be done.*

Page 101. — 11–12. **la expulsión de judíos y moriscos.** In the year 1492 an edict was issued by Ferdinand and Isabella for the expulsion of all Jews and Mohammedans who refused to become Christians. The expulsion of the Moriscos (those who accepted baptism and remained in Spain after the fall of Granada, the last Mohammedan kingdom in the peninsula) was carried out by virtue of a royal edict, September 22, 1609.
20. **por lo mucho,** *on account of the great amount.*

Page 111. — 32. **al igual de los hombres,** *on the same level with men.*

Page 114. — 26. **literatura mística y ascética.** The first one studies the relation of the soul to God, and the second teaches men the paths of virtue and happiness through self-denial and sacrifice. This religious literature of Spain is equally important for the study of polite letters and of theology.

Page 115. — 13–14. **lo español y cristiano,** *that which is Spanish and Christian.*

Page 119. — 32. **se andan proponiendo,** *are being proposed.* The use of **andar** as an auxiliary, to form progressive tenses, is characteristically Spanish.

Page 126. — 15–16. ***Ojos claros . . .*** Here is Cetina's famous madrigal:

Ojos claros, serenos,
si de un dulce mirar sois alabados,
¿ por qué, si me miráis, miráis airados?
Si cuando más piadosos,
más bellos parecéis a aquel que os mira,
no me miréis con ira,
porque no parezcáis menos hermosos.
¡Ay tormentos rabiosos!
Ojos claros, serenos,
ya que así me miráis, miradme al menos.

Page 133. — 1–2. **de la época,** *of that time.* — **muy del gusto de aquellas gentes,** *very much to the taste of those people.*

26–27. **realística y satíricamente** = **realísticamente y satíricamente.** When two or more adverbs ending in **-mente** are used in series, the suffix is commonly used only with the last adverb.

29–30. **y por ser uno mismo el protagonista de todos ellos,** *and because the protagonist of all of them is one and the same.*

Page 134. — 15. **Pero sí le es,** *But it is indeed.* **Sí** is frequently used for emphasis in contrasted clauses and sentences.

Page 135. — 25–26. **en esta gran Universidad que es el mundo,** *in the great university of the world.* — **mas sí sabemos,** *but we do certainly know.*

32. **ya bien entrado en años,** *already well advanced in years.* The adverb **ya** is often used to emphasize the idea expressed by the verb.

Page 136. — 6. **metido a escudero,** *serving as a squire.*

Page 139. — 16. **Por ello,** *On account of this fact.* Note the use of this prepositional pronoun referring to an idea previously expressed.

22–23. **Bartolomé de Torres Naharro.** The preposition **de** before a family name is no indication of nobility. Originally it was due to the fact that family names were taken in some cases from the names of towns.

Page 142. — 15. **escribe Rennert,** in *The Life of Lope de Vega,* Glasgow, 1904, p. 139.

18–19. **en lo caudalosa y variada,** *in wealth and variety.*

Page 144. — 25. **cuyas imitaciones,** by Molière, in *Le Festin de Pierre* (1665), Goldoni, in *Don Giovanni Tenorio ossia Il Dissoluto* (1736), Zamora, in *No hay deuda que no se pague ni plazo que no se cumpla* (1744), Byron, in *Don Juan* (1818), Grabbe, in *Don Juan and Faust* (1829), Mérimée, in *Les âmes du purgatoire* (1834), Dumas, in *Don Juan de Maraña* (1836), Espronceda, in *El estudiante de Salamanca* (1840), Zorrilla, in *Don Juan Tenorio* (1844), etc. The subject of Don Juan has been set to music by Purcell, Le Tellier, Righini, Tritto, Gardi, Gazzaniga, Mozart, etc., and it has been the subject of many paintings, the most famous of which is Delacroix's *La Barque de Don Juan* (1841), in the Museum of Louvre, Paris.

Page 149. — 18. **para que su arte se sometiera,** *for their art to yield.*

20–21. **acabaron por imprimirse . . . en,** *finally impress themselves . . . upon.*

Page 153. — 17. **Carlos H. Caffin,** in *The Story of Spanish Painting*, New York, 1910.

Page 157. — 3. **en lo físico y en lo moral,** *physically and morally.*

Page 160. — 2. **[se] nacionalizó.** In a series, the reflexive pronoun **se** is commonly used only with the first verb.

Page 164. — 3–7. **Regenteaba . . . el favorito Godoy,** *For a long time before the historic year of* 1808, *the actual ruler had been the [king's] favorite, Godoy.*

Page 165. — 3–4. **en mayor número del convenido,** *in greater numbers than was stipulated.*

19. **entran,** *come into play.*

Page 167. — 2. **por la ciudad,** *throughout the city.*

3–4. **eran un hervidero de gente del pueblo,** *were filled with seething masses of people of the lower classes.*

Page 168. — 1–2. **de combatir hasta vencer o morir,** *to fight until they should conquer or die.*

Page 171. — 14–15. **quedó sin eco,** *meet with no response.*
18–19. **más que de prisa,** *in great haste.*

Page 172. — 3. **afortunados,** *which were favorable.* This ellipsis of the relative and the verb before the adjective, in parenthetical clauses, is very frequent in Spanish.

Page 174. — 1. **por otra.** Supply **parte.** — **a los más,** *to the majority of persons.*

Page 175. — 10. **Dado el primer paso,** *Having taken the first step.*
31. **victoriosas,** *victoriously.* Note that Spanish often uses an adjective when English requires an adverb or adverbial phrase.
32. **podía darse por vencida,** *was apparently suppressed.*

Page 182. — 1. **por su cuenta,** *on their own account.*

Page 185. — 6. **el 1°. = el primero.** See note to page 66, line 10.
17–18. **en lo económico y en lo cultural,** *in economic and cultural matters.*

Page 187. — 17–18. **A mi ver,** *As I see it.*

Page 188. — 5. **o sea,** *that is to say.*
16. ***La conjuración de Venecia.*** This conspiracy is that of 1310, to overthrow Grandenigo, the Doge of Venice, and to proclaim the restoration of the old constitution; the plot failed.
27. ***Canto a Teresa.*** Teresa Mancha, a lady with whom Espronceda was in love and to whom he addressed some of his best verses.

Page 189. – 2. **andan todavía en boca de las gentes,** *are yet recited by the people.*

Page 191. — 13. **una mujer había de ser,** *so it was naturally a woman.*

Page 192. — 15. **Howells.** His criticisms on Spanish letters will be found in *My Literary Passions,* New York and London, 1891, pp. 180–220, *Familiar Spanish Travels,* New York and

London, 1913, pp. 201–265, *Harper's Monthly Magazine* (Editor's Easy Chair), November, 1915, etc. — **muerto,** *after the death of.* Before a past participle (**muerto** for **habiendo muerto**) the auxiliary verb is often omitted.

Page 197. — 2. **que tan de moda estaba,** *which was so much in fashion.*

18–19. **si cabe decirlo así,** *if it is possible to say so.*

21–22. **dos de mayo [de 1808].** This is the date of the unsuccessful revolt of the people against Napoleon's troops in Madrid, and the beginning of the Peninsular War.

24–25. **de lo mejor,** *among the best.*

33. **ni más ni menos,** *just as.*

Page 198. — 4. **indolente,** *indolently.* See note to page 175, line 31.

Page 200. — 5. **pintor a secas,** *just a painter.*

Page 205. — 2. **1898.** In this year Spain lost her last colonies in the New World, as a consequence of her war with the United States.

7. **la desamortización,** *confiscation by the Government of the property of the religious orders.*

17. **34.38 = treinta y cuatro con** (or **y**) **treinta y ocho centésimas.**

21. **0.70 = setenta centésimas.**

Page 206. — 7–8. **en lo que va del presente siglo,** *in that part of the present century which is past.*

17. **3.3 = tres y** (or **con**) **tres décimas.**

Page 210. — 2. **Williers-Wardell,** in *Spain of the Spanish,* New York, 1909, p. 191.

4. **el cónsul general,** i. e., Frederic Courtland Penfield, in *Spain's Commercial Awakening,* in 'The North American Review,' 1909, Vol. CXC.

VOCABULARIO

For Numerals see the *Tabla de numerales* at the end of the Vocabulary

A

a *prep.* to, at, in, on, upon, into, with, as, by, for, of, toward; *sign of personal accusative*
abajo *adv.* down; *see* **arriba**
abandonar(se) to abandon, leave, give up
abandono *m.* abandonment; **en el — de la intimidad** in its retirement
abarcar to embrace
Abderramán I (731–788) *calif of Cordova and founder of the independent Ommiad power in Spain* (756); **Abderramán III** (891–961) *calif of Cordova, under whose reign the Saracen power rose to its greatest height in Spain*
abdicación *f.* abdication
abdicar to abdicate
abierto, -a open
abismo *m.* abyss, gulf
abnegación *f.* abnegation
abolición *f.* abolition
abono *m.* fertilizer
aborrecer to hate
abril *m.* April
abrir(se) to open, dig; **—se paso** to make one's way
abrupto, -a abrupt, craggy
absolución *f.* absolution
absolutamente absolutely, entirely
absolutista autocratic; *m.* absolutist
absoluto, -a absolute, autocratic
absolver to exonerate
absorbente engrossing
abstenerse to refrain (from)
absuelto, -a *p.p. of* **absolver**
abundancia *f.* abundance
abuso *m.* abuse
acabado, -a perfect
acabar to finish, end; **—de** (to) just (*complete an action*); **— con** to destroy; **— por adueñarse de** to end by gaining control over
academia *f.* academy
académico, -a academic
acaecer to happen
acariciar to caress
acarrear to occasion
acaso *adv.* perhaps
acaudillar to lead
acción *f.* action, act, plot; **en — de** as a sign of
acecho: en — in ambush
aceite *m.* olive oil
aceitero, -a of olive oil
acendrado, -a pure
acentuado, -a marked, intense, evident

acentuar to stress
aceptar to accept
acerca de with regard to, concerning
acercarse to approach
acero *m.* steel
acierto *m.* skill
aclaración *f.* explanation
acoger to receive; **—se (a)** to take refuge (in)
acogida *f.* reception
acogido, –a *p.p. of* **acoger**
acometer to undertake
acomodado, –a well-to-do
acompañado, –a (de) followed (by)
acompañamiento *m.* accompaniment; **— de música** musical accompaniment
acompañar to accompany
aconsejar to advise
acontecer to happen
acontecimiento *m.* event
acrecentar(se) to increase
actitud *f.* attitude
actividad *f.* activity
activo, –a active
acto *m.* act, action
actor *m.* actor, player
actual present, at present
actualidad *f.* present time
actualmente at present
acuarela *f.* aquarelle (*a drawing in water color*)
acuartelado, –a garrisoned
acuchillar to stab
acudir to attend, come, flock
acuñar to coin, mint, issue
acueducto *m.* aqueduct
adaptación *f.* adaptation
adelantado, –a advanced
adelantarse to anticipate
adelante *adv.* forward; **más —** later on; **en —** in the future
además *adv.* besides, moreover; *prep.* **— de** besides
adepto *m.* follower
adiestrar to train
adjetivo *m.* adjective
administración *f.* administration
administrar to administer
administrativo, –a administrative
admirable admirable
admiración *f.* admiration
admirar to admire, cause wonder
adonde *adv.* where
adoptar to adopt
adorar to adore
adornar to ornament
adorno *m.* ornament
adquieren *pres. of* **adquirir**
adquirir to acquire, attain, buy
Adriano Hadrian (76–138, *a Roman emperor; his father Elio Adriano originated from Itálica, Spain, and his mother Domicia Paulina from Cádiz, Spain*)
adueñarse (de) to gain control (over)
adusto, –a austere
adversario *m.* foe
advertir to remark
afán *m.* eagerness, love
afecto *m.* affection, sentiment
afeminado, –a effeminate
afición *f.* fondness; **la — predilecta** the predilection
afirmar to assert, declare consolidate
afortunado, –a fortunate, successful
afrancesado, a like the French; *m.* French sympathizer, "Frenchy"
África *f.* Africa
africano, –a African

afrontar to face
agitación *f.* agitation, commotion
agitar to agitate, stir up
agobiado, –a oppressed, squeezed
agonía *f.* agony
agosto *m.* August
agotado, –a extenuated, weakened
agrario, –a agrarian, agricultural
agravar to aggravate; **—se** to grow worse
agravio *m.* offense
agregar to add
agresividad *f.* aggressiveness
agreste wild
agrícola agricultural
agricultura *f.* agriculture
agronómico, –a agronomic
agrupar(**se**) to group, form a group
agua *f.* water, wave; *see* **grabado**
agudeza *f.* acuteness, wit
agudo –a sharp, keen
aguijonear to incite, rouse
águila *f.* eagle
aguja *f.* needle
ahí *adv.* there
ahogar to smother, stifle, choke, drown
ahora *adv.* now
ahorro *m.* saving; *see* **banco, caja**
aire(s) *m.* (*pl.*) air; *see* **darse**
aislado, –a isolated
aislamiento *m.* isolation
ajeno, –a contrary (to)
al = **a** + **el**; **al** + *inf.* in, on, upon
Alá Allah (*the name of the Deity worshipped by the Mahommedans*)
alabanza *f.* praise
alabar to praise
alanos *m. pl.* the Alans (*a tribe which followed the fortunes of the Vandals in their invasion of southern Europe*)
Alarcón, Pedro Antonio de (1833–1891) *a Spanish novelist*
alarma *f.* alarm
alba *f.* dawn
Alba, duque de Duke of Alba (*the Duke referred to in the text was the father of the more famous Duke of Alba* (1507–1582) *who won the victory of Mühlberg* (1547), *was governor of the Netherlands* (1567–1573), *and conquered Portugal in* 1580)
albañil *m.* mason
albergarse to take shelter
albedrío *m.* free-will; **libre —** free-will
albergarse to take shelter
alborear to dawn; **al —** at the beginning of
albor(**es**) *m.* (*pl.*) dawn
alboroto *m.* uproar.
alcahueta *f.* go-between
Alcalá (**de Henares**) *f. a town in the province of Madrid, central Spain*
alcalde *m.* city magistrate, mayor (*possessing in former times judicial functions*)
Alcántara *f. a town in the province of Cáceres, not far from Toledo, central Spain*
alcanzar to reach, attain, obtain
alcazaba *f.* fortress
alcázar *m.* alcazar, castle
aldabón *m.* knocker
aldea *f.* village
aldeano, –a of the village
alegórico, –a allegorical
alegría *f.* joy; **— de vivir,** joy of living
alejarse to go away, depart

alemán, alemana German
Alemania *f.* Germany
alentar to breathe, exist, encourage
alfabético, -a alphabetical
alfarería *f.* pottery
Alfonso I (*d.* 757) Alphonso, *king of Asturias and León;* **Alfonso VI** (1065–1109), *king of Asturias, Gali ia, León, and after* 1072 *king of Castile;* **Alfonso XII** (1874–1885), and **Alfonso XIII** (1886–), *kings of Spain*
Algeciras *f. a town in southern Spain*
algo something, somewhat, a little
algodón *m.* cotton
alguien *pron.* somebody, some one
algún, alguno, -a *adj. & pron.* some, some one, any; *pl.* a few
alhaja *f.* jewel
Alhambra *f. the palace of the Moorish kings in Granada*
aliado, -a *m. & f.* ally
alianza *f.* alliance
aliarse to ally
aliento *m.* breath, power
alimentar(se) to feed, nourish; **— el odio,** to nourish hatred
alistarse to enlist
allá *adv.* there, over there; **más — (de)** beyond
allí *adv.* there, over there
alma *f.* soul, spirit, mind
Almadén *m. a town in southern Spain*
almirante *m.* admiral
alojarse to lodge oneself
Alonso Alonzo *or* Alphonso
Alpes *m. pl.* Alps (*a mountain system in southern central Europe*)
alrededor *adv.* around; **— de** about, around
alrededores *m. pl.* environs
Altamira *the site of the famous prehistoric caves, in the province of Santander*
Altar *m.* altar, sacrificial stone
alternativa *f.* alternative
alternativamente alternatively
altísimo, -a very high
a titud *f.* altitude, height
altivez *f.* arrogance
altivo, -a haughty
alto, -a tall, high, lofty, upper
altorrelieve *m.* high relief
altura *f.* height, rank, level
alusión *f.* reference
aluvión *m.* alluvium, washout
Álvarez Quintero, Serafín (1871–)*and his brother* **Joaquín** (1873–), *Spanish dramatists who collaborate in writing plays*
alzamiento *m.* uprising
alzar to raise; **—se** to rise
amable pleasing, sweet
Amadeo Amadeus
Amadís de Gaula Amadis of Gaul (*the hero of a cycle of romances of chivalry*)
amado, -a beloved
amanerado, -a affected, overrefined
amante fond; *m. & f.* lover
amar to love
amargo, -a bitter
amargura *f.* bitterness
amarillo, -a yellow
amatorio, -a amatory
ambición *f.* ambition
ambicioso, -a ambitious
ambiente *m.* atmosphere, surroundings, environment

ambos, -as both
ambulante strolling
amén de besides
amenaza *f.* menace, threat
amenazar to threaten
ameno, -a pleasing; polite (*referring to literature*)
América *f.* America (*North and South*)
americano, -a American
amigo, -a fond; *m. & f.* friend
Amílcar Barca Hamilcar Barcas (*d.* 229 B.C., *a Carthaginian general*)
amistad *f.* friendship
amistosamente in friendly fashion
amo *m.* master
amor *m.* love, love affair
ampliar to develop
amplio, -a wide, large
amplitud *f.* broadness, breadth, fullness
anales *m. pl.* annals
análisis *m.* analysis
anarquía *f.* anarchy
anárquico, -a anarchic
anatómico *m.* anatomist
ancho, -a broad, wide
anciano, -a ancient, old
ancla *f.* anchor
anclado, -a at anchor
Andalucía *f.* Andalusia (*a region of southern Spain*)
andaluz, -a Andalusian, of Andalusia
andante errant; *see* **caballero**
andar to walk, be; **andando el tiempo** in the course of time
Andes *m. pl.* Andes mountains
Andino, Cristóbal de *a Spanish sculptor and metal worker who lived in the sixteenth century*
Andrés Andrew
Anglada, Hermenegildo (1872–) *a Spanish painter*
angular angular; *see* **piedra**
angustia *f.* anguish
angustiar to cause anguish
anhelo *m.* eagerness
Aníbal Hannibal (247–183 B.C., *a Carthaginian general*)
anillo *m.* ring
animación *f.* animation, liveliness, excitement
animal *m.* animal
ánimo *m.* mind, spirit, courage
animoso, -a resolute
anónimo, -a anonymous
anotar to note, record
ansia(s) *f.* (*pl.*) longing; — **del inmortal seguro** longing for eternal life
ansiedad *f.* anxiety.
ante *prep.* before, in front of, in the presence of
anterior previous, former
antes *prep.* before, formerly; — **de que** before; *adv.*, before; *conj.*, — **que** rather, before
antevíspera *f.* two days before; **en la** — a short time before
antidinástico, -a antidynastic
antigüedad *f.* antiquity, ancient times; *see note to page* 9, *line* 31
antiguo, -a ancient, old, former
Antillas *f. pl.* Antilles, West Indies; — **menores** Lesser Antilles
antiquísimo, -a very ancient
antítesis *f.* antithesis
Antonio Anthony
antorcha *f.* torch
anual yearly
anualmente yearly
anunciar to announce
añadir to add
año *m.* year; **al** — a year; **todo**

el — the whole year; **al — siguiente** in the following year; **largos —s** many years; **—s atrás** years before; **al otro —** the next year; **entrado en —s** advanced in years
apagar to suppress; **—se** to die away
aparato *m.* instrument, machine
aparecer to appear, be; **al —** on the appearance of
aparición *f.* appearance, beginning
apariencia *f.* appearance
aparte *adv.* apart, aside, besides
apellidar to call, name
apenar to grieve
apenas *adv.* scarcely, hardly; **— si** scarcely, hardly
apéndice *m.* appendix
aplauso *m.* applause, approbation
aplazar to postpone
aplicar to apply
apocado, –a disheartened
Apocalipsis *m.* Apocalypse (*also called "The Revelation of St. John the Divine," the last book of the New Testament*)
apoderarse to gain *or* take possession, seize
apogeo *m.* culmination, climax
aportar to bring, make
apóstol *m.* apostle
apoteosis *f.* apotheosis
apreciarse to be appreciated
aprecio *m.* appreciation; *see* **hacer**
aprender to learn
apresurarse (**a**) to hasten
apretado, –a dense, thick, pressed
aprieto *m.* stringency
aprisionado, –a shut in
apropiado, –a appropriate, fit
aprovechar(**se**) to benefit, take advantage of, make use of
aproximadamente *adv.* approximately, about
apuntar to note, state
apunte *m.* note
aquel, –la *dem. adj.* that; *pl.* those
aquél, –la *dem. pron.* that one, the former
aquí *adv.* here, now; **he —** behold, here is *or* are
árabe Arabic, Saracenic; *m.* Arab
arabesco *m.* arabesque
Aragón *m. a region of northeastern Spain and a Kingdom in former times*
aragonés, aragonesa Aragonese, of Aragón
Aranjuez *m. a Spanish town on the banks of the Tagus, about 30 miles south of Madrid*
araucano, –a Araucanian; *m.* Araucanian (*a native Indian of southern Chile*)
árbol *m.* tree
arboleda *f.* grove
Arcadia *f. a region of Greece where pastoral people were reputed to live a simple, quiet, and contented life*
archiduque *m.* archduke
archivo *m.* archives
arcipreste *m.* archpriest; *see* **Hita**
arder to burn: **— en fibre** to burn with fever
ardiente burning, fiery, impassioned, intense
ardor *m.* ardor
arena *f.* sand; *see* **banco**
Arfe, Juan de (1535–1602) *a Spanish silversmith*

argentífero, –a argentiferous, silver-bearing
Argentina *f.* Republic of Argentina (*in the southern extremity of South America*)
argentino, –a Argentine
argonauta *m.* Argonaut (*in the novel of "Los Argonautas" the emigrant to America is thus called*)
argumento *m.* argument, plot
aristocracia *f.* aristocracy
aristócrata *m.* aristocrat
aristocrático, –a aristocratic
arma *f.* arm; **¡a las —s!** to arms!
armada *f.* fleet; **Armada invencible** Spanish, *or* Invincible Armada (*sent by Philip II against England, in* 1588)
armadura *f.* armor
armamento *m.* armament.
armar to arm; **armado de todas armas** armed from head to foot
armario *m.* cabinet, book-case
armería *f.* armory
armónico, –a harmonious
armonioso, –a harmonious
armonizar to harmonize, reconcile
arquitecto *m.* architect
arquitectura *f.* architecture
arraigar to take root, become firmly established
arrancar to start, arouse
arrasar to raze
arrastrar to draw, drag
arrebatar to carry away
arreglo *m.* settlement
arriar to lower; **— la bandera** to strike the colors
arriba *adv.* above, up; **más —** above; **de — abajo** from the top to the bottom; *see* **peña**
arribar to arrive (*at a harbor*)
Arrieta, Juan Emilio (1823–1894) *a Spanish composer*
arroba *f.* arroba (*weight of twenty-five pounds*)
arrocero, –a of rice
arrogante arrogant, gallant
arrojado, –a *p.p. of* **arrojar,** brave
arrojar to throw, hurl, expel; **—se** to throw oneself, jump, rush
arruinar to ruin
arte *m. & f.* art, skill; **bellas —s** fine arts
artificial artificial
artificio *m.* artificiality, fancy
artificioso, –a artificial
artillería *f.* artillery
artista artistic; *m.* artist
artístico, –a artistic
Artois *m. a province in northern France*
asalto *m.* assault
asamblea assembly, meeting
ascendente ascending
ascender to ascend, rise
ascético, –a ascetic; *see note to page* 114, *line* 26
asegurar to assure, secure
asemejarse to resemble
asentar to establish, affirm
asesinar to murder, assassinate
así *adv.* thus, in this manner; **— como** while, as well as; **— como . . .** as . . . so; **— es que** so that
Asia *f.* Asia
asilo *m.* asylum
asimismo *adv.* likewise, also
asistir to assist, help
asociación *f.* association
asociar to associate, identify, combine
asomar (por) to emerge, appear (from)

asombrado, –a astonished
asombro *m.* amazement
asombroso, –a amazing
asonancia *f.* assonance
aspecto *m.* aspect, respect
aspiración *f.* aspiration
aspirar to aspire
astillero *m.* navy yard
astro *m.* heavenly body
astronómico, –a astronomic
astur *m.* Asturian, of the Asturias
Asturias *f. pl. an ancient kingdom, now the province of Oviedo, northern Spain*
asunto *m.* subject, matter, theme; **— del día** current event
atacar to attack
ataque *m.* attack
atención *f.* attention
atender to attend
atenerse to submit, acquiesce, attend, confine oneself
ateniense *m.* Athenian, of Athens
atento, –a mindful
aterrado, –a frightened
aterrar to terrify
atildado, –a polished
Atlántico *m.* Atlantic (*ocean*)
atmósfera *f.* atmosphere
atmosférico, –a atmospheric
atormentado, –a tormented
atracción *f.* attraction
atraer to attract, charm, bring, decoy
atrajo *pret. of* **atraer**
atrás *adv.* behind, back; *see* **año, hacia**
atravesar to cross
atrayendo *pres. p. of* **atraer**
atreverse to dare
atribuír to attribute, ascribe
atribuyó *pret. of* **atribuír**
atrincherado, –a intrenched
audacia *f.* audacity, boldness
audaz bold
audazmente boldly
Augusto Augustus (63 B.C.–A.D. 14, *the first Roman emperor*)
aumentar to increase
aumento *m.* increase
aun (*before a verb*) **aún** (*after the verb*) *adv.* even, yet
aunque *conj.* although
áureo, –a golden
aurora *f.* dawn
ausencia *f.* absence
austero, –a austere, stern
Austria *f.* Austria
Austria, D. Juan de (1547–1578) *a Spanish general, son of the emperor Charles V; he gained several victories over the Moriscos in Granada* (1569–70), *over the Turks at Lepanto* (1571), *captured Tunis* (1573), *and was governor of the Netherlands from* 1576 *until his death*
auténtico, –a authentic
auto (sacramental) *m.* mystery play (*a dramatic composition based on Scriptural subject*)
autobiográfico, –a autobiographical
autógrafo *m.* autograph, signature
autonomía *f.* autonomy
autónomo, –a autonomous
autor *m.* author
autoridad *f.* authority
autorizado, –a competent, trustworthy, reliable
autorretrato *m.* self-portrait
auxiliar to help; *m.* auxiliary
auxilio *m.* aid
avance *m.* advance, rise
avanzado, –a advanced

avanzar to advance
avaro, –a avaricious
ave *f.* fowl, bird
avena *f.* oats
aventajar to excel, surpass
aventura *f.* adventure
aventurero, –a adventurous; *m.* adventurer
avería *f.* injury, damage
averiguar to ascertain
aviso *m.* call, warning; — **celeste** sign from heaven
avivar(se) to revive, increase
¡ ay ! alas !
Ayacucho *m. a city of some* 21,000 *inhabitants in central Peru*
ayuda *f.* help, aid
ayudar to help, aid
azogue *m.* quicksilver
azotea *f.* (*flat*) roof (*of a house*)
azteca Aztec (*pertaining to one of the aboriginal peoples of Mexico*)
azúcar *f.* sugar
azul blue, azure

B

Badajoz *capital of a province of the same name in southern Spain*
bahía *f.* bay
bailarina *f.* dancer
baile *m.* dance, dancing
Bailén *m. a town in the province of Jaén, southern Spain*
bajar to descend, decrease
bajel *m.* vessel, ship
bajo, –a low, lowly, lower, small; *prep.* under, beneath; *see* **pueblo, tierra**
Balbo, Cornelio Lucius Cornelius Balbus, " The Elder " (*about* 100 B.C–*about* 30 B.C., *a Roman statesman and writer born at Cadiz, southern Spain*)
Balboa, Vasco Nuñez de (1475–1517) *Spanish explorer and discoverer of the Pacific Ocean* (1513)
balcón *m.* balcony, window
baldío, –a untilled
Baltasar Balthasar
baluarte *m.* stronghold
bancario, –a banking
banco *m.* bank; — **de ahorros** saving bank; — **de arena** sand bank
banda *f.* band, body
bandera *f.* banner, flag
bando *m.* faction, party
bañar to wash; —**se** to bathe
baño *m.* bathhouse
barbarie *f.* barbarism
bárbaro, –a barbarous, uncivilized; *m.* barbarian
barberillo *m. dim.* young barber
Barbieri, Francisco Asenjo (1823–1894) *a Spanish composer*
Barcelona *f. the most important seaport of Spain, on the Mediterranean*
barco *m.* ship, vessel; — **de pesca** fishing boat
Baroja, Pío (1872–) *a Spanish novelist*
barrera *f.* barrier
barroco, –a rococo
Bartolomé Bartholomew
basado, –a based
basar to base; —**se** to be based
base *f.* base, foundation
bastante *adv.* considerably
bastar to suffice, be enough
bastardo, –a bastard
bastidor *m.* wing (*side piece of scenery in a theater*)

batalla *f.* battle
batallador, -a warlike, fighting
batallar to battle, fight, give battle
batallón *m.* battalion, array
bávaro *m.* Bavarian
Baviera *f.* Bavaria (*a state in southern Germany*)
Bayeu, Francisco (1734–1795) *a Spanish painter*
Bayona *f.* Bayonne (*a city in southwestern France*)
Bécquer, Gustavo Adolfo (1836–1870) *a Spanish poet and prose writer*
belicoso, -a bellicose, warlike
belleza *f.* beauty
bello, -a beautiful; *see* **arte**
Bellows, George (1882–) *an American landscape, genre and portrait painter*
Benavente, Jacinto (1866–) *a Spanish dramatist and critic*
beneficio *m.* benefit, profit
benéfico, -a beneficent, philanthropic
benignidad *f.* kindliness
benigno -a mild, lenient
Benlliure, Mariano (1866–) *a Spanish sculptor*
berberisco, -a Berber
bíblico, -a biblical
bibliografía *f.* bibliography
bibliográfico, -a bibliographical
biblioteca *f.* library; **Biblioteca Nacional** National Library (*the most important of Spain, in Madrid*)
bien *m.* good; *pl.* property; **—es raíces** real estate; *adv.* well, very; **más —** rather; **si —** although; **— . . . o —** either . . . or (else)
bienestar *m.* welfare, prosperity
bienhechor, -a beneficent
Bílbilis *the ancient name of Calatayud, a town in the province of Saragossa, in northeastern Spain*
bilioso, -a bilious
biógrafo *m.* biographer
bisonte *m.* bison, buffalo
blanco, -a white
blandamente *adv.* gently
blanqueado, -a (**por**) turned white (by *or* with)
Blasco Ibáñez, Vicente (1867–) *a Spanish novelist*
Blay, Miguel (1866–) *a Spanish sculptor*
bloquear to blockade
bloqueo *m.* blockade
Boabdil *the last Moorish king of Granada, where he reigned from* 1482 *to* 1492
boca *f.* mouth; *see* **correr**
boga *f.* vogue
Bolívar, Simón (1783–1830) *the liberator of South America*
bomba *f.* pump
Bonet, Juan Pablo (1560–1620?) *a Spanish author*
Borbón Bourbon (*the name of a royal family of France and Spain*)
borbónico, -a Bourbonic
bosque *m.* forest
botánica *f.* botany
botín *m.* booty
bramar (**de**) to roar (with)
bravamente *adv.* bravely
bravura *f.* bravery
brazo *m.* arm, strip
brecha *f.* breach (*in a wall*)
Breda *a town in Holland which was taken by the Spanish forces under Spínola in* 1625 *after a long and celebrated siege*

Brentano, Clemens (1778–1842) *a German author*
Bretón, Tomás (1850–) *a Spanish composer*
Bretón de los Herreros, Manuel (1796–1873) *a Spanish dramatist*
breve brief, short
brevísimo, –a very brief
brillante brilliant
brillantez *f.* brilliancy
brillar to shine, be distinguished
brío *m.* spirit, determination, strength, power
brioso, –a vigorous
brisa *f.* breeze
británico, –a British
bronce *m.* bronze
brotar to spring, appear, begin
bruja *f.* witch
brusco, –a brusque
brusquedad *f.* brusqueness
bucear to search
Buena Esperanza: cabo de — *m.* Cape of Good Hope (*the southernmost point of the African continent, discovered by the Portuguese navigator Bartolomé Díaz in* 1486)
buen(o), –a good, fine
Buenos Aires *m. the capital of Argentina*
buque *m.* ship
Burgos *m. a city in northern Spain*
Burke, Ulick Ralph *a contemporary English author; see notes to pages* 33 *and* 54, *lines* 7 *and* 8
burlarse (de) to jest, laugh (at)
burlesco, –a burlesque
busca *f.* search
buscar to search, seek
buscón *m.* trickster, sharper; *see* **vida**
busto *m.* bust
byroniano, –a Byronic

C

cabal complete, perfect
caballeresco, –a chivalrous; *see* **novela**
caballería *f.* cavalry, chivalry; *see* **libro**
caballero *m.* gentleman, knight, nobleman; — **andante** knight-errant
caballerosidad *f.* knightliness
caballeroso, –a chivalrous
caballo *m.* horse; —**s de fuerza** horse power
cabellera *f.* (long) hair
cabello(s) *m.* (*pl.*) hair
caber to contain, hold, belong, be possible; **si cabe (decirlo así)** if it is possible (to say so)
cabeza *f.* head
cabildo *m.* town council
cabo *m.* end, cape; **al** — finally, after all
Cáceres *m. a city in western Spain*
cacería *f.* hunting party
cada *adj.* each, every; — **uno, –a** each one
cadalso *m.* scaffold (*for executing a criminal*)
cadáver *m.* corpse
cadena *f.* chain; — **montañosa** mountain chain
Cádiz *m. a city and province in southwestern Spain; see* **Cortes, Gades**
caducar to lapse, fall
caer to fall; — **en poder de** to fall in the hands of; — **de hinojos** to kneel down
caída *f.* fall, downfall

caja *f.* case; — **de ahorros** saving bank

Calahorra *f. a town in the province of Logroño, northern Spain*

Calasanz, San José de (1556–1648) *a Spaniard, founder of free schools for poor children*

Calatayud *f. a town in the province of Saragossa, northeastern Spain*

calcinado, -a calcined, burnt

calcular to calculate, estimate

cálculo *m.* calculation

Calderón de la Barca, Pedro (1600–1681) *a Spanish dramatic poet*

calidad *f.* quality, rank; **en (su)** — **de** with the character of; as a

cálido, -a warm

calidoscopio *m.* kaleidoscope

califa *m.* calif (*ruler of a caliphate*)

califato *m* caliphate (*temporal and spiritual power among the Mohammedans*)

calificar to call; —**se** to be called

Calixto Calixtus

calle *f.* street

calmarse to become calm

calor *m.* heat, warmth, enthusiasm; **al** — **de** inspired by, under the influence of; **con** — hotly

calvario *m.* calvary, torment, agony

calzada *f.* quay, promenade

calzado *m.* shoes

camarilla *f.* coterie (*of courtiers*); *see* **lucha**

cambiar to change

cambio *m.* change, exchange; **en** — on the other hand

caminar to walk, go, march

camino *m.* road, way

campamento *m.* camp

campanudo, -a pompous

Campazas *prop. n.*

campeador *m. mighty in battle; see* **Cid**

campear to prevail

campeón *m.* champion

campo *m.* field, land, country; — **de batalla** battle field

Campoamor, Ramón de (1819–1901) *a Spanish poet and prose writer*

canal *m.* canal; — **de Inglaterra** English Channel; — **de riego** irrigation canal

Canarias: Islas — *f. pl.*, Canary Islands

canción *f.* song

candor *m.* ingenuousness

Cangas de Onís *f. pl. a town in the province of Oviedo, northern Spain*

Cano, Alonso (1601–1667) *a Spanish painter, sculptor and architect*

Cano, Melchor (1509–1560) *a Spanish theologian*

canoa *f.* canoe

cantar to sing; *m.* song, singing

cántico *m.* song

cantidad *f.* amount

canto *m.* song, canto; singing

caña *f.* cane; — **de azúcar** sugar cane

cañón *m.* cannon

capacidad *f.* capacity, power

capaz able, capable

Capdella *f. a small town in the province of Lérida, northeastern Spain*

capilla *f.* chapel

capital capital, chief, vital; *m.*

capital (*fortune*); *f.* capital (*city*)
capitán *m.* captain, leader
capitana *f.* flagship
capitel *m.* capital (*of a column*)
capitulación *f.* surrender
capítulo *m.* chapter
capricho *m.* caprice
caprichoso, -a capricious
carabela *f.* caravel
Caracas *f. the capital of Venezuela*
carácter *m.* character; **con — propio** with its own genuine character
característico, -a characteristic; *f.* characteristic
caracterizar to characterize
carbón *m.* coal
carbonífero, -a of coal
cárcel *f.* prison
carcelario, -a of prison; *see* **reforma**
carecer to lack, be lacking
carencia *f.* lack
carga *f.* charge, burden; *see* **dar**
cargar to charge; **—se** to become charged
cargo *m.* charge, office; **a — de** in charge of
caricatura *f.* caricature
carlista (*from the pretender D. Carlos*) *m.* follower of D. Carlos; *see* **guerra**
Carlos II (1661–1700), **Carlos III** (1716–1788), *and* **Carlos IV** (1748–1819), *kings of Spain;* **Carlos V** (*of Germany and* **I** *of Spain,* 1500–1558), *king of Spain and Holy Roman emperor*
carne *f.* flesh; **— viva** living flesh
carnicería *f.* butchery
caro, -a expensive, valuable
carpintero *m.* carpenter
carrera *f.* career
carta *f.* letter
Cartagena *f. a city in southeastern Spain*
cartaginés, cartaginesa Carthaginian; *m.* Carthaginian
Cartago *m.* Carthage (*an ancient city on the Gulf of Tunis, north coast of Africa, founded about* 822 B.C. *by the Phœnicians, and finally completely destroyed by the Arabs in* A.D. 698)
casa *f.* house; **— de correos** post office (*building*)
casar to marry; **—se** to get married
casco *m.* helmet
caserío *m.* small village
casi *adv.* almost
caso *m.* case
casta *f.* caste, race
castaño, -a brown
Castelar, Emilio (1832–1899) *a Spanish statesman, orator, and author*
castellano, -a Castilian, Spanish; *m.* Castilian, Spaniard, Spanish language
castigo *m.* punishment
Castilla *f.* Castile (*the central region of the Iberian Peninsula, divided into* **Castilla la Vieja,** *Old Castile, the northern section, and* **Castilla la Nueva,** *New Castile, the southern section*)
castillo *m.* castle
castizo, -a genuine, genuinely Spanish
Cástulo *f. a famous city of Spain at the time of the Romans; it was located in the present district of Linares, southern Spain*
catalán *m.* Catalan (*the language*

of **Cataluña,** *a region in north-eastern Spain)*
cátedra *f.* chair (*professorship*); lecture room
catedral *f.* cathedral
categoría *f.* rank, importance
catolicismo *m.* catholicism
católico, -a Catholic
Catón Cato " The Elder " (234–149 B.C., *a Roman patriot and statesman*)
caudal *m.* wealth; — **léxico,** wealth of vocabulary
caudaloso, -a copious, wealth; *see note to page* 142, *line* 18
caudillo *m.* leader, chief
causa *f* cause
causar to cause
cautivo, -a (de) captive, subject (to), *m.* captive
caverna *f.* cavern
cayeron, cayó *pret. of* **caer**
cebada *f.* barley
cédula *f.* document; **real** — royal decree
ceja *f.* eyebrow
celebradísimo, -a very celebrated
celebrado, -a renowned
celebrar to celebrate, praise, hold, make
célebre celebrated, famous
celeste heavenly, divine; *see* **aviso**
Celestina *prop. n.*
celo *m.* zeal
celta *m.* Celt (*of an ancient race of central and western Europe*)
celtíbero, -a Celtiberian; *m.*, Celtiberian
ceniza(s) *f.* (*pl.*) ashes
centelleante flashing, sparkling
centenar *m.* hundred, group of a hundred
centeno *m.* rye
centigramo *m.* centigram
central central, chief
centralización *f.* centralization
centro *m.* center, establishment; — **docente** (*or* **de enseñanza**) school
Centro-América *f.* Central America
centuria *f.* century
cerámica *f.* ceramics, tile
cerca *adv.* near; **de** — near, closely; *prep.* — **de** about, nearly
cercano, -a near
Cerdeña *f.* Sardinia (*an island in the Mediterranean*)
cereal *m.* cereal, grain
ceremonia *f.* ceremony
cerrar to close, end; — **el paso** to oppose
certerísimo -a very acute
certeza *f.* certainty
Cervantes, Miguel de (1547–1616) *the immortal author of " Don Quijote "*
cesar to cease; **sin** — ceaselessly
César, Julio Caius Julius Cæsar (100–44 B.C., *a Roman general, statesman and writer*)
césped *m.* grass
cetrino, -a tawny
cetro *m.* sceptre, sovereignty
ch: *see after* **cuyo**
ciclo *m.* cycle
ciclón *m.* cyclone
ciclópeo, -a Cyclopean, huge
Cid (Campeador): El The Cid (*Rodrigo Díaz de Vivar*, 1040?–1099, *the national hero of Spain*)
cielo *m.* sky, heaven
cien = **ciento**
ciencia *f.* science

científico, –a scientific, scholarly; *m.* scientist
ciento one hundred; **por** — per cent
cierra *pres. of* **cerrar**; *see* **Santiago**
cierto, –a (a) certain, true, some; **cierto que** certainly; *see* **día**
cifra *f.* figure, sum
cima *f.* top; **por — de** over
cimentar to found
cimiento *m.* foundation
cinc *m.* zinc
cínico, – a cynical
circulación *f.* circulation
circular to circulate, flow; — **órdenes** to send instructions
circunferencia *f.* circumference
circunstancia *f.* circumstance
citado, –a (above)mentioned
citar to mention, quote; **por** — to mention
ciudad *f.* city
ciudadanía *f.* citizenship
ciudadano *m.* citizen
civil civil
civilización *f.* civilization
civilizado, –a civilized
civilizador, –a civilizing
civilizar to civilize
clamar to claim, call for
clamor *m.* clamor
claro, –a clear, light, plain, evident
clase *f.* class, kind, sort
clasicismo *m.* classicism
clásico, –a classic, classical; *m.* classic; **lo clásico** classical art
clásicoplateresco, –a classic-plateresque; *see* **plateresco**
clasificar to classify
clavar to nail, fix
Clavijo *prop. n.*
clemencia *f.* mercy
clemente merciful
clerical clerical
clero *m.* clergy
clima *m.* climate
cobrado, –a collected
cobranza *f.* collection
cobre *m.* copper; *see* **grabado**
coche *m.* carriage; — **de viaje** traveling coach
códice *m.* codex, old manuscript
codicia *f.* greed
coger to take; *see* **tornar**
coincidir to coincide
cojuelo, –a limping
colaborar to collaborate
colateral collateral
colección *f.* collection
coleccionista *m.* collector
colectivo, –a collective
colega *m.* colleague
colegio *m.* college
collar *m.* necklace
colocar to place, rank
Colombia *f.* Republic of Colombia
Colombina: Biblioteca — *f. a library in Seville founded by Fernando Colón, son of the discoverer of America, which is very rich in documents concerning the discovery and colonization of the New World*
Colón Columbus (1436? [*or* 1446?]–1506, *the immortal discoverer of America*)
colonia *f.* colony
colonial colonial, of the colonies
colonización *f.* colonization
colonizador *m.* colonizer
colonizar to colonize
color *m.* color, coloring
colorido *m.* coloring, color
colosal huge
Columela Columella (3 B.C.?–A.D. 54?, *a Latin author born at Cadiz, southern Spain*)

columna *f.* column; **—s de Hércules** *see* **pilar**
comandante *m.* commander
comarca *f.* district, region
combate *m.* combat, battle; **— personal** duel
combatiente *m.* combatant, fighter
combatir to combat, fight, oppose
combinación *f.* combination
combinar(se) to combine
comedia *f.* comedy, play
comediante *m.* actor, player
comentar to make comments (on), discuss
comenzar to begin
comercial commercial, business
comerciante *m.* merchant, trader, business man
comercio *m.* commerce, trade
cómico, –a comic; *m.* player
comienza *pres. of* **comenzar**
comienzo(s) *m.* (*pl.*) start, beginning
comisión *f.* committee
como *adv.* as (a), like, since, how
compadecer to pity
compañero *m.* comrade
compañía *f.* company, troop; **— de Jesús** *a religious order founded by St. Ignacio de Loyola in* 1534
comparable comparable
comparar to compare; **—se** to be compared
compartir to share
compensar to compensate, match
competir to rival
complejo, –a complex
completar to complete
completo, –a complete
componer to compose, write, consist of
composición *f.* composition
compositor *m.* composer
comprar to buy
comprender to understand, realize
comprobar to prove, confirm
comprometerse to bind *or* obligate oneself
compuesto, –a *p.p. of* **componer**
computar to compute, estimate
común common; **por lo —** generally
comunal communal
comunicación *f.* communication, connection, contact
comunicar to communicate
comunión *f.* communion, harmony; **sagrada —** Holy Communion
comúnmente generally
con *prep.* with, by, under
concebir to conceive, produce
conceder to grant, give
concentrado, –a intense
concentrar(se) to concentrate
concepción *f.* conception
Concepción: la — the Conception, *i.e.* Virgin Mary
conceptismo *m. an affected literary style with overwrought figures and extravagant "conceits"*
conceptista whimsical; *see* **conceptismo**
concepto *m.* concept, conceit, idea, conception; respect
concerner to concern, affect
concerniente concerning; **— a** with respect to
concertado, –a *p.p. of* **concertar;** *see* **palabra**

concertar to arrange, dispose, combine
concibieron *pret. of* **concebir**
concienzudo, -a conscientious
concierto *m.* concert, combination
conciliar to conciliate, accord
concilio *m.* council; *see* **Trento**
concisión *f.* conciseness
concluír to end
conclusión *f.* conclusion, end
concurso *m.* contest
condado *m.* county (*domain or territory of a count*)
conde *m.* count
condenación *f.* condemnation, punishment
condenado *m.* damned, condemned
condenar to condemn
condesa *f.* countess
condición *f.* condition, rank, state
conducir to lead, carry
confederación *f.* confederation
confederarse to join in a league
confesar(se) to confess, make a confession
confesor *m.* confessor
confiado, -a trusting
confiesa *pres. of* **confesar**
confín *m.* boundary
confinar to border
confiscación *f.* confiscation
conforme *adv.* as, according to, after
confusión *f.* confusion
congregarse to assemble
Congreso *m.* Congress, House of Representatives; *see* **Verona**
congruismo *m.* congruism (*a religious doctrine*)
conjunto *m.* ensemble, whole; **en** — as a whole; *see* **cuadro**
conjuración *f.* conspiracy
conjurar to conspire, avert
conmemorar to commemorate
connivencia *f.* connivance, collusion
conocer to know; **—se** to be known
conocido, -a known; *see* **gente**
conocimiento *m.* knowledge
conquista *f.* conquest
conquistador, -a conquering; *m.* conqueror
conquistar to conquer
consagrar to consecrate
consciente conscious, aware
consecuencia *f.* consequence; **a — de** in consequence of
conseguir to attain, obtain, succeed in
consejero *m.* adviser, councilor
consejo *m.* council, advice
consentir to consent, permit
conservador, -a conservative
conservar to preserve, keep, retain
considerable considerable
consideración *f.* consideration, appreciation
considerar to consider
consignar to state
consigo with itself *or* himself *or* themselves
consiguiente consequent; **por** — therefore
consiguió *pret. of* **conseguir**
consistir to consist
consocio *m.* partner (*in business*)
consolidar to consolidate
consorcio *m.* accord
constante constant, sustained
constantemente constantly
constar to be positively sure; be composed
consternación *f.* dismay

constitución *f.* constitution
constitucional constitutional
constituír to constitute, form, be
constituye(n) *pres. of* **constituír**
constituyente constituent
construcción *f.* construction, building; **construcciones navales** shipbuilding
construír to build, execute, make
cónsul *m.* consul (*a chief magistrate in ancient Rome*)
consultar to consult
consumado, –a complete, perfect, masterly
consumar to consummate, complete
consumo *m.* consumption
contacto *m.* contact, communication; **al — de** on coming in contact with
contagiado, –a contaminated
contaminarse to become contaminated
contar to count, number, relate, tell, be, take into account; **— con** to count on, have; **a — desde** beginning with
contemplar to behold, look at, see
contemporáneo, –a contemporary; *m.* contemporary
contener to contain, embody; check
contestar to answer
contienda *f.* contest, dispute
continente *m.* continent; bearing, aspect
continuación *f.* continuation
continuador *m.* follower
continuar to continue, follow, proceed
continuo, –a continual
contorno *m.* environs, vicinity
contra *prep.* against
contrabando *m.* smuggling
contraer to contract; **— (cuarto) matrimonio** to marry (for the fourth time)
contraído, –a shrunken
contralmirante *m.* rear-admiral
contrario, –a reverse, opposite; **por el —** on the contrary
contrarrestar to check
contraste *m.* contrast
contribución *f.* contribution, tax
contribuír to contribute
contuvo *pret. of* **contener**
convencido, –a convinced
convenir to agree, be well *or* fitting
convento *m.* convent
convertir to convert, transform; **—se (en)** to become, change (into)
convivencia *f.* act of living together, association
convivir to live *or* develop together
convocar to summon
cooperativa *f.* coöperative store
copia *f.* copy, number
copiar to copy
copioso, –a copious, abundant, rich
coraje *m.* anger, bravery
Corán *m.* Koran (*Mahommedan bible*)
corazón *m.* heart; *see* **dureza, hombre**
corcho *m.* cork
cordillera *f.* range of mountains
Córdoba *f.* Cordova (*a city in Andalusia, southern Spain*)
cordobés, cordobesa Cordovan, of Cordova
Cornelio Cornelius
corona *f.* crown
coronar to crown

corporal corporal
corregir to correct
correo *m.* post, mail; *see* **casa, sello, servicio**
correr to run, spread; — **de boca en boca** to be common talk; —**se** to spread (out)
correspondencia *f.* responsiveness
corresponder to belong, correspond to, match
correspondiente corresponding; *m.* corresponding member
corriente current; *f.* current, stream; *see* **estar**
corrigió *pret. of* **corregir**
corromper to corrupt
corrupción *f.* corruption
corte *f.* court; **de — en —** from court to court; **cortes** (**del reino**) parliament
Cortes: las — *the national legislative body in Spain; it consists of the House* (**el Congreso de Diputados**) *and the Senate* (**el Senado**). *The* **Cortes de Cádiz** *was a single assembly. After the invasion of Spain by the French, Cadiz became the capital of what was left of independent Spain; in that city was convened the* **Cortes** *of* 1810 *which was composed of an overwhelming number of radical representatives; it was this body which promulgated the Spanish Constitution of* 1812
cortés polite
cortesanía *f.* courtesy, polite manners
cortesano, –a courtly, of the court; *m.* courtier
cortina *f.* portière
corto, –a short, small
cosa *f.* thing; **todas las —s** everything
Cosa, Juan de la (*d.* 1510) *a Spanish geographer and navigator*
cosecha *f.* crop
costa *f.* coast, shore; cost; *see* **desear**
Costa Rica *f. one of the Central American republics*
costar to cost
costeado, –a *p.p. of* **costear** paid
costear to pay the expense, afford
costoso, –a expensive
costumbre *f.* custom, habit; *pl.* manners
cotidiano, –a daily, every day
Covadonga *f. a mountain fastness in the province of Oviedo, northern Spain*
creación *f.* creation, foundation
creador, –a creative
crear to create
crecer to grow
crecido, –a large
creciente increasing, growing
crédito *m.* credit
creencia *f.* belief
creer to believe, think
creyendo *pres. p. of* **creer**
creyente *m.* believer
creyó *pret. of* **creer**
criatura *f.* creature
crimen *m.* crime, offense
criminal criminal
criollo *m.* Creole (*a descendant of Spaniards, born in the Spanish American colonies*)
crisis *f.* crisis, turning point
cristalería *f.* glassware
cristiandad *f.* Christendom

cristianismo *m.* Christianity
cristianizar to Christianize, convert to Christianity
cristiano, -a Christian; *m. & f.* Christian
Cristina Christina
Cristo Christ
Cristóbal Christopher
criterio *m.* criterion
crítico, -a critical; *m.* critic; *f.* criticism
criticón *m.* harsh critic
crónica *f.* chronicle
cronista *m.* chronicler
crucifijo *m.* crucifix
crudeza *f.* crudeness
cruel cruel
cruelísimo, -a very bloody
crup *m.* croup (*an affection of the larynx or trachea*)
cruz *f.* cross
cruzar to cross
cuadrado, -a square
cuadro *m.* picture, scene, painting; — **de conjunto** group picture
cual *pron.* which; **el** *or* **la** — which, who; *adv.* as, like
cualidad *f.* quality
cualquier(a) *pron. & adj.* any (other), any one
cuán = **cuánto** how, what a
cuando *adv.* when; *see* **vez**
cuantioso, -a rich
cuanto, -a *pron. & adj.* all the . . . that, all that; **unos cuantos** a few; **en cuanto** as far as, since; **en cuanto a** with respect to
cuánto how, how long, what a; *pl.* how many
cuarenta forty; — **y tantos** forty odd
cuarentena *f.* quarantine
cuarto, -a fourth; *see* **contraer, parte**
cuatro four; **a las — de la tarde** at four o'clock in the afternoon
cuatrocientos, -as four hundred
Cuba *f.* Cuba
cubano, -a Cuban; *m.* Cuban
cúbico, -a cubic
cubierta *f.* deck
cubierto, -a *p.p. of* **cubrir**
cubrir (de) to cover (with)
cuchillo *m.* knife; *see* **pasar**
cuenca *f.* basin (*of a river*)
cuenta *pres. of* **contar**; *f.* account; *see* **dar, fin**
cuerdo, -a sane, sensible
cuero *m.* leather
cuerpo *m.* body; — **a** — hand to hand; *see* **hombre**
cuestión *f.* affair
cuestionario *m.* questionnaire
cueva *f.* cave
Cueva, Juan de la (1550?–1610?) *a Spanish dramatist*
cuidado *m.* care
culminante culminating
culminar to culminate
culteranismo *m.* euphuism (*affected literary style imitating that of Lyly's "Euphues," fashionable in the Elizabethan period*)
culterano, -a euphuistic; *m.* euphuist
cultismo *m.* learned word
cultivar to cultivate
cultivo *m.* cultivation, work
culto, -a cultured; *m.* cult, worship; learned person
cultura *f.* culture, learning
cultural cultural, intellectual
cumbre *f.* summit, peak
cumplidamente *adv.* fully

cumplir to perform, fulfill, carry out; — **con** to attend
cuna *f.* cradle
cundir to spread (out)
curación *f.* cure
curar to cure
curiosidad *f.* curiosity
curioso, -a curious
cursar to study a course (*in a school or college*)
curso *m.* course, academic year
cutis *m.* complexion, skin
cuyo, -a *pron.* whose, of which

Ch

Chapí, Ruperto (1851–1909) *a Spanish composer*
Charolais *m. an old division of central France, the capital of which was the present Charolles*
Chase, William Merrit (1849–1916) *an American painter*
Chile *m.* Republic of Chile
chileno, -a Chilean
chillón, chillona gaudy
chispa *f.* spark
chispazo *m.* spark
chocar to strike
Churriguera, José de (1650–1723) *a Spanish architect and sculptor*
churrigueresco, -a "churrigueresque," rococo

D

D. *abbrev. of* **don** Mr.
dama *f.* lady
danza *f.* dance, dancing
daño *m.* harm
dar to give, give up, cause; — **por** to consider as; — **a conocer** to make known; — **un paso** to take a step; — **principio** to start; — **una carga** to make a charge; — **muerte** to kill; **—se cuenta (de)** to realize; **—se la muerte** to kill oneself; **—se en la vida** to be found in life; **—se aires** to assume airs
datar to date
datos *m. pl.* data
de *prep.* of, from, at, in, on, with, by, for, as, than, concerning, between
deber to owe, ought, should, be due; — **de** (*probability*) must
deber *m.* duty
debido, -a due
débil weak, light
debilidad *f.* weakness
debilitar to weaken
década *f.* decade
decadencia *f.* decadence
decaer to decline
decepción *f.* disappointment
decir to say, tell; **es** — that is to say; *see* **caber**
decisión *f.* decision
decisivamente decisively
decisivo, -a decisive
declaración *f.* declaration
declarado, -a open
declarar to declare, state
decorativo, -a decorative, ornamental
decrecer to decrease
decreto *m.* decree, law
dedicar to dedicate, devote; **—se** to apply oneself
defecto *m.* defect, fault
defender to defend, protect; **—se** to make a defense
defensa *f.* defense, protection
defensor, -a *m. & f.* defender
déficit *m.* deficit (*of income*)

defiende *pres. of* **defender**
definitivamente permanently
definitivo, -a definitive, permanent
defraudado, -a cheated
defunción *f.* decease; *pl.* death rate
degradar to degrade, debase
dejar to let, leave; — **de** to fail (to); — **lugar a duda** to permit of doubt; — **pasar** not to take advantage of; —**se de** to turn away from; —**se matar** to allow oneself to be killed
delante *adv.* before, ahead
delator *m.* denouncer
deleitar to delight
delgado, -a lean
deliberante deliberating
delicadamente gently
delicadeza *f.* exquisiteness, delicacy
delicado, -a delicate
delicia *f.* delight
delirante feverish
demandar to demand
demás *adj.* besides; **los** — the rest, the others
demasiado, -a too
democracia *f.* democracy
democrático, -a democratic
demonio *m.* demon
dentro (de) *prep.* within, in, inside
deplorable deplorable
deporte *m.* sport
deprimido, -a depressed
derecho *m.* right, law; — **de guerra** laws of war; *see* **filosofía**
derogar to abrogate
derramar to shed
derrocar to overthrow
derrota *f.* defeat
derrotar to defeat
derrotero *m.* route, course
derruído, -a ruined
desafiar to defy
desafío *m.* duel; — **personal** duel
desaguar to bale out
desahogar to discharge, disclose, unburden
desalentado, -a (de) dismayed (in)
desaliento *m.* dismay
desalojar to drive out
desamortización *f. process of disentailing an estate; see note to page* 205, *line* 7
desangrarse to bleed to death
desaparecer to disappear
desarrollar(se) to develop
desarrollo *m.* development
desastre *m.* disaster
desastroso, -a disastrous
desbandarse to disperse
desbarajuste *m.* disorder
descansar to rest; *see* **echarse**
descendencia *f.* progeny
descender to descend, decrease
descendiente *m.* descendent, offspring
descenso *m.* decrease
descifrar to decipher
descollar to stand out, excel
descomposición *f.* decomposition
desconcertado, -a confused
desconocer to fail to recognize
desconocido, -a unknown
descontento, -a discontent
describir to describe
descripción *f.* description
descriptivo, -a descriptive
descubierto, -a *p.p. of* **descubrir**
descubrimiento *m.* discovery, invention
descubrir to discover, find, disclose

descuellan *pres. of* **descollar**
descuidadamente thoughtlessly
descuidado, -a neglected
descuidar to neglect
desde *prep.* from, since, after; — **que** since; — **poco después de** shortly after; — **luego** of course, undoubtedly; — **hace** for
desdén *m.* disdain, contempt
desdeñar to disdain, scorn
desdicha *f.* misfortune; **por** — unfortunately
desear to desire; — **a toda costa** to desire at all cost
desembarcar to land
desembarco *m.* disembarkment
desenvolver(se) to develop
desenvolvimiento *m.* development
desenvuelve *pres. of* **desenvolver**
deseo *m.* desire
desesperación *f.* despair
desfiladero *m.* gorge
desgraciado, -a unfortunate
deshabitado, -a uninhabited, abandoned
deshacer to undo, destroy
deshonor *m.* dishonor
desierto, -a deserted; *m.* desert
designar to designate, appoint
desintegración *f.* disintegration, depopulation (*of cities*)
deslumbrador, -a dazzling, fascinating
desmentir to contradict
desmoralización *f.* demoralization
desmoralizado, -a demoralized
desnudo, -a nude, naked
desolación *f.* desolation
desolar to ravage
desorden *m.* disorder
desorientación *f.* deviation, error; — **crítica** lack of critical sense
desorientado, -a confused
despachar to send
despacho *m.* study, library
despedirse to take leave
despertar to awaken, provoke
desplegar to display
despliega *pres. of* **desplegar**
despliegue *m.* display
despoblación *f.* depopulation
despoblado, -a depopulated
desprecio *m.* contempt
después *adv.* after, afterwards, later; *prep.* — **de** after
desterrar to banish, eliminate
destierro *m.* exile
destinar to destine, assign, intend
destino *m.* destiny, fate, destination
destituír to remove, depose
destreza *f.* skill
destronar to dethrone, depose
destrozar to destroy, tear
destrucción *f.* destruction, fall
destruír to destroy, put an end to
destruye *pres. of* **destruír**
desusado, -a unusual
desventura *f.* misfortune; **por** — unfortunately; **por — suya** unfortunately for him
detalle *m.* detail
detener(se) to stop
determinado, -a determined, particular
determinar to determine
determinismo *m.* determinism
devolver to give back
devoto, -a sacred
día *m.* day; **hoy en** — to-day; **cierto** — on a certain day; — **de tormenta** stormy day; *see* **asunto**

diablejo *m. dim.* devil
diablo *m.* devil; **"El diablo mundo"** 'The World a Devil'; **"El diablo cojuelo"** 'The Limping Devil'
diáfano, –a diaphanous, transparent
dialogado, –a in dialogue
diálogo *m.* dialogue
Diana *f. Roman goddess of woods*
dibujar to draw
dibujo *m.* design, drawing
dicho, –a *p.p. of* **decir;** said, aforesaid; *m.* saying
diciembre *m.* December
dictadura *f.* dictatorship
dictar to dictate
didáctico, –a didactic
Diego James
diestra *f.* right hand
diezmado, –a reduced by a tenth
diferencia *f.* difference; **a — de** unlike the
diferenciarse to be different, differ
diferente different
diferir to be different, disagree
difícil difficult
dificultad *f.* difficulty
difundir to spread
difusión *f.* diffusion, spreading
dignamente rightfully
dignidad *f.* dignity, high office
digno, –a worth, worthy, noble
dijo *pret. of* **decir**
dilapidación *f.* squandering
dilatado, –a extensive
dimanar to spring, proceed
dinastía *f.* dynasty
dinástico, –a dynastic
dinero *m.* money
dió *pret. of* **dar**
Diodoro Diodorus (1*st century* B.C., *a Greek historian*)
Dios *m.* God; *see* **política**
diplomacia *f.* diplomacy
diplomático *m.* diplomat
diputado *m.* representative
dirección *f.* direction
directivo, –a directing, controlling
directo, –a direct
director, –a directing; *m.* director
dirigir to direct, lead; **—se** to go, proceed
dirimir to adjust
disciplina *f.* discipline
discípulo *m.* disciple, follower
discutir to discuss
disfrutar (de) to enjoy
disiparse to vanish, fade away
disminución *f.* decrease
disminuír to decrease
disparo *m.* discharge, shot
dispersar(se) to disperse, scatter
disperso, –a dispersed, scattered
disponer to dispose, get ready
disposición *f.* disposal
dispuso *pret. of* **disponer**
disputa *m.* dispute
disputar to dispute, contest, contend
distancia *f.* distance; **a —** at a distance
distinción *f.* distinction
distinguir to distinguish; **—se** to differ, be distinguished, excel
distintivo, –a peculiar, characteristic
distinto, –a different
distribución *f.* allotment
distrito *m.* section
diversidad *f.* diversity
diverso, –a different, several
divertirse to amuse oneself
dividir(se) to divide
divino, –a divine
divirtiéndose *pres. p. of* **divertirse**

divisar to see (*at a distance*)
división *f.* division
divulgarse to be divulged, spread
doble double
docente educational; *see* **centro**
docto, -a learned
doctrina *f.* doctrine
documento *m.* document
doliente suffering, patient
dolor *m.* grief, sorrow, suffering
dolora *f. a name invented by Campoamor as a title for some of his poems*
doloroso, -a painful, afflictive
Domiciano Domitian (51–96, *a Roman emperor*)
domiciliado, -a domiciled, held in
domiciliario, -a domiciled; *see* **hospitalidad**
dominación *f.* domination, rule
dominar to dominate, master, prevail
domingo *m.* Sunday
dominico *m.* Jacobin friar
dominio *m.* dominion, domination, rule, mastery, territory
don *only before the Christian name,* Mr.
donativo *m.* donation
doncel *m.* page (*attendant*)
doncella *f.* maiden
donde *adv.* where, in which
dondequiera (**que**) wherever; **por** — everywhere
donoso, -a clever, witty
donosura *f.* grace, wit
doña *only before the Christian name* Mrs., lady
dorado, -a golden
dormir to sleep
dos two, second
dotar (**de**) to endow (with), invest
Drake, Sir Francis (1540?–1596) *English navigator and admiral*
drama *m.* drama
dramático, -a dramatic; *m.* dramatist; *f.* dramatics
dramaturgo *m.* dramatist
Dublín *m.* Dublin (*capital of Ireland*)
ducado *m.* dukedom; ducat (*an old Spanish coin worth about 50 cts.*)
duda *f.* doubt; *see* **dejar**
dudar to doubt
dueño *m.* master
duerma *pres. subj. of* **dormir**
Duero *m.* Douro (*a river in Spain and Portugal which empties into the Atlantic Ocean*)
dulce sweet, gentle, pleasing
dulzura *f.* sweetness, gentleness
duplicar to double
duque *m.* duke
durante during, for
durar to last
dureza *f.* hardness; — **de corazón** hard-heartedness
duro, -a hard, severe, oppressive, unmerciful

E

e *conj. before* **i** *and* **hi** and
ébano *m.* ebony
Ebro *m. a river in northeastern Spain*
echar to throw; — **los cimientos** *or* **las bases** to lay the foundations; — **por tierra** to demolish; **—se a descansar** to lie down to rest; **—se sobre los hombros** to put on one's shoulders; **—se en brazos de** to abandon oneself to

Echegaray, José (1832–1916) *a Spanish dramatic author and scientist*
ecléctico, –a eclectic
eclesiástico, –a ecclesiastical, of the clergy
eco *m.* echo
económico, –a economic
economista *m.* economist
Ecuador *m.* Republic of Ecuador
edad *f.* age; — **de oro** golden age; **Edad Media** Middle Ages
edición *f.* edition
edicto *m.* edict
edificación *f.* building
edificar to build
edificio *m.* building, edifice
educación *f.* education
educar to educate
educativo, –a educational
efectivo, –a effective
efecto *m.* effect
eficacia *f.* effectiveness, vigor
égloga *f.* eclogue
egregio, –a eminent
ejecución *f.* execution
ejecutar to execute, carry out
ejemplo *m.* example, specimen, case; **por** — for example, for instance
ejercer to exercise; practise
ejercicio *m.* exercise, drill
ejército *m.* army; — **de tierra** army
elaborar to elaborate
elástico, –a elastic, expansive
Elche *m. a town in the province of Alicante, southeastern Spain*
elección *f.* election, choice
elegantísimo, –a very graceful
elegido, –a chosen
elegir to choose
elemento *m.* element, class; — **aristocrático** aristocratic class; — **popular** common people
elevado, –a high, lofty
elevar to raise; —**se** to rise, stand
eliminar to remove, strike out
elogiar to praise
elogio *m.* praise
eludir to evade
emancipación *f.* emancipation
embajador *m.* ambassador
embalsamado, –a scented
embarcar(se) to embark
embargo: sin — nevertheless
embarque *m.* embarking
emboscada *f.* ambush
emético *m.* emetic
emigración *f.* emigration
Emiliano Emilianus
eminente eminent
emitir to pronounce
emoción *f.* emotion, feeling
empedernido, –a hard-hearted
empeñado, –a pledged
emperador *m.* emperor
emperatriz *f.* empress, mistress
empezar to begin
empiezan *pres. of* **empezar**
emplear to employ, make use of
emporio *m.* emporium, center
emprendedor, –a enterprising
emprender to undertake, start
empresa *f.* undertaking, enterprise, exploit, company
empujar to push
empuje *m.* push, impulse
empuñadura *f.* sword hilt
en *prep.* in, into, on, upon, at, as, to, by
enaltecer to elevate, extol
enarbolar to hoist, hold
encajar to fit
encajería *f.* lacework
encallar to run aground
encantador, –a charming

encanto *m.* charm
encargado, -a in charge
encarnación *f.* incarnation
encarnizado, -a cruel, cruelly; **en lo más encarnizado** in the thickest
encender to enkindle; **—se** to be enkindled
encendido, -a burning
encerrar to enclose, contain, have
Encina, Juan del (1468-1529?) *the founder of the Secular drama in Spain*
encomendar to entrust, commit
encomienda *f.* grant (*distribution or allotment of Indians and land among the explorers and conquerors*)
enconado, -a bitter
encontrar to find, meet; **—se** to be, be found, meet
encuentran *pres. of* **encontrar**
encuentro *m.* encounter; *see* **salir**
endecasílabo *m.* hendecasyllable (*a metrical line of eleven syllables*)
endiablado, -a devilish
enemigo, -a hostile, enemy; *m.* enemy
energía *f.* energy
enérgicamente energetically, strictly
enérgico, -a energetic, forcible, potent
enero *m.* January
enervado, -a enervated
enfermedad *f.* illness
enfermo, -a sick
engrandecimiento *m.* aggrandizement
enlace *m.* link, marriage
enlazar to connect, unite
ennegrecer to blacken
enorgullecerse to be proud
Enrique Henry
Enrique el Doliente (1379-1406) *a king of Castile*
enriquecer to enrich
ensalzar to praise, extol
ensanchar(se) to widen (out), extend
ensayar to try
ensayo *m.* essay, attempt, test, testing
enseñanza *f.* teaching, instruction, education; *see* **centro**
enseñar to teach
enseñorearse to gain control, prevail
entablar(se) to start, begin
entender to understand; **—se** to be understood
entendido, -a learned
entendimiento *m.* intellect, sagacity
enteramente entirely
entereza *f.* fortitude
enternecer to move deeply
entero, -a entire, whole; *see* **hombre**
entidad *f.* entity; **como — nacional** as a nation
entonación *f.* tone
entonar to sing
entonces *adv.* then, (at) that time
entrado, -a advanced; *f.* entrance, entry
entrambos, - as both
entrar to enter; *see note to page* 135, *line* 32
entre *prep.* among, between; **— tanto** in the meantime
entreabierto, -a half open
entreacto *m.* intermission
entregar to deliver; **—se** to

abandon oneself; —**se a la muerte** to kill oneself
entretejido, -a interwoven, combined
entusiasmo *m.* enthusiasm
enumerar to enumerate
enviar to send
envidia *f.* envy
envidiable enviable
envidiar to envy
envuelto, -a involved, wrapped
épico, -a epic
epidémico, -a epidemic
episodio *m.* episode
época *f.* epoch, time
epopeya *f.* epic
equilibrado, -a (well) balanced
equilibrio *m.* balance
era *f.* era
erario *m.* treasury
erección *f.* erection, creation
ermitaño *m.* hermit
errado, -a erroneous, mistaken
error *m.* error, mistake
erudición *f.* erudition, scholarship
erudito, -a erudite; *m.* scholar
escala *f.* scale
escándalo *m.* scandal, disgrace
escandaloso, -a scandalous
escasez *f.* scarcity, lack
escaso, -a scarce, little
escena *f.* scene, stage, theater
escenario *m.* scenery, stage, scene
escénico, -a scenic
escepticismo *m.* skepticism
Escipión Scipio Æmilianus (*about* 185–129 B.C., *a Roman general*)
esclavo, -a *m.* *&* *f.* slave
Escocia *f.* Scotland
escolar *m.* pupil
escolta *f.* suite, escort
escopeta *f.* musket; — **de caza** hunting gun
Escorial *m.* *a town in the province of Madrid, not far from the capital, where the palace-monastery founded by Philip the Second is located*
escribir to write; **al** — by writing
escritor *m.* writer
escritura *f.* art of writing; **Sagrada Ecritura** the Scriptures
escrupuloso, -a scrupulous
escuadra *f.* fleet
escuadrilla *f.* small fleet
escuchar to listen
escudero *m.* squire; *see note to page* 136, *line* 6
escudo *m.* shield, escutcheon; — **de armas** escutcheon
escuela *f.* school
esculpir to carve
escultor *m.* sculptor
escultura *f.* sculpture
ese *dem. adj.* that
ése *dem. pron.* that one
esencial essential
esfera *f.* sphere
esférico, -a spherical
esforzado, -a valiant
esfuerzo *m.* effort
Eslava, Miguel Hilarión (1807–1878) *a Spanish composer*
eso *neut. pron.* that
espacio *m.* space
espada *f.* sword
espanto *m.* terror
espantoso, -a dreadful
España *f.* Spain
español, -a Spanish; *m.* Spaniard, Spanish language; **a la española** after the Spanish fashion *or* according to the Spanish conception; *see note to page* 115, *line* 13

españolismo *m.* devotion to Spain
españolísimo, -a peculiarly Spanish
españolizar to hispanize
especial especial, particular: **en —** especially
especialista *m.* expert
especialmente especially
espectáculo *m.* spectacle
especulación *f.* speculation
esperanza *f.* hope
esperar to expect, hope for
espesura *f.* thicket
Espinel, Vicente (1551–1624) *a Spanish poet, novelist and musician*
espíritu *m.* spirit, soul
espiritual spiritual
espiritualidad *f.* spirituality
espléndido, -a splendid
esplendor *m.* splendor, grandeur
espontáneo, -a spontaneous, natural
esposa *f.* wife
esposo *m.* husband
Espronceda, José de (1808–1842) *a Spanish lyric poet*
esquina *f.* corner, street corner
estabilidad *f.* stability
establecer to establish, decree; **—se** to settle
establecimiento *m.* establishment, foundation
estación *f.* station
estacionar to station
estadista *m.* statesman
estadística *f.* statistics
estado *m.* state, condition, stage
Estados Unidos *m. pl.* United States
estallar to break out
estampa *f.* engraving
estampar to stamp, record, depict
estandarte *m.* standard, banner
estaño *m.* tin
estar to be; **— al corriente de** to be acquainted with, be well informed about; **— a punto de** to be about to; **— a cargo** to be in charge
estatua *f.* statue
estatura *f.* stature; **de baja —** short in stature; **de elevada —** tall in stature
este *dem. adj.* this; **— último** the latter
éste *dem. pron.* this one, the latter
este *m.* the east; **al —** to *or* in the east
estéril sterile, unfruitful, barren
estertor *m.* death rattle
estética *f.* æsthetics
estético, -a æsthetic
estilo *m.* style; **al — de** after the fashion of
estimar to consider; **—se** to be considered
estimular to stimulate, encourage
estirpe *f.* lineage; **— byroniana** Byronic temperament
esto *neut. dem. pron.* this; **— es** that is; **— último** the latter; **en —** then, in this matter, herein
estoico, -a stoic
Estrabón Strabo (63? B.C.– *after* A.D. 21, *a Greek geographer*)
estrago *m.* ruin, havoc
estratega *m.* strategist
estrategia *f.* strategy
estratégico, -a strategic
estrechar to tighten, bind
estrechez *f.* narrowness
estrecho, -a close; *m.* strait

estrella *f.* star
estrellarse to dash to pieces
estremecer to thrill
estribar (en) to depend *or* rest (on)
estrictamente *adv.* strictly
estro *m.* inspiration
estudiante *m.* student
estudiar to study
estudio *m.* study; **—s universitarios** College *or* University studies
estupendo, –a stupendous
estuviese *pret. subj. of* **estar**
etc. *abbrev. of* **etcétera** et cetera
eterno, –a eternal, everlasting
Europa, *f.* Europe
europeo, –a European; *m.* European
evacuar to evacuate
evidente evident
evocar to evoke, summon forth
evolución *f.* evolution
exactitud *f.* accuracy
exacto, –a exact
exagerado, –a exaggerated
exaltación *f.* exaltation
examinar to examine
excavación *f.* excavation
excelencia *f.* excellence, superiority
excelente excellent
excelentemente excellently
excepción *f.* exception
excepcional exceptional
excepto *adv.* except
exceptuar to except; **—se** to be excepted
excesivo, –a excessive
exceso *m.* excess
exclamar to exclaim
excluír to exclude
exclusión *f.* exclusion; **con — de** with the exception of
exclusivamente exclusively
excluye *pres. of* **excluír**
excluyendo *pres. p. of* **excluír**
existencia *f.* existence
existir to exist, be
exótico, –a exotic
expansión *f.* expansion, development
expedición *f.* expedition, shipment
expedicionario *m.* traveler
experimental experimental
experto, –a expert, skillful
explicar to explain
explorador *m.* pioneer, explorer
explorar to explore
explosión *f.* explosion
explotación *f.* exploitation
explotar to exploit
exposición *f.* exhibition
expresar to express
expresión *f.* expression
expresividad *f.* expressiveness
expresivo expressive
expulsar to expel, banish
expulsión *f.* expulsion
extender(se) to extend, enlarge, spread (out)
extensión *f.* extension, extent, area, length
extenso, –a extensive, vast
extenuación *f.* extenuation
extenuado, –a weakened
exterior exterior, international
extinguir(se) to die out, disappear
extirpar to root out, destroy
extraer to extract, take
extranjerismo *m.* foreign word
extranjero, –a foreign; *m.* foreigner; **(en) el extranjero** abroad
extraordinario, –a extraordinary, exceptional

extrarradio *m.* outskirt
extravagante extravagant
extrayendo *pres. p. of* **extraer**
extremadamente extremely
extremado, –a extreme, surpassing
Extremadura *f. a region in western Spain*
extremo, –a extreme; *m.* extreme, point
exuberante exuberant

F

fabricación *f.* manufacture
fabricar to manufacture, cast
fabril manufacturing
fabulista *m.* fabulist
facción *f.* faction
fachada *f.* façade, front
fácil easy
facilitar to facilitate, help
facsímile *m.* facsimile
factor *m.* factor
factoría *f.* trading station
factura *f.* style
facultad *f.* faculty, power
faena *f.* labor
fallecer to die
fallecimiento *m.* death
falsear to falsify
falso, –a false, erroneous
falta *f.* lack; **a** *or* **por — de** for want of
faltar to be lacking, lack
falto, –a (de) lacking
fama *f.* fame, reputation
familia *f.* family
familiarizado, –a familiarized
famosísimo, –a very famous
famoso, –a famous
fanatismo *m.* fanaticism
fantasía *f.* fantasy, fancy
fantástico, –a fantastic, fanciful
farsa *f.* farce
fascinación *f.* fascination, charm
fascinador, –a fascinating
fase *f.* stage, aspect
fatal fatal
fatalidad *f.* fatality
fatalista fatalistic
fausto, –a happy; *m.* splendor
favor *m.* favor; **en** *or* **a — de** in favor of, in support of
favorable favorable
favorecer to favor, bring about
favorito *m.* favorite
fe *f.* faith
febrero *m.* February
fecha *f.* date, time
fecundidad *f.* fertility, productiveness
fecundo, –a fertile, prolific
federación *f.* federation
federal federal
federar(se) to federate
felicidad *f.* happiness
Felipe II (1527–1598), *Philip,* **Felipe III** (1578–1621), *and* **Felipe IV** (1605–1665) *kings of Spain;* **Felipe V** (1683–1746) *the first of the house of Bourbon to become a king of Spain*
feliz happy, felicitous
femenino, –a feminine
feminidad *f.* womanliness
fenecer to end; **al —** toward the end of
Fenicia *f.* Phœnicia (*an ancient country, west of Syria, on the Asiatic coast of the Mediterranean*)
fenicio, –a Phœnician; *m.* Phœnician
fénix *m.* phœnix; **"Fénix de los ingenios,"** 'Phœnix of Wits'
feraces *pl. of* **feraz**

feraz fertile
feria *f.* fair
Fernán = **Fernando** Ferdinand; **"Fernán Caballero"** *the pen name of* **Cecilia Böhl de Faber** (1796–1877) *a Spanish novelist*
Fernández de Enciso, Martín (*about* 1470–*after* 1528) *a Spanish geographer*
Fernando V (de Aragón) (1452–1516) *a king of Aragon, Sicily, and Naples*
feroz ferocious, fierce
ferroviario, -a of railroads; *see* **sistema**
fértil fertile
fertilidad *f.* fertility
festividad *f.* festival
festivo, -a witty, jocular
feudal feudal
fervor *m.* fervor
fidelidad *f.* fidelity
fiebre *f.* fever, emotion; *see* **arder**
fiel faithful, loyal, exact
fieramente fiercely
fiero, -a fiery, fierce
fiesta *f.* festival, party, celebration
figura *f.* figure, type, image
figurar to figure, rank, take part
fijar to fix, prescribe, determine
fila *f.* rank
filosofía *f.* philosophy; **— del derecho** philosophy of law, jurisprudence
filosófico, -a philosophic, philosophical
filósofo *m.* philosopher
fin *m.* end, aim, outcome; **al —** finally; **¡ al — !** at last! **a — (de) que** in order that; **a** *or* **hacia fines de** toward the end of; **en —** in short; **al — de cuentas** after all; **sin —** endless
finalizar to finish; **al —** toward the end of
finalmente finally
financiero, -a financial
fineza *f.* finesse
fingido, -a feigned, pretended
fino, -a fine, keen
finura *f.* finesse
firmado, -a signed
firmar to sign
firme firm
firmemente firmly
firmeza *f.* firmness, steadfastness, energy
física *f.* physics
físico, -a physical, corporal; **en lo físico y en lo moral** physically and morally; *see* **ciencia**
flamenco, -a Flemish
Flandes *m.* Flanders (*a former Spanish district in northwestern Europe*) **"En Flandes se ha puesto el sol"** 'The Sun (*i.e., the glory of Spain*) has set in Flanders'
flecha *f.* arrow
flexibilidad *f.* flexibility
flojo, -a weak
flor *f.* flower; **la — y nata** the cream
florecer to flourish, live, exist, be at its height
florecimiento *m.* development, prosperity
Florida *f.* Florida
foco *m.* focus, center
follaje *m.* foliage, fanciful embellishments
fomentar to promote, encourage, further
fomento *m.* promotion; *see* **ministerio**

fondo *m.* bottom, base, nature, real essence, content; ground, background; *pl.* funds
forestal of the forests
forjador *m.* forger, creator
forma *f.* form, shape
formal formal, exterior
formar to form, compose, create
formidable formidable
formular to formulate
fortalecer(se) to strengthen
fortaleza *f.* strength, courage; stronghold, fortress
fortificación *f.* fortification
Fortuny, Mariano (1838–1874) *a Spanish painter*
forzado, –a compelled
foso *m.* pit, ditch
fotógrafo *m.* photographer
fracaso *m.* failure
fraccionado, –a divided
fragante(mente) *adv.* afresh
fragmento *m.* fragment, piece
fragor *m.* clamor, call
fraile *m.* friar
francés, francesa French; *m.* Frenchman
Francia *f.* France
franciscano *m.* Franciscan (*member of the religious order founded by St. Francis of Assisi*)
Francisco Francis
Franco-Condado *m.* Franche-Comté (*old province in eastern France*)
frase *f.* phrase
fray *contract. of* **fraile,** *used only accompanying the name* brother
frecuente frequent
frecuentísimo, –a very frequent
frenitis *f.* phrenitis (*inflammation of the brain*)
frenopatía *f.* phrenopathy, insanity
frente *f.* front, head, in front of; — **a** as an offset to, in front of; **al — de** at the head of
fresco, –a fresh
frío, –a cold, colorless; *m.* cold; **"Los primeros fríos"** 'The First Frost of the Year'
frivolidad *f.* frivolity
frontera *f.* frontier
frontón *m.* pediment
frugal frugal
frugalidad *f.* frugality
fruta *f.* fruit
fuego *m.* fire; *see* **hacer, línea, sangre**
fuente *f.* source
fuera *adv.* outside; *prep.* beyond, outside of
fuero *m.* privilege, right
fuerte strong, powerful; *see* **grabado**
fuerza *f.* force, power; **a la —** of necessity; **a** *or* **por la — de** by dint of; **la — del sino** the force of fate; *pl.* troops
fulgor *m.* glow
función *f.* function, spectacle, play, entertainment
funcionar to operate
funcionario *m.* functionary, public official
fundación *f.* foundation, establishment
fundador *m.* founder
fundamentalmente *adv.* fundamentally, chiefly
fundamento *m.* foundation
fundar to found, establish
fundir(se) to mingle, combine
funesto, –a fatal
furia *f.* fury
furiosamente furiously

fusilamiento *m.* execution (*by shooting*)
fusión *f.* fusion, union

G

Gades *ancient name of Cádiz* (*adjective:* **gaditano, –a**)
galán *m.* youth
galante gallant
galantería *f.* gallantry
Galdós: *see* **Pérez**
galeoto *m.* go-between; **"El gran galeoto"** 'The Arch-Offender" (*i.e. Society*)
galeón *m.* galleon
galera *f.* galley
galería *f.* gallery
Galicia *f. a former kingdom in northwestern Spain; to-day, a Spanish province*
Gallego, Juan Nicasio (1777–1853) *a Spanish poet*
galoclásico, –a Gallic-classical
ganado *m.* live stock, sheep
ganar to earn, win
garrocha *f.* goad (stick)
gastar to spend
gasto *m.* expense
Gaula Gaul; *see* **Amadís**
gaviota *f.* gull
Gayarre, Julián (1844–1890) *a Spanish singer*
generación *f.* generation
general general; *m.* general
género *m.* sort, kind, type, style, art
genial of genius
genio *m.* genius, disposition; **"El genio alegre"** 'The Joy of Living'
gente(s) *f.* (*pl.*) people; — **del pueblo** people of the lower classes; **"Gente conocida"** 'The Smart Set'
genuinamente genuinely
genuino, –a genuine, real
geodesia *f.* geodesy (*dealing with the determination of the location or shape of large portions of the earth's surface*)
geografía *f.* geography
geográfico, –a geographical
geógrafo *m.* geographer
geométrico, –a geometric
germánico, –a Germanic
Gerona *f. a city in the northeast of Spain*
Gibraltar *m. a town and fortified rock belonging to Great Britain, in southwestern Spain;* **estrecho de** — Strait of Gibraltar
gimnástico, –a athletic
giro *m.* turn
globo *m.* globe
gloria *f.* glory
glorificación *f.* glorification
glorioso, –a glorious
gobernador *m.* governor
gobernante *m.* statesman
gobernar to govern
gobierno *m.* government, rule
godo, –a Gothic; *m.* Goth (*one of the Teutonic race which overran the Roman Empire*)
Godoy, Manuel (1767–1851) *a Spanish statesman*
Gœthe, Johann Wolfgang (1749–1832) *a German author*
golpe *m.* blow, stroke; — **de vista** perception
Góngora, Luis de (1561–1627) *a Spanish poet*
gongorismo (*from* **Góngora**) *m.* gongorism (*the Spanish euphuism, an affected literary style*)
gota *f.* drop
gótico, –a Gothic (*a style of architecture with pointed arches,*

steep roofs, and great height in proportion to the other dimensions)
Goya, Francisco de (1746–1828) *a Spanish painter*
goyesca *f.* Goyesque (*as conceived by Goya)*
gozar (**de**) to enjoy
grabado *m.* illustration, engraving; — **al agua fuerte** etching; — **en madera** woodcut; — **en cobre** copperplate engraving
gracia *f.* grace, gracefulness, wit; *pl.* thanks, thanksgiving
Gracián, Baltasar (1601–1658) *a Spanish author*
gracioso, –a gracious, graceful
grado *m.* grade, degree
gradualmente gradually
graduarse to graduate
gramática *f.* grammar
gramatical grammatical
gramático *m.* grammarian
gramo *m.* gram
gran: *see* **grande**
Gran Bretaña *f.* Great Britain
Granada *f. a city and province in southern Spain; at the time that the Mohammedans were ruling a part of the Peninsula, an independent Moorish kingdom, until the year* 1491; *see* **Nueva**
granadino, –a of Granada
gran(**de**) great, greater, large; *see* **vía**
grandemente greatly
grandeza *f.* greatness, grandeur
grandilocuente grandiloquent
grandioso, –a grand, great
granizada *f.* hailstorm, shower
granja *f.* farm
gratitud *f.* gratitude
gratuito, –a gratuitous, free
grave grave
gravedad *f.* gravity
gravísimo, –a very serious
Grecia *f.* Greece
Greco: **El** — El Greco (*real name Dominico Theotocopuli,* 1537–1614, *a Spanish painter, probably born in Crete, Greece)*
grecolatino, –a Greco-Latin
griego, –a Greek; *m.* Greek
gris gray
gritar to shout out
grito *m.* cry, shout; **al** — **de** with the cry; — **de guerra** battle cry
grosero, –a coarse, gross
grotesco, –a grotesque
grupo *m.* group
gruta *f.* grotto, cave
Guadalquivir *m. a river in southern Spain which empties into the Atlantic Ocean*
guadamacilería *f. the art of making embossed, printed, or gilt leather*
Guadiana *m. a river in Spain and Portugal which empties into the Mediterranean*
guardar to keep, watch
guarnición *f.* garrison
Guatemala *f. a republic of Central America*
guayaco *m.* guaiacum (*a plant of tropical America)*
gubernativo, –a administrative
guerra *f.* war; — **a muerte** war without quarter; — **carlista** civil war (*provoked by the followers of Don Carlos)*; *see* **grito**
guerrear to make war
guerrero, –a warlike; *m.* warrior, soldier
Guerrero, Francisco (1528–

1599) *a Spanish author and composer*

guerrilla *f.* guerilla (*an independent band that carries on irregular warfare*)

guerrillero *m. one engaged in guerrilla warfare*

guía *f.* guide

guiar to lead

Guimerá, Angel (1847–) *a Spanish dramatist, who writes in Catalan, his native language*

gusto *m.* taste

H

Habana *f.* Havana (*the capital of Cuba*)

haber to have; — **de** to have to; — **que** to be necessary; **he aquí** here is *or* are; **hay** there is, there are; **había** *or* **hubo** there was, there were

hábil skillful, clever

habitante *m.* inhabitant

habitar to live (in)

hábito *m.* habit; *pl.* manners

habla *f.* speech, language

hablar to speak

hacer to do, make, cause, work; — **época** to be epoch making; — **notar** to call the attention to; — **testamento** to make one's last will; — **aprecio de** to appreciate; — **prisioneros** to take prisoners; — **fuego** to fire; —**se** to become; *impers.* to be; *with expressions of lapse of time*, since, ago; **hace poco** lately; —**se sentir** to make itself felt; —**se ilusiones** to delude oneself with great hopes

hacha *f.* ax, hatchet

hacia *prep.* towards, about; — **atrás** back

hacienda *f.* finance; — **pública** Public Treasury

haga *pres. subj. of* **hacer**

hallar to find; —**se** to be

hambre *f.* hunger

harapo *m.* rag

hasta *prep.* up to, until, even, to the point of, as far as; *conj.* — **que** until

Hawkins, Sir John (1532–1595) *English rear-admiral*

hazaña *f.* deed, exploit

hechizado, –a bewitched

hecho *m.* fact, action, deed, event; **de** — in fact

hectárea *f.* hectare (*ten thousand square meters*)

hectólitro *m.* hectoliter (*nearly twenty-six and half gallons*)

Hégel, George W. F. (1770–1831) *a German philosopher*

hembra *f.* female

hemotosis *f.* hemorrhage

hepático, –a hepatic (*of the liver*)

Hércules Hercules (*a hero in classic mythology, celebrated for his strength*)

heredar to inherit

heredero, –a inheritor; *m.* heir; *see* **príncipe**

hereditario, –a hereditary

herejía *f.* heresy

herencia *f.* heritage, inheritance

herético *m.* heretic

herido, –a wounded; *m.* wounded; *f.* wound

herir to wound

hermana *f.* sister

hermano *m.* brother

hermoso, –a beautiful, handsome

hermosura *f.* beauty

héroe *m.* hero
heroicamente heroically
heroico, –a heroic
heroína *f.* heroine
heroísmo *m.* heroism
herramienta *f.* tool, arm
herrería *f.* blacksmith's shop, iron work
herreriano, –a of Herrera (*i.e.*, *Fernando de Herrera*, 1534?–1597, *a Spanish poet*)
hervidero *m.* boiler: *see note to page* 167, *line* 3
heterodoxo, –a heterodox, dissenter
hidalgo, –a lofty; *m.* hidalgo; **el hidalgo manchego** the Hidalgo of La Mancha (*i.e.*, *Don Quixote*)
hidalguía *f.* loftiness, nobility
hidráulico, –a hydraulic
hiere *pres. of* **herir**
hierro *m.* iron; *see* **mano**
hijo, –a *m.* son; *f.* daughter; *m. pl.* children
hilo *m.* thread, wire
hinojo *m.* knee; *see* **caer**
hiperbólico, –a hyperbolic
Hipócrates Hippocrates (460?–359? B.C., *a Greek physician*)
hipocresía *f.* hypocrisy
hirviendo *pres. p. of* **hervir** boiling
hispánico, –a Hispanic, Spanish
hispano, –a Hispanic, Spanish
hispanoamericano, –a Spanish-American
hispanoarábigo, –a Spanish-Arabic
hispanorromano, –a Hispanic-Roman; *see note to page* 38, *line* 11
hispanoyanqui Spanish-American
histérico, –a hysterical
historia *f.* history
historiador *m.* historian
histórico, –a historic, historical
historiógrafo *m.* historian
histrionismo *m.* theatrical art
Hita, Arcipreste de: Juan Ruiz *a Spanish poet who flourished in the early part of the* XIVth *century*
hizo *pret. of* **hacer**
hogar *m.* home
hoguera *f.* bonfire, conflagration
holandés, holandesa Dutch
holgazanería *f.* indolence
hombre *m.* man; — **de corazón** goodhearted man; — **de cuerpo entero** full-sized man
hombro *m.* shoulder: *see* **echar**
hondo, –a deep
Honduras *f. a republic of Central America*
honor *m.* honor
honroso, –a honorable
hora *f.* hour, time; **a todas —s** at any hour, constantly
horizonte *m.* horizon
Hornos: cabo de — *m.* Cape Horn (*the southernmost point of America*)
hórrido, –a horrid
horror *m.* horror
horrorizar to horrify
hortelano *m.* gardener
horticultura *f.* horticulture
hospicio *m.* orphan asylum
hospital *m.* hospital
hospitalario, –a hospitable
hospitalidad *f.* hospitality; **—es domiciliarias** hospital service in the home
hostilidad *f.* hostility
Howells, William Dean (1837–1920) *an American novelist, poet and critic*

hoy *adv.* to-day, now; *see* **día**
Huarte de San Juan, Juan (*d.* 1591) *a Spanish philosopher, author of a famous work entitled "Examen de ingenios para las ciencias"*
hubo *pret. of* **haber**
huella *f.* trace, influence
Huelva *f. a city and province in the south of Spain*
hueso *m.* bone
hueste *f.* host
huír to flee
humanidad *f.* humanity, mankind; *pl.* humanities
humanista *m.* humanist
humano, –a human
Humboldt, Friedrich H. A. Baron von Humboldt (1769–1859 *a German naturalist and traveler, who made important explorations in South and Central America from* 1799 *to* 1804)
Hume, Martín (1847–1910) *an English historian of Spain; see note to page* 33, *line* 32
humilde humble, modest, poorer
humillación *f.* humiliation
humillar to humiliate; **—se** to humble oneself
humo *m.* smoke
humorada *f.* witty saying (*also, a title given by Campoamor to some of his short poems*)
humorismo *m.* humor
humorista *m.* humorist
humorístico, –a humorous: *see* **sentido**
hundimiento *m.* sinking
hundir(se) to sink
huracán *m.* tempest
huye *pres. of* **huír**
huyeron *pret. of* **huír**

I

Ibáñez *see* **Blasco**
Iberia *f.* Iberia (*strictly speaking the eastern part of Spain, and in general the Iberian peninsula, in ancient times*)
ibérico, –a Iberian, of the Iberian peninsula
ibero *m.* Iberian
idea *f.* idea, conception
ideal ideal, idealized; *m.* ideal
idealidad *f.* ideality
idealismo *m.* idealism
idealista idealistic; *m.* idealist
idealización *f.* idealization
idéntico, –a identical
identificar to identify; **—se** to identify oneself (with)
idílico, –a idyllic
idioma *m.* language
ídolo *m.* idol
iglesia *f.* church
ignición *f.* ignition
ignorado, –a unknown
ignorancia *f.* ignorance
ignorante ignorant
ignorar to be ignorant of, not to know of
igual equal, like, alike; *see note to page* 111, *line* 32
igualar to equal, be equal
igualdad *f.* equality
igualmente likewise, equally
ilimitado, –a boundless
iluminar to light up
ilusión *f.* illusion; *see* **hacerse**
ilustrador *m.* illustrator, commentator
ilustrar to illustrate, teach
ilustre illustrious
imagen *f.* image, figure; *pl.* imagery
imaginación *f.* imagination

imaginar to imagine
imaginativo, -a imaginative, full of imagination
imán *m.* magnet
imbécil *m.* fool
imitación *f.* imitation: **a —** in imitation
imitar to imitate, follow
impávido, -a dauntless
impecable faultless, perfect
impedimenta *f.* impedimenta, supply trains
impedir to prevent (from)
impenetrable impenetrable
imperar to rule, reign, prevail
imperial imperial
imperio *m.* empire
imperioso, -a imperious
impersonal impersonal
impersonalismo *m.* impersonality
impetrar to implore
ímpetu *m.* vigor, impetuosity
impetuoso, -a impetuous
implacable relentless
implantar to establish
imponente imposing, impressive
imponer to impose (upon), maintain, prevail
importación *f.* importation, import
importado, -a imported
importancia *f.* importance
importante important
importar to import
imposible impossible
imprenta *f.* printing press; printing shop
impresión *f.* impression, print
impresionar to impress
impresionismo *m.* impressionism (*the fundamental idea of this school of painting is to render the impression of the artist without minute details*)
impresionista *m.* impressionist
impreso, -a printed
impresor *m.* printer
imprimer to impress, print
improvisar to improvise
imprudentemente imprudently
impudor *m.* immodesty
impuesto, -a *p.p. of* **imponer**
impuesto *m.* tax
impulso *m.* impulse
impusieron, impuso *pret. of* **imponer**
inalterable invariable, even
inanición *f.* inanition, exhaustion
inaugurar to inaugurate, begin
incendiar to set on fire
incendio *m.* fire, burning
incesante incessant
incitar to incite
inclinado, -a inclined
incluírse to be included
incluso including
incógnito, -a unknown
incomparable incomparable, unsurpassable
incondicionalmente unconditionally
incontrastable irresistible
incremento *m.* increase
incuestionablemente unquestionably
indefenso, -a defenseless
indefinible indescribable
independencia *f.* independence
independiente independent
Indias *f. pl.* Indies *or* India (*term also used, in the colonial period, to designate the West Indies, i.e., the Spanish possessions in America*)
índice *m.* index, sign
indígena native; *m.* native
indignación *f.* indignation
indio, -a Indian; *m. & f.* Indian

indisciplina *f.* lack of discipline
indisciplinado, -a undisciplined
individual individual, personal
individualismo *m.* individualism
individualista *m.* individualist
individuo *m.* individual, person
índole *f.* nature, disposition, character
indolente indolent
industria *f.* industry
industrial industrial, manufacturing; *m.* manufacturer
inepto, -a inept
inequívoco, -a unmistakable
inexactitud *f.* inaccuracy
inexacto, -a inaccurate
inexpugnable unconquerable
infancia *f.* childhood, children
Infante, -a *a title of all the royal princes and princesses of Spain, except the crown prince, who is called the Prince of Asturias*
infatigable tireless
inferior inferior
infierno(s) *m.* (*pl.*) hell; **profundísimos —s,** hell itself
infinito, -a infinite, countless
inflamado, -a enkindled
influencia *f.* influence
influír to influence, exercise influence
influjo *m.* influence
infortunio *m.* misfortune, adversity
ingenio *m.* wit, author; *see* **fénix**
Inglaterra *f.* England
inglés, inglesa English; *m.* Englishman
ingresar (**en**) to enter
ingreso *m.* entrance; *pl.* revenue
iniciador *m.* initiator, originator
iniciar to initiate, begin
iniciativa *f.* initiative
inicuamente iniquitously
Inmaculada: la — Virgin Mary
inmediato, -a immediate
inmenso, -a immense
inmigrante *m.* immigrant
inmolar to sacrifice
inmoral immoral
inmortal immortal
inmortalidad *f.* immortality
inmortalizar to immortalize
inmutarse to change countenance (*from some emotion*)
innovación *f.* innovation
innovador *m.* innovator
innumerable countless
inquietante disquieting
Inquisición *f. an ecclesiastical tribunal established, formerly in several countries of Europe* (*in Spain, in* 1480 *by the Catholic kings*) *and dealing with the detection and punishment of heretics*
inscripción *f.* inscription
insigne noted, glorious
insignificante insignificant
insistencia *f.* insistence; **con —** repeatedly
inspiración *f.* inspiration
inspirado, -a inspired
inspirar to inspire, produce; **—se en** to draw inspiration from
instalación *f.* plant
instalarse to settle, establish
instante *m.* instant, moment
instinto *m.* instinct, sense
institución *f.* institution, establishment
instrucción *f.* instruction; *pl.* decree(s)
instrumento *m.* instrument
insurreccionarse to rebel, revolt
íntegramente wholly
integrante integral
integrar to compose

intelectual intellectual; *m.* scholar
inteligencia *f.* intelligence
inteligente intelligent
intensificar to intensify
intentar to attempt, try
intercalar to insert
interceptar to intercept, cut off
interés *m.* interest; **"Los intereses creados"** 'The Bonds of Interest'
interesante interesting
interesar to interest
interior interior, inner; *m.* interior
interminable boundless
internacional international
interpretación *f.* interpretation
interpretar to interpret, construe
intervención *f.* intervention
intimación *f.* intimation
íntimamente closely
intimidad *f.* intimacy; *see* **abandono**
íntimo, -a intimate, inner, private; *see* **vida**
intitulado, -a entitled
intranquilidad *f.* uneasiness, anxiety
intrépido, -a intrepid
intriga *f.* intrigue
intrigar to intrigue
introducción *f.* introduction
introducir to introduce
introdujeron *pret. of* **introducir**
inundación *f.* flood
inútil useless
inutilizar to render useless
invadir to invade
invasión *f.* invasion
invasor, -a invading; *m.* invader
invencible invincible; *see* **armada**
invención *f.* invention
inventar to invent
inventiva *f.* inventive power
invento *m.* invention
inventor *m.* inventor
inversión *f.* inversion
invertido, -a invested, inverted
investigación *f.* research
investigar to investigate
invitar to invite
ir to go, be; **— en progreso** to progress
ira *f.* rage
Iriarte, Tomás de (1750–1791) *a Spanish fabulist*
irónico, -a ironical
ironista ironical
irreconciliable irreconcilable
irregular irregular
irresistible irresistible
irrigación *f.* irrigation
Isabel *or* **Isabela** Isabella
Isabel de Inglaterra Elizabeth (1533–1603, *queen of England*)
Isabel la Católica (1451–1504) *a queen of Castile and León;* **Isabel II** (1830–1904) *a queen of Spain*
Isidoro de Sevilla St. Isidor (570?–636, *a Spanish prelate and philosopher*)
Isla, P. José Francisco de (1703–1781) *a Spanish author*
Italia *f.* Italy
italianizado, -a Italianized
italiano, -a Italian; *m.* Italian
Itálica *f.* Italica (*the ruins of this Roman city are in the present near the village of Santiponce, outside of Seville*)
Itúrbide, Agustín de (1783–1824) *served at first in the Royalist army in Mexico, but later embraced the cause of Mexican independence; on February 24, 1821, he issued the so-called "Plan of Iguala," according*

to the terms of which Mexico was to become an independent limited monarchy
izquierdo, –a left

J

jactarse to boast
Jaén *m. a city and province in the south of Spain*
Jaime James
jamás *adv.* never, ever
jefe *m.* chief
Jehová Jehovah
Jerónimo Jerome
Jerusalén *f.* Jerusalem
Jesucristo Jesus Christ
jesuita *m.* Jesuit (*member of a religious order founded by the Spaniard St. Ignacio de Loyola in* 1534)
jinete *m.* horseman
jirón *m.* part
Jorge George
jornada *f.* journey
José Joseph
joven young; *m. & f.* (a) youth
joya *f.* jewel
Juan John; **Don Juan (Tenorio)** *the protagonist of "El burlador de Sevilla," one of the masterpieces of the Spanish classical theater, by Tirso de Molina, and the protagonist also of many other works inspired by Tirso's creation; see note to page* 144, *line* 25
Juan de Austria *see* **Austria**
Juana la Loca, Doña (1479–1555) *a queen of Castile, who became insane on the death of her husband* (1506)
judío *m.* Jew
juez *m.* judge
jugar to play
juicio *m.* judgment, opinion; **a nuestro** — in our judgment
Julián Julian
Julio Julius
julio *m.* July
junco *m.* reed
junio *m.* June
junta *f.* committee, board
juntamente *adv.* together
juntar to unite
junto *adv.* close to *or* by, together; *prep.* — **a** near, by, along with; *adj.* together
juramento *m.* oath
jurídico, –a juridical, legal
justa *f.* contest; — **poética** contest in verse
justeza *f.* exactness, accuracy
justicia *f.* justice
justificado, –a justifiable
justificar to justify
justo, –a just
juventud *f.* youth
juzgar to judge

K

kilo *m.* = **kilogramo**
kilogramo *m.* kilogram ($2\frac{1}{5}$ *lbs.*)
kilómetro *m.* kilometer ($\frac{5}{8}$ *of a mile*)

L

labio *m.* lip
labor *f.* labor, work, production, art
laborable tillable
laborar to labor, work
laboriosidad *f.* industry
laborioso, –a laborious, industrious
labrado, –a chiseled, wrought
labrador *m.* farmer, peasant

labranza *f.* farming
labriego *m.* peasant
ladera *f.* slope
lado *m.* side
ladrillo *m.* brick
lágrima *f.* tear
lamentable deplorable
lamentar(se) to deplore
lámina *f.* plate
lana *f.* fleece, wool
lanza *f.* lance
lanzar to utter, breathe forth, throw, hurl; **—se** to rush
largo, -a long: *see* **año, mes**
Larra, Mariano José de (1807–1837) *a Spanish literary critic and prose writer*
latente latent
latín *m.* Latin (*language*)
latinista *m.* Latinist
latino, -a Latin
laurel *m.* laurel
Lavapiés *m. a quarter occupied by the lower classes in Madrid*
lealtad *f.* loyalty
Leandro Leander
lector *m.* reader
lectura *f.* reading
leer to read
legado *m.* legacy
legal legal
legión *f.* legion
legionario *m.* legionary (*a soldier of the legion, the principal unit of the Roman army, which comprised about* 6000 *soldiers under the empire*)
legislación *f.* legislation, laws
legislador *m.* legislator
legislativo, -a legislative
legítimo, -a legitimate
lejos *adv.* far; *prep.* **— de** far from
lengua *f.* language
lenguaje *m.* language
lentitud *f.* slowness; **con —** slowly
lento, -a slow
León *m. a former kingdom in northwestern Spain, and to-day a province and city;* **isla de —** *this island,* 9 *miles northeast of Cadiz, is the chief seat of the naval authorities of Spain*
León, Fray Luis de (1537–1591) *a Spanish poet and prose writer*
León, Ricardo (1877–) *a Spanish man of letters*
Lepanto *m.* (Strait of) Lepanto (*the entrance to the Gulf of Corinth, Greece*)
letra *f.* letter
letrilla *f. poem consisting of short lined stanzas with a refrain*
levantamiento *m.* uprising
levantar to raise, erect, build; **—se con la monarquía** to become the monarch
levante *m.* east
levar to weigh
leve slight
léxico, -a lexical; *see* **caudal**
ley *f.* law; **— sálica** Salic law (*in accordance with which only males can inherit the throne*)
leyenda *f.* legend
liberal liberal
libertad *f.* liberty, freedom; **— del pensamiento** liberty of thought
libertador *m.* liberator
libertar to liberate, free
librar to free
libre free
libro *m.* book; **— de caballerías** romance of chivalry
lienzo *m.* canvas, painting
liga *f.* league, alliance

ligar to unite, bind
ligeramente *adv.* slightly
ligereza *f.* lightness
ligero, –a light, slight, swift
Lima *f. the capital of Peru*
limitar to limit, confine
límite *m.* boundary
limpio, –a clear, pure
linaje *m.* lineage
Linares *m. a town and district in southern Spain*
línea *f.* line; — **de fuego** firing line
lingüístico, –a linguistic
lírico, –a lyric; *m.* lyric poet; *f.* lyric poetry; *see* **música**
lirismo *m.* lyricism
Lisboa *f.* Lisbon (*the capital of Portugal*)
listo, –a ready; *f.* list
literario, –a literary
literato *m.* man of letters
literatura *f.* literature
litoral *m.* coast, shore
liviano, –a licentious
lívido, –a livid
ll *see after* **luz**
lo *neut. art.* the; *pron.* it, him; — **que** what; — **era** it was so
loco, –a mad; *m. & f.* insane
locura *f.* madness; *pl.* delusions
lograr to attain, succeed (in)
lombarda *f.* gun (*an ancient fire-arm mounted on a carriage, for throwing heavy projectiles of stone*)
Londres *m.* London
longitud *f.* longitude
lontananza *f.* horizon
Lope *see* **Rueda, Vega**
López, Vicente (1772–1850) *a Spanish painter*
López de Haro, Rafael (1887–) *a Spanish novelist*
lote *m.* lot
Lowell, James Russell (1819–1891) *an American poet and literary critic*
lozanía *f.* freshness, sprightliness
lozano, –a fresh, energetic, vigorous
Lucano Lucan (39–65, *a Latin poet born at Cordova, Spain*)
lucha *f.* strife, struggle, fight; — **de camarilla** factional quarrel
luchar to fight, struggle
lucido, –a brilliant
Lucrecia Lucrece (*a Roman lady of the 6th century* B.C. *famous for her virtue and beauty, who according to the legend died in defending her honor*)
luego *adv.* then, afterwards
lugar *m.* place, spot, village; **en** — **de** instead of; *see* **dejar**
lugarteniente *m.* lieutenant
lujo *m.* luxury
lunes *m.* Monday
lusitano, –a Lusitanian, of Lusitania (*Latin name for Portugal*)
lustro *m. period of five years;* **los dos primeros lustros** the first decade
luterano, –a Lutheran; *m.* Lutheran
luto *m.* mourning
Luxemburgo *m.* Luxemburg (*a grand duchy east of Belgium*)
luz *f.* light

Ll

llama *f.* flame, fire
llamado, –a called
llamamiento *m.* call
llamar to call; —**se** to be called
llanura *f.* plain

llave *f.* key
llegada *f.* arrival, coming
llegar(**se**) (**a**) to arrive, reach, come, go to the extreme, succeed (in); — **a culminar** to reach its culmination
llenar (**de**) to fill (with)
lleno, -a (**de**) full, filled (with)
llevar to carry, take, bear, wear, be; — **a cabo** to carry out, execute
llorar to weep
lluvia *f.* rain

M

madera *f.* wood; *see* **grabado**
madero *m.* log *or* beam
Madrazo, José de (1781–1859) *a Spanish painter*
madre *f.* mother
Madrid *m. the capital of Spain*
madrigal *m. a short verse composition with combination of lines of eleven and seven syllables*
madrileño, -a of Madrid
madrugada *f.* early morning (*from one o'clock to sunrise*)
Maella, Mariano Salvador (1739–1819) *a Spanish painter*
maestría *f.* mastery, skill
maestro, -a masterly; *m.* teacher, master; *see* **obra**
magia *f.* charm
magistrado *m.* magistrate, judge
magnético, -a magnetic
magnitud *f.* magnitude
magno, -a great
mahometano, -a Mohammedan
maíz *m.* corn
majestad *f.* majesty
majestuoso, -a majestic
majo, -a gallant; *m. & f. a person of the lower class of independent character, elegantly dressed and possessing natural distinction; in general, any one fond of things popular*
mal *m.* evil, illness; *adv.* badly, poorly; *see* **malo**
Málaga *f. a city and province in the south of Spain*
malestar *m.* uneasiness
mal(**o**), **-a** bad, poor
malquerido, -a detested; **"La malquerida"** 'The Passion Flower'
maltratado, -a ill-treated
maltrecho, -a spoiled, destroyed
mancha *f.* spot
manchego, -a of La Mancha (*a large and barren region in southern central Spain*)
manco *m.* maimed (*in the hand or the arm*)
mandar to command, send
mandato *m.* order
mando *m.* rule
manejar to handle, manage, use
manejo *m.* handling; *pl.* intrigues
manera *f.* manner, style
manía *f.* mania, rage
manicomio *m.* insane asylum
manifestación *f.* manifestation, expression
manifestar to manifest, state; —**se** to be evident
manifiesto, -a manifest
maniobra *f.* manœuvre
mano *f.* hand; — **de hierro** iron hand; **a manos** at the hand
mansión *f.* mansion, house
mantener(**se**) to maintain, support, sustain, hold, remain, keep, preserve
mantenimiento *m.* maintenance, keeping

manto *m.* mantle, cloak
mantuvieron *pret. of* **mantener**
mantuvo *pret. of* **mantener**
manual manual
manuscrito *m.* manuscript
mañana *f.* morning
mapa *m.* map
máquina *f.* machine; — **de guerra** war instrument
maquinaria *f.* machinery; — **agrícola** agricultural implements
mar *m. & f.* sea
maravillado, -a marveled
maravillar to astonish; —**se** to wonder, be astonished
maravilloso, -a wonderful
marca *f.* mark, stamp; — **del impresor** printer's trademark
marcadamente markedly, conspicuously
marcar to mark
marcha *f.* march
Marcial Martial (40?-102?, *a Latin poet, born at Bílbilis, Spain*)
Marco Aurelio Marcus Aurelius (121–180, *a Roman emperor and philosopher; member of a distinguished Spanish family*)
Marco Bruto Marcus Junius Brutus (85–42 B.C., *a Roman statesman*)
marfil *m.* ivory
Margarita Margaret
María Mary
María Cristina (1806–1878) *a queen of Spain;* **María Cristina** (1858–) *a queen of Spain, and later regent, the mother of Alphonso XIII*
Mariana Mariana, Miriam
Mariana, Juan de (1535?–1624) *a Spanish historian*
marina *f.* navy, seascape; — **de guerra** navy; — **mercante** merchant marine
marinero *m.* sailor
marítimo, -a maritime
mármol *m.* marble
marquesa *f.* marchioness
Marquina, Eduardo (1879–) *a Spanish lyric and dramatic poet*
Marte Mars (*Roman god of war*)
Martín Martin
Martínez de la Rosa, Francisco (1787–1862) *a Spanish poet and dramatist*
martirio *m.* martyrdom
marzo *m.* March
mas *conj.* but; — **que** but
más *adv.* more, most; **los** — the majority; — **de** more than; — **que** rather than, more than; — **bien** rather
masa *f.* mass; **las** —**s populares** the lower classes
masculino, -a male, virile
mástil *m.* mast
matar to kill; *see* **dejarse**
matemática(s) *f.* (*pl.*) mathematics
matemático, -a mathematical
Mateo Mathew
materia *f.* matter, subject
material material
materialismo *m.* materialism
matiz *m.* shade (*of color*)
matricularse to matriculate, enroll
matrimonio *m.* marriage; *see* **contraer**
mausoleo *m.* mausoleum
mayo *m.* May; **el dos de mayo** the second of May

mayor greater, larger, greatest, largest, main
mayoría *f.* majority, most
Meca *f.* Mecca (*a city of Arabia, birthplace of Mohammed*)
medalla *f.* medallion
mediado, -a half full; (**a**) **mediados de** about the middle of
medialuna *f.* Crescent (*the emblem of the Turkish empire, and in general of the Arabs*)
mediano, -a mediocre, moderate, medium, some
mediar to take part; **al —** about the middle of
medicina *f.* medicine; **— patológica** pathology; **— legal** medical jurisprudence (*the branch of medicine related to criminology*)
médico *m.* physician
medida *f.* measure; **a — que** as, in proportion as
medio, -a half, middle, average; *m.* means, expedient; **en medio de** in the midst of, amid
mediocre mediocre
mediodía *m.* south
medioeval medieval
medir to measure
mediterráneo, -a Mediterranean
Mediterráneo *m.* Mediterranean (*Sea*)
Méjico (*also* **México** *in Spanish America*) *m.* Mexico
mejor *adj.* better, best; *adv.* better
mejora *f.* improvement
mejorar to improve
Mela, Pomponio Pomponius Mela (*a Latin geographer of the first century, probably born in Betica, to-day Andalusia, southern Spain*)
melancolía *f.* melancholy
Melchor Melchior
melodía *f.* melody
memorable memorable
memoria *f.* memory, memoirs
mención *f.* mention
mencionado, -a aforesaid
mencionar to mention
Menéndez y Pelayo, Marcelino (1856–1912) *a Spanish scholar and humanist*
menguar to diminish, decrease
menina *f. a young girl in attendance upon the queen or princess*
menor minor, lesser
menos *adv.* less, least; **al —** at least
mensaje *m.* message
mensajero *m.* messenger
mental mental
mentalidad *f.* mentality
mente *f.* mind
menudear to abound, be plentiful
menudo: a — often
meramente merely
mercader *m.* merchant
mercado *m.* market; **— mundial** world's markets
mercante merchant
mercantil mercantile
merced *f.* mercy; **— a** thanks to; **a — de** at the mercy of
mercenario *m.* mercenary
mercurio *m.* mercury, quicksilver
merecer to merit, deserve
meridiano *m.* meridian
meridional southern; *m.* southerner
mero, -a mere
mes *m.* month; **largos —es** many months

meseta *f.* plateau
Mesina *f.* Messina (*a seaport in northeastern Sicily*)
mesurado, –a discreet, moderate
metáfora *f.* metaphor
metal *m.* metal
metalurgia *f.* metallurgy
meteoro *m.* meteor
meter(se) to penetrate, enter into
metido, –a *p.p. of* **meter;** *see note to page* 136, *line* 6
método *m.* method
métrico, –a metric
metro *m.* meter (39.37 *inches*); meter (*verse measure*)
metrópoli *f.* metropolis, mother-country, center
metropolitano, –a metropolitan
México = **Méjico**
mezquita *f.* mosque (*Arab place of worship*)
midieron *pret. of* **medir**
miedo *m.* fear; **sin** — undaunted
miembro *m.* member
mientras *conj. & adv.* while, when; — **tanto** in the meantime
Miguel Michael
Miguel Ángel Michelangelo Buonarroti (1475–1564, *an Italian painter, sculptor, and architect*)
milagro *m.* miracle
milagroso, –a miraculous
Milán *m. an ancient dukedom and city in northern Italy*
militar military; *m. pl.*, army
milla *f.* mile
millar *m.* thousand
millón *m.* million
mina *f.* mine
minarete *m.* minaret, tower, belfry
mineral mineral; *m.* ore
mineralogía *f.* mineralogy
minero, –a mineral, mining
miniatura *f.* miniature
ministerio *m.* ministry; **Ministerio de Fomento** Department of Public Works
ministro *m.* minister, prime minister
minucioso, –a minute
mirada *f.* glance, expression of the eyes; *see* **tornar, volver**
Miranda, Francisco (1750?–1816) *a Venezuelan revolutionist and general*
mirar to look (at), regard
miserable miserable
miseria *f.* misery
misionero *m.* missionary
mismo, –a same, very; itself, himself, etc.; *see* **uno**
misterio *m.* mystery
misterioso, –a mysterious
misticismo *m.* mysticism
místico, –a mystic, mystical; *m.* mystic; *see note to page* 114, *line* 26
mitad *f.* half
mitología *f.* mythology
mitológico, –a mythological
moda *f.* fashion; **de** — fashionable; *see* **poner**
modelo *m.* model
modernismo *m.* modernist movement in literature (*which resulted in Spain and Spanish America from a conscious imitation of certain groups of French poets of the middle of the last century, namely,* (1) *the Parnassians, who aspired to objectivity and technical excellence in contrast with the subjectivity and emotional out-*

pourings of the Romanticists; (2) the Symbolists, who represented the reaction against the materialism of the Realistic novelists and who emphasized the idea as opposed to the fact; and (3) the Decadents, with their preference for unnatural subjects and sensations)
moderno, -a modern; *m.* modern
modestia *f.* modesty; **con —** modestly
modesto, -a modest
modo *m.* way, manner; **de —** in a manner; **de — trágico** in a tragical manner; **de — rápido** rapidly; **de — especial** especially
molde *m.* pattern
moldear to mold, fashion
Molina, Luis (1535–1600) *a Spanish Jesuit and theologian*
Molina, Tirso de *see* **Téllez**
Molinos *m. pl. a small town in the province of Teruel, northeastern Spain*
momento *m.* moment; **en cualquier —** at any time
monarca *m.* monarch
monarquía *f.* monarchy
monárquico, -a monarchical; *m.* monarchist
monasterio *m.* monastery
moneda *f.* coin, currency, money
monja *f.* nun
monje *m.* monk
monografía *f.* monograph
monopolio *m.* monopoly
monstruo *m.* prodigy; **"monstruo de la naturaleza"** 'prodigy of Nature'
montado, -a mounted
montaña *f.* mountain
Montañés, Juan Martínez (1580–1649) *a Spanish sculptor and painter*
montañoso, -a mountainous; *see* **cadena**
monte *m.* mountain, forest
monumento *m.* monument
morador *m.* inhabitant
moral moral, ethical; *f.* morals; *see* **físico**
moralista *m.* moralist
moralizador, -a moralizing
Moratín, Leandro Fernández de (1760–1828) *a Spanish poet and dramatist*
moreno, -a swarthy, brunette
Moreno Carbonero, José (1860–) *a Spanish painter*
Moreto, Agustín (1618–1669) *a Spanish dramatist*
morir to die; **"¡ Mueran . . . !"** 'Death to . . . !'
morisco, -a Moorish; *m.* 'Moriscos'; *see note to page* 101, *line* 11
Moro, Antonio (1512–1575) *a Dutch portrait painter*
moro, -a Moorish; *m.* Moor
mortal mortal
mortandad *f.* deadly effect, mortality
mortífero, -a deadly
mostrar to show, reveal, display
motín *m.* riot, insurrection
motivar to cause, occasion
motivo *m.* cause, reason, subject, motif
movedizo, -a movable
mover(se) to move, move about, propel
movimiento *m.* movement, activity, revolt
mozo *m.* youth
muchacho *m.* boy; **— de pocos años** youngster

muchedumbre *f.* multitude, crowd
mucho, -a much; *pl.* many; *adv.* much, very, greatly; **por** *or* **en mucho** considerably, for a long . . .
mudanza *f.* change
muelle *m.* wharf
muere *see* **morir**
muerte *f.* death
muerto, -a dead
muestra *pres. of* **mostrar** *f.* example, proof, specimen
mueve *pres. of* **mover**
mujer *f.* woman, wife
multiplicar to multiply
multitud *f.* crowd
mundial universal; *see* **mercado**
mundo *m.* world
municipio *m.* municipality, town
muralla *f.* wall (*of a fortress*)
Murat, Joaquín (1771–1815) *a general of Napoleon*
Murcia *f. a city and province in southeastern Spain*
Murillo, Bartolomé Esteban (1618–1682) *a Spanish religious and genre painter*
murió *pret. of* **morir**
murmuración *f.* gossip
muro *m.* wall
museo *m.* museum
música *f.* music; — **lírica y popular** popular lyric music
musical musical
musulmán, musulmano, -a Mohammedan
muy *adv.* very, much, most

N

nacer to be born
nacido, -a born
nacimiento *m.* birth; *pl.* birth rate
nación *f.* nation
nacional national
nacionalidad *f.* nationality, nation
nacionalismo *m.* nationalism
nacionalista nationalist, national
nacionalizar to nationalize
nada *f.* nothing; *pron.* nothing, anything; *adv.* nothing, not, by no means; — **más** nothing else, no more; — **menos** no less
nadar to swim
nadie *pron.* nobody, no one (else)
Napoleón Napoleon I (1769–1821) *a general and emperor of the French*
napoleónico, -a Napoleonic
Nápoles *m.* Naples (*an ancient kingdom, and city in southern Italy*)
naranjo *m.* orange tree
narración *f.* narration
nata *f.* cream; *see* **flor**
natal natal, native
nativo, -a native; *m.* native
natural natural; *m.* native; **del** — from life and nature
naturaleza *f.* nature, disposition
naturalidad *f.* naturalness, simplicity
naturalismo *m.* naturalism
naturalista naturalistic; *m.* naturalist
naufragio *m.* shipwreck
naval naval
Navarra *f.* Navarre (*a former kingdom in southwestern France and northern Spain, and to-day a Spanish province*)
nave *f.* nave, ship
navegable navigable
navegación *f.* navigation
navegante *m.* navigator

navegar to navigate
navío *m.* ship
Nebrija *or* **Lebrija, Antonio de** (1441–1522) *a Spanish Latinist and grammarian*
necesario, –a necessary
necesidad *f.* need, necessity
necesitar to need
necrópolis *f.* necropolis, burying ground
negar to deny; **—se (a)** to refuse
negativo, –a negative
negocio *m.* business
negrear (el) the black luster
negro, –a black, dark, gloomy; *m.* negro
neoclásico, –a Neo-classic
neologismo *m.* neologism
neorromanticismo *m.* Neo-Romanticism; *see note to page* 37, *line* 16
nervio *m.* nerve, vigor
netamente *adv.* purely
neutralidad *f.* neutrality
ni *conj.* neither, nor
Nicaragua *f. a Central American republic*
niebla *f.* fog
niega *pres. of* **negar**
nieto *m.* grandson
nihilista *m.* nihilist
ningún, ninguno, –a *pron. & adj.* no, no one, none, any
niño, –a child; *m.* boy; *f.* girl, maiden; *pl.* children; *see* **sí**
nivel *m.* level, standard
no *adv.* no, not
noble noble; *m.* nobleman
nobleza *f.* nobility
noche *f.* night; — **de tormenta** stormy night
noción *f.* notion
nombrar to name, appoint
nombre *m.* name
nonio (*or 'nonius,' Latinized form of Núñez, the inventor of this instrument*) *m.* gauge (*the* **nonio** *is a piece which forms a part of several mathematical instruments to measure minor fractions*)
nordeste *m.* northeast
norma *f.* norm, pattern
noroeste *m.* northwest
norte northern; *m.* north
norteamericano, –a North-American, American; *m.* American
Noruega *f.* Norway
nota *f.* note
notable eminent, remarkable
notablemente *adv.* remarkably
notar to note, observe; **—se** to be noticed; *see* **hacer**
noticia *f.* news, information, account
novedad *f.* novelty, innovation
novela *f.* novel; — **caballeresca** romance of chivalry; — **picaresca** novel of roguery
novelesco, –a novelistic
novelista *m.* novelist
noviciado *m.* novitiate
noviembre *m.* November
nube *f.* cloud
núcleo *m.* nucleus, group, center
nueva *f.* news
Nueva España *f.* Mexico (*in colonial days*)
Nueva (*or* **Nuevo Reino de**) **Granada** *f.* (*m.*) Colombia (*when under Spanish rule*)
Nueva York *m. & f.* New York
nueve nine; **las — de la mañana** nine o'clock in the morning
nuevo, –a new; *f.* news
Numancia *f.* Numantia (*an*

ancient city on the Douro river, in northern central Spain)
numantino, -a Numantian, of Numantia; *m.* Numantian
numen *m.* inspiration
numeral numeral
número *m.* number
numeroso, -a numerous
nunca *adv.* never, ever
nutrido, -a numerous
nutrirse to nourish oneself

O

o *conj.* or, either, **— . . . —** either . . . or
oasis *m.* oasis
objetivo, -a objective
objeto *m.* object, aim
obligar to compel
obra *f.* work; **— maestra** masterpiece
observación *f.* observation
observar to notice
obstante: no — notwithstanding, nevertheless, in spite of
obstinado, -a obstinate
obstrucción *f.* obstruction
obtener to obtain, attain
obtuvo *pret. of* **obtener**
ocasión *f.* occasion, opportunity; **con — de** on the occasion of; **en ocasiones** at times
ocasionar to occasion
ocaso *m.* setting (*of the sun*), sinking
occidental western
Oceanía *f.* Oceania (*the Archipelagos in the Pacific Ocean*)
océano *m.* ocean
ociosidad *f.* idleness
octavo, -a eighth; *see* **rima**
octubre *m.* October
ocupación *f.* occupation
ocupar to occupy, fill; **—se de** to deal with
ocurrir to happen
oda *f.* ode
odiar to hate
odio *m.* hatred; *see* **alimentar**
odioso, -a odious
oeste *m.* west
ofender to offend, harm
ofensivo, -a offensive
oficial official, public; *m.* office
ofrecer to offer, show
oír to hear
ojo *m.* eye; **a los —s** in the eyes
ola *f.* wave, tide
olivarero, -a of olive
olvido *m.* oblivion
omitir to omit, spare
omnímodo, -a unrestricted
omnipotente omnipotent, powerful
once eleven; **las —** eleven o'clock
ondear to fly (*a flag*)
Oña *f. a small town in the province of Navarre, northern Spain*
ópera *f.* opera
operación *f.* operation, activity
operar to operate, be active
opinión *f.* opinion
oponer(**se**) to oppose
oportuno, -a opportune
oposición *f.* opposition
opresivo, -a oppressive
optimismo *m.* optimism
opuesto, -a opposed, opposite
opulencia *f.* opulence
opulento, -a opulent
opuso *pret. of* **oponer**
oral oral
orbe *m.* world
orden *m.* order, style, respect; **— social** social régime; *f.* order, command, instruction

ordenar to order, rule
ordinario, –a ordinary; **de —** ordinarily
orfebrería *f.* gold and silver work
organización *f.* organization
organizador *m.* organizer
organizar to organize; **—se** to be organized
órgano *m.* organ
orgullo *m.* pride
orgulloso, –a proud
orientación *f.* direction, tendency, current
origen *m.* origin
originador *m.* originator
original original
originalidad *f.* originality
originar to originate
oro *m.* gold; *see* **siglo**
ortodoxo, –a orthodox
oscilar to fluctuate
oscuro, –a obscure
ostensiblemente ostensibly
ostigado, –a harassed
ostigar to harass
otorgar to grant, confer
otro, –a other, another; *see* **año**
Ovidio Ovid (43 B.C.–A.D. 17, *a Roman poet*)
Oviedo *m. a city and province in the north of Spain*

P

P. *abbrev. of* **Padre** (*eccles.*) *m.* Father
pabellón *m.* pavilion, flag
Pablo Paul
paciente patient
pacificar to pacify
pacífico, –a peaceful
pactar to reach an agreement, deal
padecer to suffer
padre *m.* father
paganismo *m.* paganism
pagano, –a pagan
pagar to pay
página *f.* page
país *m.* country
paisaje *m.* landscape
Países Bajos *m. pl.* Low Countries (*i.e., Netherlands, Belgium, and Luxemburg*)
palabra *f.* word, speech; **—s bien concertadas** discreet language
palaciego *m.* courtier
palacio *m.* palace
Palacio Valdés, Armando (1847–) *a Spanish novelist*
Palafox, José de (1780–1847) *a Spanish general*
paleta *f.* paddle; *see* **rueda**
palmario, –a evident
palmo *m.* span
Paloma: la — the Virgin of the Dove
Palos (**de la Frontera de Moguer**) *m. a seaport in the province of Huelva, southwestern Spain*
palpitante throbbing
panorama *m.* panorama
papa *m.* Pope
papel, *m.* paper, rôle
par *m.* pair, match; **de — en —** wide, entirely; **al — que** at the same time that, as well as; *see* **verso**
para *prep.* for, to, as, in order to; **— que** that, in order that, for
Paraguay *m. a South American republic*
paraíso *m.* paradise, heaven
paralelismo *m.* parallelism, juxtaposition

paralelo, -a parallel
paralización *f.* paralyzation
parco, -a sparing
pardo, -a dark gray
Pardo Bazán, Condesa de (1851–1921) *a Spanish novelist and literary critic*
parecer to appear, seem; **al —** apparently; **—se (a)** to resemble
parejo, -a even
pares *pl. of* **par;** *see* **verso**
parnaso *m.* poetry; Parnassus (*a mountain in Greece sacred in mythology to Apollo and the Muses*)
parte *f.* part, side; **no en otra —** not anywhere else; **por una —** on the one hand; **por** *or* **de otra —** on the other hand; **por** *or* **a** *or* **en todas —s** every where; **una cuarta —** a fourth; **tres cuartas —s** three fourths
participar to participate, share
particular particular, private; *m.* individual; **en —** especially
partida *f.* departure, sailing, band
partidario *m.* partisan
partido party, political party
partir to depart, sail; **al —** on departing; **a — de** beginning with
pasadizo *m.* corridor, passageway
pasado, -a past; *m.* past
pasaje *m.* passage, incident
pasar to pass, elapse, take place, go, run, spend; **— a ser** to become; **— a cuchillo** to execute; **— de** to exceed; **no — de ser** to be nothing more than; *see* **dejar** *and note to page* 55, *line* 33
pasear to move about, display
paseo *m.* walk, public walk, promenade
pasión *f.* passion
paso *m.* step, way, passage, circumstance, situation; **"paso"** interlude, *name of some short and light plays by Lope de Rueda;* **de —** at the same time; *see* **cerrar**
pastar to graze
pastor *m.* shepherd
pastoril pastoral, idyllic
patente manifest
patentizar to give evidence (of)
patología *f.* pathology
patológico, -a pathological
patria *f.* country, land, fatherland
patriarcal patriarchal
patricio *m.* patrician
patrimonio *m.* patrimony
patriota patriotic; *m.* patriot
patriotero, -a 'chauvinistic,' exaggeratedly patriotic
patriótico, -a patriotic
patriotismo *m.* patriotism
patrón *m.* patron, guardian saint
pavoroso, -a frightful
paz *f.* peace
pazo(s) (*provincialism*) *m.* (*pl.*) manor house
pecho *m.* breast(s)
pedazo *m.* piece
pedir (a) to ask, ask for, request (of)
Pedro Peter
pelado, -a bare, barren
Pelayo (*d.* 737) *the first ruler of Asturias, northern Spain*
pelea *f.* fight
pelear to fight
peligro *m.* danger
pelo *m.* hair
penal criminal

pendiente hanging; *m.* earring
penetrante piercing, keen
penetrar (en) to penetrate, enter
Penibética *f. a mountain system of southern Spain that comprises Sierra Nevada, Sierra Alhama, Serranía de Ronda and Sierra Carbonera, ending at Gibraltar, and having a length of about* 180 *miles*
península *f.* peninsula
peninsular peninsular, of the (*Iberian*) peninsula; *m.* Spaniard
pensador *m.* thinker
pensamiento *m.* thought, idea, mind
pensar to think; — **en** to think of *or* about
Pensilvania *f.* Pennsylvania
pensión *f.* scholarship
pentágrama *m.* musical staff
penúltimo, –a penultimate (*last but one*)
penuria *f.* penury
peña *f.* rock; "**Peñas arriba**" 'In the Highlands'
peor *adj. & adv.* worse, worst
Pepita (*dim. of* **Pepa,** *colloq. of* **Josefa**) Josie
pequeño, –a small, little, minor
percepción *f.* perception
percibir to perceive, feel
perder to lose
perdición *f.* ruin
pérdida *f.* loss
perdonar to forgive, neglect
perecer to perish, die
Pereda, José María de (1833–1906) *a Spanish novelist*
peregrino, –a remarkable; *m.* pilgrim
perenne everlasting, perennial, constant
Pérez de Ayala, Ramón (1881–) *a Spanish novelist and literary critic*
Pérez de Montalván, Juan (1602–1638) *a Spanish dramatic poet*
Pérez Galdós, Benito (1845–1920) *a Spanish novelist*
perezoso, –a indolent
perfección *f.* perfection
perfeccionar to perfect
perfecto, –a perfect
perfidia *f.* treachery
pérfido, –a perfidious
periódico *m.* periodical
período *m.* period
perla *f.* pearl
permanecer to stay
permanencia *f.* stay, continuation
permanente permanent, constant
permisible permissible
permitir to permit, allow
pero *conj.* but; — **sí** but certainly
perpetuo, –a perpetual
perseguir to pursue, persecute
persistir to persist
persona *f.* person, human being
personaje *m.* character
personal personal; *see* **combate, desafío**
personalidad *f.* personality, characteristic trait
perspectiva *f.* perspective
persuadido, –a persuaded
pertenecer to belong
Perú *m.* Peru
peruano, –a Peruvian
pervertirse to become debased
pesa *f.* weight; **—s y medidas** weights and measures
pesado, –a heavy, over-stressed
pesar to weigh; **a — de** in spite of

pesca *f.* fishing: *see* **barco**
peseta *f. the monetary unit of Spain, normally equivalent to about twenty cents*
pesimismo *m.* pessimism
pesimista pessimistic
peso *m.* weight; *the monetary unit of the Spanish American states, the value of which varies in each of these countries*
pesquería *f.* fishery
peste *f.* pest
petimetra *f.* coquette
peto *m.* breastplate
piadoso, –a pious
picaresco, –a picaresque, roguish; of roguery
pícaro *m.* rogue
pico *m.* corner; odd (*of numerals*); *see* **sombrero**
pictórico, –a pictorial
pidiendo *pres. p. of* **pedir**
pie *m.* foot, level
piececilla *f. dim. of* **pieza** (short) play
piedad *f.* piety
piedra *f.* stone; — **angular** corner stone
piensan *pres. of* **pensar**
pieza *f.* piece, play; — **teatral** play
pilar *m.* column; **los pilares de Hércules** (*in antiquity, the rock of Calpe, now Gibraltar, and the promontory of Abyla, now Apes' Hill, at the western entrance of the Mediterranean, were called the 'Pillars of Hercules,' beyond which lay the unexplored Atlantic*)
pinero, –a pine
pino *m.* pine
pintar to paint, picture, depict
pintor *m.* painter
pintura *f.* picture, painting, portrayal
Pío Pius
pirata *m.* pirate
piratería *f.* piracy
pirenaico, –a Pyrenean, of the Pyrenees
Pirineo(s) *m.* (*pl.*) Pyrenees (*a mountain chain which forms the boundary between Spain and France*)
pisar to step upon
pistola *f.* pistol
placer *m.* pleasure
plan *m.* plan
planear to plan
planeta *m.* planet
planisferio *m.* planisphere
planta *f.* plant, foot
plantación *f.* plantation
plantar to plant, set, place
plástico, –a plastic, realistic
plata *f.* silver
Plata *see* **Río**
plateresco, –a 'plateresque' (*resembling silverwork*)
platino *m.* platinum
plausible plausible, meritorious
plaza *f.* square, town
plebeyo *m.* plebeian
plenitud *f.* fullness, full development
pleno, –a full, complete
pléyade *f.* illustrious group
pliego *m.* sheet (*of paper*)
plomo *m.* lead
pluma *f.* pen
población *f.* population, city, colonization
poblado, –a populous
poblador *m.* inhabitant
poblar to populate, occupy
pobre poor
pobreza *f.* poverty

poco, -a (a) little, small; *pl.* some, few; *adv.* little, shortly; **a —** (*or* **— después**) soon after; *see* **hacer**
poder to be able, can; *m.* power, authority; *see* **caer, venir**
poderío *m.* power
poderoso, -a mighty, powerful
poema *m.* poem
poesía *f.* poetry, poem
poeta *m.* poet
poético, -a poetic, poetical; *see* **justa**
policía *f.* police
policromo, -a polychromic, polychrome
poligamia *f.* polygamy
político, -a political; *m.* politician; *f.* policy, politics; **"La política de Dios"** 'Divine Politics'
polo *m.* pole
polvorín *m.* magazine (*of a warship, fortress, etc.*)
ponderar to praise
poner to put, place, set; **— de moda** to make fashionable; **— por nombre** to give the name of; **—se** to begin, set (*of the sun*)
popular popular, of the people
popularidad *f.* popularity
populoso, -a populous
por *prep.* by, to, through, for, along, over, because of, in, as, per; **¿— qué ?** why?
porción *f.* portion, part, bit
pormenor *m.* detail
porque *conj.* because, in order that
porqué *m.* reason, motive; *see note to page* 36, *line* 14
portada *f.* title page
portentoso, -a prodigious
Portugal *m.* Portugal
portugués, portuguesa Portuguese; *m.* Portuguese
posarse to lie
poseer to possess
posesión *f.* possession, dominion
poseyera *p. subj. of* **poseer**
poseyeron *pret. of* **poseer**
posibilidad *f.* possibility
posible possible
posición *f.* position
positivo, -a positive
posteridad *f.* posterity
postrero, -a last
postrimería(s) *f.* (*pl.*) last stage (*of life*); **en las —s** toward the end
potable potable, fit to drink
potencia *f.* power; realm
potente potent, powerful
práctica *f.* practice
practicar to practise
práctico, -a practical; *see* **vida**
Pradilla, Francisco (1847–1921) *a Spanish painter*
Prado, Museo del *one of the best picture galleries of Europe, in the Paseo del Prado, Madrid*
precedente preceding
preceder to precede
precepto *m.* precept
preciosismo *m.* overrefinement
precioso, -a precious
precipicio *m.* precipice
precipitar to rush, anticipate; **—se** to rush
precisamente *adv.* precisely
precisión *f.* precision, accuracy
precursor *m.* precursor, forerunner
predecesor *m.* predecessor
predestinación *f.* predestination (*the decree of God from eternity foreordaining all events*)
predicador *m.* preacher

predicar to preach
predilecto, –a favorite; *see* **afición**
predominar to predominate, prevail
preferencia *f.* preference
preferentemente preferentially
preferir to prefer, choose
preludio *m.* prelude, introduction
prendarse (de) to be worn by
prender to set
prensa *f.* press
preocuparse (de) to care much (for)
preparación *f.* preparation, equipment
preparar to prepare, make oneself ready
presciencia *f.* prescience, foreknowledge
prescindir (de) to leave aside
prescribir to prescribe
presencia *f.* presence
presenciar to witness
presentar to present, offer; **—se** to appear
presente present; *m.* present (*time*)
presentimiento *m.* presentiment
presión *f.* pressure
preso, –a (de) possessed (with), crushed (by)
prestar to lend, give; **— juramento** to take an oath, swear
prestigio *m.* prestige
presupuesto *m.* budget (*of state*)
pretender to pretend, seek
pretexto *m.* pretext
prevalecer to prevail
prever to foresee
previo, –a previous
primario, –a primary
primavera *f.* spring
primer(o), –a first, early, earliest
primitivo, –a primitive, early
primor *m.* nicety, excellence
primorosamente exquisitely
princesa *f.* princess
principal principal, main, chief
príncipe *m.* prince; **— heredero** heir apparent
principiar to begin; **al —** toward the beginning of
principio *m.* beginning, principle; **a —s de** toward the beginning of; *see* **dar**
prisa *f.* hurry; **de —** quickly, hurriedly
prisionero *m.* prisoner
privado, –a private, particular, deprived; *m.* favorite
privilegiado, –a privileged
privilegio *m.* privilege
pro *m.* profit; **en — de** in behalf of, in favor of
probabilidad *f* probability
probablemente probably
probar to prove
proceder to proceed, come from, originate, arise (from)
procedimiento *m.* method, technique, process
proclama *f.* proclamation
proclamación *f.* proclamation
proclamar to proclaim, acclaim
procurar to try
prodigio *m.* prodigy
prodigioso, –a prodigious
producción *f.* production
producir to produce, create
productivo, –a productive
producto *m.* product
productor, –a productive; *m.* producer
produjo *pret. of* **producir**
proeza *f.* exploit
profano, –a profane, secular
profesar to profess
profesor *m.* professor

profético, –a prophetic
profundidad *f.* depth, thoroughness
profundísimo, –a very profound; *see* **infierno**
profundo, –a profound, deep
programa *m.*, program, plan
progresar to progress
progresivo, –a progressive
progreso *m.* progress; *see* **ir**
prohibir to prohibit
prólogo *m.* preface
prolongar to prolong
promedio *m.* average
promesa *f.* promise
prometer to promise
promontorio *m.* promontory
promover to encourage, organize
promulgar to promulgate
pronto *adv.* soon; **de** — suddenly, at once; **tan — . . . como** now . . . now, as soon as
pronunciamiento *m.* uprising (*of an army*)
pronunciar(se) to pronounce
propagarse to propagate, spread
propicio, –a propitious, favorable
propiedad *f.* property, ownership, propriety
propio, –a suitable, fit, peculiar, own, same; himself, herself, etc.; *see* **carácter**
proponer to propose
proporción *f.* proportion
proposición *f.* proposition
propósito *m.* purpose, aim
propuso *pret. of* **proponer**
prosa *f.* prose
prosaísmo *m.* prosiness, dullness
proseguir to continue, carry on
prosista *m.* prose writer
prosperidad *f.* prosperity
próspero, –a prosperous
protagonista *m.* protagonist
protección *f.* protection
protector, –a protecting
proteger to protect
protestante Protestant; *m.* Protestant
protestantismo *m.* protestantism
prototipo *m.* prototype
provechoso, –a advantageous
provenir to originate, arise (from), proceed
proverbio *m.* proverb
providencia *f.* providence
proviene *pres. of* **provenir**
provincia *f.* province
provocar to provoke, cause
proximidad *f.* proximity
próximo, –a near, next, neighboring
proyecto *m.* project
prudencia *f.* prudence; **"La prudencia en la mujer"** 'Woman's Wisdom'
prudente prudent
prueba *f.* proof
prueban *pres. of* **probar**
prusiano, –a Prussian
psicología *f.* psychology
psicológico, –a psychological
psicólogo, –a psychological
publicación *f.* publication
publicar to publish; **—se** to be published
publicista *m.* writer
público, –a public, official; *m.* public
pudo *pret. of* **poder**
pueblo, *m.* population, people, common people, town, nation; **— bajo** common people
pueda *pres. subj. of* **poder**
puente *m.* bridge
puerta *f.* door, gate
puerto *m.* harbor
pues *conj.* since, then, therefore,

because; for, well (*introducing a phrase*)
puesto *m.* place, position, rank
púlpito *m.* pulpit
púnico, -a Punic, Carthaginian
punta *f.* point, end; **de — a —** from end to end
punto *m.* point, degree, spot, matter; **al —** immediately; **de todo —** in every respect; **a tal —** to such a degree; **— de vista** point of view; *see* **estar**
puntualizar to point out (*in detail*)
puñado *m.* handful
puramente purely, merely
purgante *m.* purgative
purificación *f.* purification
purificar to purify
puro, -a pure, mere, sheer; *see* **Concepción**
puso *pret. of* **poner**

Q

que *pron.* who, whom, which, what; **lo —** what, that which; *conj.* that, than, so that, as, for, because; **—** + *subj.* whether
quebrantamiento *m.* breaking
quebrantar to impair, break
quedar(se) to remain, be, be left; **— sin eco** to meet with no response; *see* **venir**
quejarse to complain
querer to wish
Querol, Agustín (1863–1909) *a Spanish sculptor*
Quevedo, D. Francisco de (1580–1645) *the greatest Spanish satirist*
quien *pron.* who, the one who, whom, which, (any) one who, he who, whoever
quienquiera *pron.* he who, whoever
Quijote *m.* Don Quixote (*the immortal type of an all-absorbing devotion to high ideals*); **el "Quijote"** *the masterpiece of Cervantes, the first part of which was published at Madrid in* 1605, *and the second in* 1615
quina *f.* quinine
quinquenio *m.* period of five years
Quintana, Manuel José (1772–1857) *a Spanish poet and prose writer*
Quintero *see* **Álvarez**
Quintiliano Quintilian (35?–100?, *a Latin rhetorician and critic, born at Calahorra, Spain*)
quintilla *f. metrical form consisting of five, seven or eight syllabic lines*
quiso *pret. of* **querer**
quizás *adv.* perhaps

R

raíz *f.* root: *see* **bien**
rama *f.* branch
ramificación *f.* ramification, branch; **— montañosa** mountain spur
Ramiro I (*before* 791–850), *a king of Asturias and León, northern Spain*
ramo *m.* branch, line
Ramón Raymond
Ramón Berenguer III (*d.* 1131), *a count of Barcelona, eastern Spain*
rápidamente rapidly
rapidez *f.* rapidity, swiftness
rápido, -a rapid, swift
raro, -a rare, strange, unusual

ras *m.* level; **a — de agua** on the water line
rascacielo *m.* sky-scraper
rasgo *m.* feature, trait, stroke
rayar to approach; — **en** to border on
rayo *m.* ray
raza *f.* race
razón *f.* reason, judgment
reacción *f.* reaction
reaccionario, –a reactionary
real real, royal
realeza *f.* royalty
realidad *f.* reality; **en** — really, in fact
realismo *m.* realism
realista realistic
realístico, –a realistic
realizar to realize, accomplish, carry out
reanudar to resume
rebelado, –a rebellious
rebelarse to rebel, revolt
rebelde *m.* rebel
rebelión *f.* revolt
rebosante overflowing
rebotar to rebound
rebuscado, –a rare and choice
recargado, –a overladen
recaudación *f.* collection
recelo *m.* distrust
rechazar to reject, repel
recibir to receive
reciente recent
recobrar to regain, recover
recoger to pick up, gather, take (on)
recomendar to recommend
reconocer to recognize, acknowledge
reconocimiento *m.* recognition
reconquista *f.* reconquest
Reconquista *f.* Reconquest (*the period of struggle against the Mohammedan invaders of Spain, from* 718 *to* 1492)
reconquistar to reconquer
reconstitución *f.* reconstruction
reconstrucción *f.* reconstruction
recordar to remind, remember
recorrer to traverse, visit
recostado, –a reclining
rector *m.* president (*of a College or University*)
recurrir to resort to
recurso *m.* resource
redondez *f.* sphericalness
reducir to reduce; —**se** to be confined
redujo *pret. of* **reducir**
reembarcar(**se**) to reembark
reemplazar to replace
referir to relate
refinado, –a refined, polished
refinamiento *m.* refinement
reflejar to reflect, portray
reforma *f.* reform; reformation; — **carcelaria** prison reform
Reforma *f.* Reformation (*religious movement in the sixteenth century*)
reformar to reform, correct
refracción *f.* refraction (*of a ray of light, sound, etc., in passing obliquely from one medium into another*)
refriega *f.* affray, encounter
refugiado *m.* refugee
refugiarse to take refuge
refugio *m.* refuge
regadío *m.* irrigated land
regencia *f.* regency
regeneración *f.* regeneration
regentear to control
régimen *m.* régime
región *f.* region
regional provincial
regionalidad *f.* provincial nature

regionalismo *m.* sectionalism
regir to rule, control
registrar to record
regla *f.* rule
regocijado, -a merry
regresar to return
regreso *m.* return
regular to regulate; *adj.* regular
rehabilitador *m.* restorer
rehacer to remake
reina *f.* queen
reinado *m.* reign
reinar to reign, prevail
reino *m.* kingdom
reintegración *f.* restitution, return
reiterar to repeat
reja *f.* grating
relación *f.* relation, report, account
relacionado, -a related, in connection
relacionarse to be related, be connected
relajar to relax; **—se** to become loose *or* relaxed
relatar to relate
relato *m.* account, narration
relegar to relegate, put; **— al olvido** to relegate to oblivion
relicario *m.* reliquary
relieve *m.* relief, boss
religión *f.* religion
religiosidad *f.* religiousness
religioso, -a religious; *m. member of a religious order*
reliquia *f.* relic
remediar to remedy
remedio *m.* remedy
remontarse to go back
remoto, -a remote
renacimiento *m.* renaissance
Renacimiento *m.* the Renaissance (*the revival of classical art and learning in the fourteenth to sixteenth centuries*)
rencor *m.* grudge
rendición *f.* surrender
rendido, -a exhausted; **— de cuerpo** weary in body
rendir to surrender, yield; **—se** to surrender
Rennert, Hugo Albert (1858–) *an American scholar*
renombrado, -a renowned
renombre *m.* renown
renovador *m.* renovator
renovar(se) to renew, change
renueva *pres. of* **renovar**
renuncia *f.* renouncement, resignation
renunciar to renounce, resign
reñido, -a bitter
reorganización *f.* reorganization
reorganizar to reorganize
reparar to repair
reparto *m.* distribution
repentinamente *adv.* suddenly
repercutir to resound, ring
repetido, -a repeated, numerous
repetir to repeat
repite *pres. of* **repetir**
repleto, -a (**de**) full, filled (with)
repoblación *f.* repopulation, colonization
reponer to replace; **—se** to recover
reportar to bring, yield
reposar to rest
represalia *f.* reprisal
representación *f.* representation, performance
representante *m.* representative
representar to represent, perform, be, mean, copy
representativo, -a representative
reproducir to repeat, copy

reprodujeron *pret. of* **reproducir**
república *f.* republic
republicano, -a republican; *m.* republican
repuesto, -a *p.p. of* **reponer**
repulido, -a over-refined
reseñar to review
reserva *f.* reservation
reservado, -a reserved
residir to reside
resignado, -a resigned
resina *f.* resin
resistencia *f.* resistance, opposition, endurance
resistir to resist, withstand; **—se** (**a**) to refuse
resolución *f.* resolution, decision; **en —** in short
resolver to resolve; **—se** to end; **—se a** to decide
resonancia *f.* echo
resonar to resound, ring
respectivamente *adv.* respectively
respecto respect; **— a** *or* **de** with respect to
respetable reputable, honorable
respetado, -a respected
respirar to breathe
resplandecer (**en**) to shine
responder to reply, answer
responsabilidad *f.* responsibility
restablecer to reëstablish, restore
restante remaining, other
restar to remain
restauración *f.* restoration
restaurar to restore; **—se** to be restored
resto *m.* rest, remainder
resucitar to resuscitate, revive
resuelto, -a decided
resuelve *pres. of* **resolver**
resultado *m.* result
resultar to result, be
resurrección *f.* resurrection
retener to retain, keep
retirado, -a retired, quiet
retirar(**se**) to withdraw
retocar to retouch
retoñar to spring up
retórico *m.* rhetorician
retorno *m.* return
retratar to portray
retrato *m.* portrait
retribuído -a paid
retroceder to turn back
reunir to gather, assemble; **—se** to meet, assemble
revelación *f.* revelation
revelar to reveal, show
reverdecer to give new freshness and vigor (to)
revestir to assume, possess
revisión *f.* revision
revista *f.* review
revistió *pret. of* **revestir**
revivir to revive
revolución *f.* revolution
revolucionar to revolutionize
revolucionario, -a revolutionary; *m.* revolutionist
revuelta *f.* revolt
rey *m.* king
Reyes Católicos *m. pl. Ferdinand of Aragon and Isabella of Castile*
Ribera, José, "El Españoleto" (1588–1656) *a Spanish painter*
Ricardo Richard
rico, -a rich
riego *m.* irrigation
rienda *f.* rein
riesgo *m.* risk, danger
rige *pres. of* **regir**
rigorosamente *adv.* strictly
rima *f.* rime; **octava —** 'ottava rima,' octave (*a stanza of eight lines, the first six lines riming*

alternately and the last two forming a couplet)
rimar to rime
rindieron *pret. of* **rendir**
río *m.* river
Río de la Plata *m. the river or estuary of the combined Uruguay and Parana Rivers, between Uruguay and Argentina;* **provincias del** (*or* **de Río de la**) **Plata** *Argentina, Uruguay, Paraguay and southern Bolivia, in colonial days*
Río Tinto *m. a town and district in the province of Huelva, southwestern Spain*
riqueza *f.* riches, wealth
riquísimo, –a very rich
risueño, –a smiling, pleasing
rival *m.* rival
rivalidad *f.* rivalry
Rivas, Duque de (1791–1865) *a Spanish poet and dramatist*
rizado, –a curly
robar to rob
robusto, –a robust, intense
roca *f.* rock
rodear (**de**) to surround (by)
rodilla *f.* knee; **de —s** kneeling down
Rodrigo Roderick
Rodrigo, Don *the last Gothic king of Spain, who probably died in the battle of Segoyuela, in* A.D. 713
Rojas, Fernando de *a Spanish writer, the probable author of* **"La Celestina,"** *who was yet alive in* 1538
rojo, –a red
Roma *f.* Rome
romance *m.* ballad (*the metrical form of the* **romance** *is the octosyllabic verse, the even lines* (2, 4, 6, *etc.*) *having assonance, while the final syllables of the odd lines are unlike in sound*
Romancero *m. a collection of old Spanish ballads*
romano, –a Roman; *m.* Roman
romanticismo *m.* romanticism (*the most important characteristics of romanticism, which reached its highest point from* 1830 *to* 1840, *were the desire to break with the literary traditions of the eighteenth century; the use of historical material dealing with the Middle Ages; and the expression of the author's personality*)
romántico, –a romantic; *m.* romanticist
romper to break; — **con** to depart from
Ronda *f. a town and district in southwestern Spain*
Rosales, Eduardo (1836–1873) *a Spanish painter*
Rosellón *m.* Roussillon (*an old province in southeastern France*)
rostro *m.* face
Rubén Darío *the pen name of* **Félix Rubén García Sarmiento** (1867–1916) *a Nicaraguan poet and prose writer*
rubio, –a blond, blonde
rudo, –a rude, crude
rueda *f.* wheel; — **con paletas** paddle wheel
Rueda, Lope de (1510?–1565) *a Spanish actor and dramatist*
Rueda, Salvador (1857–) *a Spanish poet and novelist*
ruego *m.* entreaty
ruidosamente *adv.* loudly, clamorously
ruina *f.* ruin, downfall

Ruiz de Alarcón, Juan (1581?–1639) *a Spanish dramatic poet*
Ruiz Montoya, Diego (1562–1632) *a Spanish theologian*
rumbo *m.* course, direction; **con — a** bound for
rumor *m.* rumor
rural rural
Rusia *f.* Russia
ruso, -a Russian
ruta *f.* route
rutina *f.* routine

S

s. *abbrev. of* **siglo** *m.* century
saber to know, know how, can; **— de** to know about; **es de —** it is to be noted; *m.* learning
sabio, -a wise; *m.* learned person, scholar
Saboya, Amadeo de (1845–1890) *a king of Spain*
sacar to take out, extract
sacerdote *m.* priest
sacramental sacramental, religious
sacrificar to sacrifice
sacrificio *m.* sacrifice
sagacidad *f.* sagacity
sagrado, -a sacred, religious, holy
saguntino *m.* Saguntine, of Saguntum
Sagunto *m. a town in the province of Valencia, eastern Spain*
sainete *m. one-act light comedy*
Saint-Saëns, Charles Camille (1835–1922) *a French composer*
sajón, sajona Saxon
Sajonia *f.* Saxony
Salamanca *f. a city in western Spain*
salario *m.* salary
sálico, -a Salic; *see* **ley**
salida *f.* sally
salir to go (*or* come *or* get *or* set) out, leave, come, rise, spring; **— al encuentro** to go to meet
salón *m.* salon, hall
saltar to flash, burst; **—se las lágrimas** to burst into tears
salvación *f.* salvation
salvador *m.* savior
salvaje wild; *m.* savage
salvar to save
salvo *prep.* except
Samaniego, Félix M. de (1745–1801) *a Spanish fabulist*
san, *abbrev. of* **santo** *m.* saint (*used accompanying the name*)
Sancho (**Panza**) *the squire of Don Quijote*
Sancho II *a king of Castile from* 1065 *to* 1072
sanción *f.* approval
sancionar to authorize
sangre *f.* blood; **a — y fuego** by fire and sword
sangriento, -a bloody
sanidad *f.* sanitary conditions
San Martín, José de (1778–1850) *an Argentine general and statesman, who was chiefly instrumental in securing the independence of Argentina, Chile and Peru*
San Millán *m. a small village in the province of Navarre, northern Spain*
sano, -a wholesome
San Salvador *m. the smallest of the Central American states*
Santander *m. a city and province in northern Spain*
Santiago Saint James (*one of the twelve apostles, the Patron saint of Spain*); **"¡ Santiago y cierra España ! "** 'Span-

iards, forward with the help of Saint James!'
Santiago (de Compostela) *m. a city and province in northwestern Spain*
santo, -a holy; *m.* saint
Santo Domingo, isla de *f.* Haiti Island (*in the Caribbean Sea*)
sarcástico, -a sarcastic
sarcófago *m.* sarcophagus, tomb
Sargent, John Singer (1856–) *an American painter*
sarraceno *m.* Saracen
sátira *f.* satire
satíricamente *adv.* satirically
satírico, -a satirical; *m.* satirist
satisfacción *f.* satisfaction
satisfacer to satisfy
satisfizo *pret. of* **satisfacer**
sazón *f.* ripeness; **a la** — at that time
Schopenhauer, Arthur (1788–1860) *a German philosopher*
sé *pres. of* **saber**
sea *pres. subj. of* **ser**; *see* **ser**
seco, -a dry; **a secas** merely
secreto, -a secret; *m.* secrecy; **en secreto** secretly
secta *f.* sect
secularizar to secularize
secundario, -a secondary
seda *f.* silk
sedería *f.* silk
Segovia *f. a city in central Spain*
seguida: en — forthwith, immediately
seguir to follow, continue
según *adv.* as, according to
segundo, -a second
seguro, -a sure, certain; *m.* insurance
sellar to seal, mark
sello *m.* mark, seal; — **de correos** postage stamp
selva *f.* forest
semana *f.* week
semblante *m.* face
sembrar to sow, cause
semejante similar, alike, such (a)
semejanza *f.* resemblance
semidiós *m.* demigod
semilla *f.* seed
seminario *m.* seminary (*theological*)
semisalvaje semibarbarous
semítico, -a Semitic
Senado *m.* Senate
sencillamente simply
sencillez *f.* simplicity; — **del arte** simplicity of art
sencillo, -a simple, plain
Sénecas, los Annæus Seneca (54 B.C.–A.D. 38?) *a Latin rhetorician, and* Lucius Annæus Seneca (4? B.C.–A.D. 65) *a Latin philosopher, both born at Cordova, Spain*
sensibilidad *f.* sensibility
sentar to establish
sentido, -a emotional; *m.* sense, meaning, manner, direction; — **humorístico** sense of humor
sentimental sentimental
sentimiento *m.* sentiment, feeling
sentir(se) to feel
señal *f.* sign, mark, token
señalar to point out; **—se** to be distinguished
señor *m.* master, sir, lord
Señor (el) (the) Lord, God
señorío *m.* mastery, dominion
separar to separate, divide; **—se** to secede
separatismo *m.* secessionist movement
separatista secessionist
septiembre *m.* September

sepulcro *m.* grave, sepulcher
sequía *f.* long drought
ser to be; **por** — because of being; **o sea** that is; **de no — por** except on account of
serenidad *f.* serenity
sereno, –a serene
sericícolo, –a of sericulture (*the cultivation of silkworms*)
serie *f.* series
seriedad *f.* earnestness
serio, –a serious
serranía *f.* mountains, mountain range
servicio *m.* service; **al** — in the service; — **de correos** postal service
servidor *m.* servant
servidumbre *f.* servitude
servilismo *m.* servility
servir (**de**) to serve (as); —**se** to make use
sesgado, –a hewn
seudoclásico, –a pseudoclassic
severo, –a severe, dignified, stern
Sevilla *f.* Seville (*the capital of Andalusia, on the Guadalquivir River, southern Spain*)
sevillano, –a Sevillian
sexo *m.* sex
Shakespeare *the immortal author of "Hamlet"* (1564–1616)
Shelley, Percy Bysshe (1792–1822) *an English poet*
si *conj.* if, whether, although; — **bien** although
sí *pron.* oneself, itself; **en** — (**mismo**) by itself; *adv.* yes, indeed, certainly indeed; **"El sí de las niñas"** 'Young Maiden's Consent'
Sicilia *f.* Sicily (*the largest island in the Mediterranean off the southern coast of Italy*)
siempre *adv.* always, ever; **de** — ever; **para** — forever; — **que** whenever
siente *pres. of* **sentir**
sierra *f.* (range of) mountains
Sierra Morena *f. mountain range in southern Spain*
siervo *m.* serf, slave
siglo *m.* century, age; **pleno** – the height of the century; — **de oro** Golden Age (*which in Spanish literature extended, approximately, from* 1550 *to* 1680)
significación *f.* meaning, value
significado *m.* meaning
signo *m.* sign, seal
siguiente next, following
siguieron *pret. of* **seguir**
sílaba *f.* syllable
silencio *m.* silence
silueta *f.* profile, outline
Simancas *f. a town in the province of Valladolid, northern central Spain where the General Archives of the Kingdom are established*
simbólico, –a symbolistical, symbolized
simbolismo *m.* symbolism
símbolo *m.* symbol
similar similar
simpatía *f.* sympathy, affection
simple simple
simultáneamente simultaneously
sin *prep.* without;—**que** without; — + *inf.* — without + *pres. p.*
sinceridad *f.* sincerity
sincero, –a sincere
sindicato *m.* association
singular singular
siniestra *f.* left hand
sino *conj.* but, except; — **que** but; *m.* fate; *see* **fuerza**

síntesis *f.* synthesis
siquiera *conj. & adv.* although, even, at least; **ni** — not even
sir *Engl.* Sir
sirve *pres. of* **servir**
sirviéndose *pres. p. of* **servirse**
sistema *m.* system, method; — **ferroviario** railroad system
sistemático, –a systematic, constant
sitiado, –a besieged; *m.* besieged
sitiador, –a besieging; *m.* besieger
sitio *m.* place, siege
situación *f.* situation, condition
situado, –a situated, located
situar to situate, locate
S. M. *abbrev. of* **Su Majestad,** His Majesty
Smith, Adam (1723–1790) *an English economist*
soberanía *f.* sovereignty, power, rule
soberano, –a sovereign; *m. & f.* sovereign
soberbio, –a superb
sobre *prep.* on, upon, above, over, about, concerning; — **todo** especially
sobredicho, –a above mentioned
sobremanera *adv.* principally, especially
sobrenatural miraculous
sobrepujar to surpass
sobresaliente remarkable, eminent
sobresalir to stand out, excel
sobrevivir to remain alive, survive
sobriedad *f.* sobriety, temperance
sobrio, –a sober, temperate, terse
social social
socialismo *m.* socialism
sociedad *f.* society
sofocar to stifle, suppress
sol *m.* sun, sunshine
solamente only
solar *m.* solar, of the sun
soldado *m.* soldier
soledad(es) *f.* (*pl.*) solitude, desert
solemne solemn
soler to be used, used to; — **ser** to be usually
solicitar to ask for, request, court
solicitud *f.* solicitude, care
sólido, –a solid
solo, –a single, alone, only
sólo *adv.* only
sollozo *m.* sobbing
sombra *f.* shadow, shade
sombrero *m.* hat; **"El sombrero de tres picos"** 'The Three-cornered Hat'
someter to submit; —**se** to yield, submit oneself
sometido, –a submitted, subject, subjugated
Somorrostro *m. a town and district in the province of Vizcaya, northern Spain*
soneto *m.* sonnet
soñar to dream
soplar to blow
soplo *m.* breath
soportar to endure
sordomudo *m.* deaf and dumb
Soria *f. a town in northern central Spain, about four miles from the ruins of ancient Numantia*
Sorolla, Joaquín (1863–1923) *a Spanish painter*
sorprendente surprising
sorprender to surprise, overtake

sorpresa *f.* surprise; **de —** suddenly
sostener to sustain, carry on
Stoll, Maximilian (1742–1787) *a German physician and author*
su *adj.* his, her, their, your, its
Suárez, Francisco (1548–1617) *a Spanish Jesuit and theologian*
suave mild
suavidad *f.* smoothness
súbdito *m.* subject
subido, –a high
subir to ascend, go (up), rise
súbito, –a sudden
sublevación *f.* uprising
sublime sublime, supreme
sublimidad *f.* sublimity, grandeur
subsiguiente subsequent
subsistir to subsist
substancia *f.* substance
substantivo, –a substantive, essential
substituír to replace
subvención *f.* subsidy
subyugar to subject
suceder to happen, take the place of, follow; **—se** to follow one another
sucesión *f.* succession, series
sucesivamente successively
sucesor *m.* successor
Sucre, Antonio José de (1793–1830) *a Venezuelan general, who in* 1826 *was chosen first president of Bolivia*
sudoeste *m.* southeast
suela *pres. subj. of* **soler**
suele(n) *pres. of* **soler**
suelo, *m.* soil, land
suelto, –a loose
sueñe *pres. subj. of* **soñar**
sueño *m.* sleep, dream; **en —s** in a dream; *see* **vida**
suevo *m.* Swabian
suficientemente sufficiently
sufragio *m.* suffrage
sufrimiento *m.* suffering
sufrir to suffer, sustain, undergo
sugerir to suggest
sujetarse to submit
sujeto, –a (a) subject (to), dominated (by); *m.* subject, person
suma *f.* sum; **en —** in short
sumario *m.* summary
suministrar to furnish, supply
sumo, –a exceeding, incomparable
suntuoso, –a sumptuous
superar to surpass, excel
superficial superficial
superficie *f.* surface, area
superior superior
superioridad *f.* superiority
superstición *f.* superstition
supiste *pret. of* **saber**
suplir to supply, replace
supo *pret. of* **saber**
suponer to suppose; *see* **caber**
supremo, –a supreme
suprimir to abolish
supuesto, –a supposed; **por supuesto** of course
sur *m.* south
surcar to plow (*the water, as in sailing*)
surgir to rise, spring, appear
suspender to stop
suspensión *f.* suspension
suspiro *m.* sigh
sutil subtile
sutilidad *f.* subtlety

T

tabla *f.* table, board; **— de materias** table of contents

tacha *f.* blemish; **sin** — blameless
taciturno, -a melancholic
Tajo *m.* Tagus River (*in Spain and Portugal, extending* 566 *miles to the Atlantic Ocean*)
tal *adj. & pron.* such, such a, such a one, so, as; — **vez** perhaps
talento *m.* talent
Tamayo y Baus, Manuel (1829–1898) *a Spanish dramatist*
también *adv.* too, also, likewise
tampoco *adv.* either, neither, not either
tan(to), -a *adj. & pron.* as, so, so well, such, so much, so many; **tan . . . como** as . . . as; **tanto . . . como** as much as, as well as, both . . . and; **por (lo) tanto** therefore; **en tanto que** while, whereas; **entre tanto** in the meantime; *pl.* odd (*in numerical expressions*)
tapa *f.* lid, cover
tapicería *f.* tapestry
tardar to delay, be long (*in doing something*)
tarde *f.* afternoon; *adv.* late; **más** — later
Tarragona *f. a city and province in eastern Spain*
teatral dramatic
teatro *m.* theater, stage
techumbre *f.* roof
técnico, -a technical; *m.* expert; *f.* technique
tejido *m.* textile fabric
telar *m.* loom
telegrafía *f.* telegraphy
telón *m.* curtain
Téllez, Fray Gabriel (1571–1648) *a Spanish dramatic poet and prose writer, who wrote under the pen name of* **Tirso de Molina**
tema *m.* theme, subject, composition
temblar to tremble
temer to fear
temible terrible
temor *m.* fear
temperamento *m.* temperament
temperatura *f.* temperature, weather
templado, -a warm
temple *m.* temper
templete *m.* small temple, shrine
templo *m.* temple, church
tenacidad *f.* tenacity, persistence
tendencia *f.* tendency, aim, style
tender to have a tendency, be bound, try
tener to have, hold; — **que** to have to, be obliged to; — **por** to consider as; — **lugar** to take place; — **años** to be (of age)
Tenerife *f.* Teneriffe (*the largest of Canary Islands, northwest of Africa*)
tensión *f.* tension
Teodosio Theodosius; — **el Grande** Theodosius the Great (346 ?–395) *a Roman emperor, born at Cauca, northern Spain*
teología *f.* theology
teológico, -a theological
teólogo *m.* theologian
teoría *f.* theory
terapéutica *f.* therapeutics
terceto *m.* tercet (*a stanza of three lines of eleven syllables each*)
terciopelo *m.* velvet
Teresa Theresa; *see note to page* 188, *line* 27

terminación *f.* end, completion
terminar(se) to end, bring *or* come to an end: **al** — at the end of; **para** — finally
término *m.* term, condition, manner
terreno *m.* field, land, ground, sphere
terrestre earthly, of the earth
terrible terrible
territorial territorial
territorio *m.* territory, land
terror *m.* terror
terso, –a terse
tesoro *m.* treasure, treasury
testamento *m.* testament
testimonio *m.* testimony, evidence
textil textile
texto *m.* text
tibio, –a lukewarm
tiempo *m.* time, age; **¿ cuánto — ?** how long?; **a un** — at the same time; **en —s** at the time; **en todo** — in every period
tienda *f.* tent
tiende *pres. of* **tender**
tierno, –a tender, goodhearted
tierra *f.* earth, land, soil, country; **en —s de Castilla** in Castile; **la — de sus amores** his beloved land; **la — madre** mother earth; **"Tierra baja"** 'The Lowlands'
tiesto *m.* flowerpot
tifus *m.* typhus
timbre *m.* stamp, air, character
timón *m.* rudder
tiniebla(s) *f.* (*pl.*) darkness, night
tinta *f.* ink
Tintoreto Tintoretto (*real name Jacopo Robusti*, 1518–1594, *an Italian painter*)
típico, –a typical, genuine
tipo *m.* type, figure, model
tiranía *f.* tyranny
Tirso de Molina *see* **Téllez**
titulado, –a entitled
titularse to be entitled *or* named
título *m.* title
Tiziano Titian (1477–1576) *an Italian painter*
tocador *m.* boudoir
tocante (a) concerning
tocar to touch; — **en herencia** to fall as a heritage
todavía *adv.* yet, still
todo, –a all (of), every, any; *m.* everything; *m. pl.* everybody; **en todo** in everything; **del todo** entirely
toledano, –a Toledan, of Toledo
Toledo *m. a city in central Spain*
tolerancia *f.* tolerance
tolerante tolerant
Tolstoi, Count Leo (1828–1910 *a Russian novelist and philosopher*)
toma *f.* taking; — **de posesión** seizure, conquest
tomar to take; — **por** to take for; — **vuelo** to rise
Tomás Thomas
tonalidad *f.* tonality
tonelada *f.* ton
tono *m.* shade
toparse (con) to meet (*by chance*)
topografía *f.* topography
tormenta *f.* storm
tormentoso, –a stormy
Tormes *m. a river near Salamanca, western Spain, on the banks of which the chief character of the novel* **"Lazarillo**

de **Tormes"** *declares he was born*

tornar to turn (back), return; — **la mirada** to turn one's eyes; — **a brillar** to shine (*or* be conspicuous) again; — **a coger la pluma,** to take the pen again; — **a repetirse** to come to be repeated

tornasolado, -a iridescent (*having colors like the rainbow*)

torneo *m.* tournament

tornera *f.* doorkeeper (*of a convent*)

torno *m.* winch; **en** — around

torre *f.* tower

torrencial torrential

Torres Naharro, Bartolomé de (*d.* 1531?) *a Spanish dramatist and poet*

total total

traba(**s**) *f.* (*pl.*) restraint

trabajador, -a laborious, working

trabajar to work

trabajo *m.* work; — **manual** manual labor

trace *pres. subj. of* **trazar**

tracería *f.* tracery (*interweaving lines in graceful figures*)

tradición *f.* tradition

tradicional traditional

traducción *f.* translation

traducir to translate

tradujeron *pret. of* **traducir**

traer to bring

tráfico *m.* traffic, trade

trágico, -a tragic

traición *f.* treason; **a** — traitorously

traidor, -a traitorous, treacherous

Trajano Trajan (52 *or* 53–117, *a Roman emperor, born at Italica, Spain*)

traje *m.* dress

trajeron *pret. of* **traer**

trama *f.* plot

tramoya *f.* stage machinery

tranquilo, -a quiet

transcurrir to elapse

transitoriamente *adv.* transitorily, for a time

tras *prep.* after, behind

trascendencia *f.* transcendency, importance

trascendental transcendental

trasladar to transfer, take, render, reproduce

traslucirse to be reflected

trastornado, -a deranged

trata (de negros) *f.* African [slave] trade

tratadista *m.* author of treatises

tratado *m.* treaty, treatise

tratar to treat; — **de** to try, deal with; —**se de** to be a question of

través: a — de across, through

travesura *f.* prank, frolic

travieso, -a mischievous

trazar to draw, plan

trazo *m.* stroke

tregua *f.* truce

tremendo, -a tremendous

Trento *m.* Trent (*a city in Italy; the Council of Trent met there from* 1545 *to* 1563)

treta *f.* trick

triangulación *f.* triangulation (*survey by triangles*)

tribu *f.* tribe

tributo *m.* tribute

trigo *m.* wheat

Trinidad *f.* Trinidad (*the largest island of the Lesser Antilles*)

tripulante *m.* sailor

triste sad, somber

tristeza *f.* sadness

triunfador, –a triumphant
triunfal triumphal
triunfar to triumph
triunfo *m.* triumph
tronco *m.* trunk (*of a tree*)
trono *m.* throne
tropa *f.* troop
trovador *m.* troubadour, poet
tuétano *m.* marrow; **hasta los —s** to the marrow
tumulto *m.* disturbance
turbio, –a turbid, muddy
turbulencia *f.* turbulence
turco, –a Turkish; *m.* Turk
tuvieron *pret. of* **tener**
tuvo *pret. of* **tener**

U

u *conj. before* **o** *and* **ho,** or
último, –a last, latter, recent; **por último** finally
ultraje *m.* outrage
ultramarino, –a overseas
ultrapirenaico, –a trans-Pyrenean, French
únicamente only
único, –a only, sole, unique; **el único** the only (one)
unidad *f.* unity
unido, –a (**a**) united, together (with)
unificación *f.* unification
unificar to unify
uniforme uniform
unir(**se**) to unite, join, connect
unitario, –a unitary
universal universal, all-powerful
Universidad *f.* university
universitario, –a of the university
uno, –a *adj. & pron.* one; *pl.* some; about, *with numerals;* **unos con otros** between themselves; **uno mismo** the same; **uno u otro** either; **unos cuantos** a few; **uno**(**s**) **y otro**(**s**) both
Urales, montes *m. pl.* Ural Mountains (*in Russia*)
urbano, –a urban, of the city
urgencia *f.* urgency
usar to use
uso *m.* use
usura *f.* usury
útil useful

V

vacilante vacillating, wavering
vagabundo *m.* wanderer
vago, –a vague
Valencia *f. a city and seaport in eastern Spain*
valenciano, –a of Valencia
Valera, Juan (1824–1905) *a Spanish novelist, poet, and literary critic*
valeroso, –a intrepid
valido *m.* favorite
valiente brave, bold
valientemente *adv.* bravely
valioso, –a valuable
valor *m.* valor, courage, value, worth; **por — de** to a value of; *pl.* securities
Valladolid *m. a city in northern central Spain*
valle *m.* valley
Valle-Inclán, Ramón del (1870–) *a Spanish man of letters*
vanagloria *f.* vainglory, presumption
vándalo *m.* vandal
vano *m.* vain
vapor *m.* vapor, steam
vaporoso, –a vaporous, diffuse
vaquero *m.* cowboy

variación *f.* variation
variado, –a varied, versatile; *see note to page* 142, *line* 18
variedad *f.* variety, diversity
vario, –a different, varied; *pl.* some, several
varón *m.* male, man
vasallo *m.* vassal
vasija *f.* vessel (*utensil*)
vastísimo, –a very vast
vasto, –a vast, wide
Vaticano *m.* Vatican
veces *pl. of* **vez**
vecindario *m.* population (*of a town*)
vecino, –a neighboring; *m.* neighbor; head of a family (*when referring to the population of a town*)
vega *f.* plain
Vega, Lope de (*real name* Lope Félix de Vega Carpio, 1562–1635) *the greatest Spanish dramatic poet*
vegetación *f.* vegetation
vegetal vegetal
velazqueño, –a of Velazquez
Velázquez, Diego Rodríguez de Silva y (1599–1660) *the greatest Spanish painter*
Vélez de Guevara, Luis (1579–1644) *a Spanish novelist and dramatist*
veloz swift
vellocino *m.* fleece; — **de oro** golden fleece (*in Greek mythology a fleece of gold placed in a sacred grove and guarded by a dragon*)
vena *f.* vein
vencedor, –a victorious; *m.* victor
vencer to defeat, be victorious, overcome
vender to sell
Venecia *f.* Venice (*a city in northwestern Italy*)
veneciano, –a Venetian
venenoso, –a poisonous
venerable venerable
veneración *f.* veneration
venero *m.* vein, bed (*of ore*)
venezolano, –a Venezuelan
Venezuela *f.* Republic of Venezuela
venganza *f.* revenge
vengar to avenge
vengativo, –a revengeful
venia *f.* permission
venidero, –a future, coming
venir to come, be; — **a ser** to become, be; — **a quedar en poder de** to pass to the hands of
ventajosamente advantageously
ventana *f.* window
ver to see, sight; **a mi** — in my opinion; *see* **volver**
verano *m.* summer
verbena *f.* festival (*of a popular character, generally at night and on the eve of a saint's day*)
verbigracia *adv.* for instance
verdad *f.* truth, truthfulness; **en** *or* **de** — really
verdaderamente truly
verdadero, –a true, real
verde green
veredicto *m.* verdict
vergonzoso, –a bashful
verídico, –a veracious
Verona *f. a city of northeastern Italy;* **Congreso de Verona** *in which the chief European powers met on October* 20, 1822, *to discuss among other important things the question of their relations to the Spanish colonies*

versar (**sobre**) to deal (with)
versificación *f.* versification
versión *f.* translation
verso *m.* verse, line; **—s pares** even-numbered lines (*i.e., lines* 2, 4, 6, 8, *etc.*)
Vespasiano Vespasian (9–79, *a Roman emperor*)
vestigio *m.* trace, remains
vestir to dress
vez *f.* time; **una —** once; **a su —** in his turn; **a la —** at the same time; **de — en cuando** from time to time; **en — de** instead of; **tal —** perhaps; **una y otra —** several times *or* again and again; **por primera —** for the first time; **por última —** for the last time; **una — más** once more; *pl.* **veces; a —** sometimes
vía *f.* road; **la Gran Vía** (the) Main Street
viajar to travel
viaje *m.* voyage
viajero *m.* traveler
vicaría *f.* vicarage; **"La vicaría"** 'The Wedding'
Vicente Vincent
vicioso, –a vicious
vicisitud *f.* vicissitude
víctima *f.* victim
¡ Víctor . . . ! (*Latinism*, winner) Long life . . . !
victoria *f.* victory
victorioso, –a victorious
vida *f.* life; **— íntima** home life; **— práctica** daily life; **"La vida es sueño"** 'Life is a Dream'; **"Vida del Buscón"** 'Life of the Great Sharper'
vidriera *f.* glazed window (*in a church*)
viejo, –a old
viento *m.* wind
vigía *m.* sentinel
vigor *m.* vigor, power, strength
vil base
villa *f.* town, village
Villaespesa, Francisco (1877–) *a Spanish lyric and dramatic poet*
Villegas, José (1848–1921) *Spanish painter*
villorrio *m.* small village
vínculo *m.* tie, bond
vinícola of wine
vino *pret. of* **venir**
vino *m.* wine
viñedo *m.* vineyard
Virgen (the) Virgin
Viriato (*d.* 140 B.C.) *the victorious leader of the Lusitanians against the armies of Rome*
viril virile, manly
virilidad *f.* virility
virreinato *m.* viceroyship
virrey *m.* viceroy
virtud *f.* virtue
'vis cómica' (*Latin phrase*) *f.* comic force
visigodo, –a Visigothic; *m.* Visigoth (*of the western group of a Teutonic race which overran the Roman empire*)
visión *f.* vision, view
vislumbrar to divine, foresee
víspera(s) *f.* (*pl.*) eve; **en — de** on the eve of
vista *f.* view, sight, eyes; **a la —** in sight; **en — de** in view of *or* because of
visto, –a *p.p. of* **ver**
visual visual
Vitoria (*or* **Vittoria**), **Tomás Luis** (1540–1608) *a Spanish composer*
vituperio *m.* vituperation

viva *see* **vivir**
vivacidad *f.* vivacity, liveliness
víveres *m. pl.* stores (*of an army*)
vividez *f.* vividness
vivir to live; **¡ Viva . . . !** Long life . . . !
vivísimo, –a very bright
vivo, –a alive, living, lively, keen, burning
Vizcaya *f. a large province in northern Spain*
vocablo *m.* word, term
vocabulario *m.* vocabulary
volar to fly, flash
volcán *m.* volcano
volumen *m.* volume
voluntad *f.* will
voluntario, –a willing
volver to turn, return; — **la mirada** to turn one's eyes; — **a verse** to see each other again; — + *inf. to repeat an action*
Vosgos *m. pl.* Vosges Mountains (*in northeastern France*)
votación *f.* suffrage
voto *m.* vote
voz *f.* voice, shout; **la — de alarma** the alarm
vuelo *m.* flight, pretension

W

Wellington, Arthur W. (1769–1852) *a British general*
Whistler, James McNeill (1834–1903) *an American painter and etcher*

Y

y *conj.* and
ya *adv.* already, now; — . . . — now . . . now *or* either . . . or; — **que** since
yacimiento *m.* deposit (*of ore*)
yanqui American (*of the United States*)
yerno *m.* son-in-law
yugo *m.* yoke
yunta *f.* yoke of oxen

Z

Zafra *f. a town in the province of Badajoz, southern Spain*
Zalamea (**de la Serena**) *f. a small town, the scene of* **"El alcalde de Zalamea,"** *in the province of Badajoz, southern Spain*
Zamora *f. a city in northwestern Spain*
zapatero *m.* shoemaker
Zaragoza *f.* Saragossa (*a city in northeastern Spain*)
zarpar to sail
zarzuela *f.* musical comedy
zona *f.* zone
zoología *f.* zoölogy
Zorrilla, José (1817–1893) *a Spanish lyric and dramatic poet*
Zuloaga, Ignacio (1870–) *a Spanish painter*
Zurbarán, Francisco (1598–1662) *a Spanish painter*

TABLA DE NUMERALES

CARDINALES

1 un(o), una
2 dos
3 tres
4 cuatro
5 cinco
6 seis
7 siete
8 ocho
9 nueve
10 diez
11 once
12 doce
13 trece
14 catorce
15 quince
16 diez y seis
17 diez y siete
18 diez y ocho
19 diez y nueve
20 veinte
21 veintiún, veintiuno, -a
22 veintidós
23 veintitrés
24 veinticuatro
25 veinticinco
26 veintiséis
27 veintisiete
28 veintiocho
29 veintinueve
30 treinta
31 treinta y un(o), treinta y una
32 treinta y dos
40 cuarenta
41 cuarenta y un(o), cuarenta y una
50 cincuenta
51 cincuenta y un(o), cincuenta y una
60 sesenta
61 sesenta y un(o), sesenta y una
70 setenta
71 setenta y un(o), setenta y una
80 ochenta
81 ochenta y un(o), ochenta y una
90 noventa
91 noventa y un(o), noventa y una
100 cien(to)
101 ciento un(o), ciento una
115 ciento quince
122 ciento veintidós
200 doscientos, -as
300 trescientos, -as
400 cuatrocientos, -as
500 quinientos, -as
600 seiscientos, -as
700 setecientos, -as
800 ochocientos, -as
900 novecientos, -as
1,000 mil
1,919 mil novecientos diez y nueve
1,920 mil novecientos veinte

1.000,000 **un millón**
2.000,000 **dos millones**
2.400,000 **dos millones cuatrocientos mil**
1,000.000,000 **mil millones**

ORDINALES

1.° **primero**; 1.ª **primera**
2.° **segundo,** *etc.*
3.° **tercero,** *etc.*
4.° **cuarto,** *etc.*
5.° **quinto,** *etc.*
6.° **sexto,** *etc.*
7.° **séptimo,** *etc.*
8.° **octavo,** *etc.*
9.° **noveno,** *etc.*
10.° **décimo,** *etc.*
11.° **undécimo,** *etc.*
12.° **duodécimo,** *etc.*
13.° **décimotercio,** *etc.*
14.° **décimocuarto,** *etc.*
20.° **vigésimo,** *etc.*
21.° **vigésimo primero,** *etc.*
30.° **trigésimo,** *etc.*

NOTE A: In writing the year no comma is used, *i.e.*, **año 1924.**
NOTE B: From *eleven* on the cardinals are nearly always used instead of the ordinals.

ESPAÑA
ESCALA DE KILÓMETROS
0 50 100 200
ESCALA DE MILLAS INGLESAS
0 50 100 150
OCÉANO ATLÁNTICO
La Coruña
GALICIA
Cabo Finisterre
Santiago
Lugo
Pontevedra
Vigo
ASTURIAS
Gijón
Oviedo
Montes Cantábricos
León
Astorga
LEÓN
Burgos
Valladolid
Duero
R. Duero
Zamora
Medina
Segovia
La Granja
Ávila
Salamanca
Sierra de Gata
MADRID
E S P
Toledo
R. Tajo
Alcántara
Cáceres
Trujillo
EXTREMADURA
R. Guadiana
Almadén
Badajoz
Puertollano
Sierra Morena
Lafra
Córdoba
R. Guadalquivir
Tharsis
Minas de Río Tinto
ANDALUC
Huelva
Moguer
Sevilla
Palos
Málaga
Jerez
Cádiz
Medina Sidonia
Gibraltar (In.)
Estrecho de Gibraltar
ÁFRICA
Oporto
PORTUGAL
LISBOA
Cabo de San Vicente